Donker als de h

Andere boeken van Frances Fyfield:

Vuurdood
Diepe slaap
Schaduwen op de spiegel
Schuldvraag
Volmaakte onschuld
Blind date

Frances Fyfield

Donker als de hel

Vertaald door Luud Dorresteyn

ARCHIPEL

Amsterdam · Antwerpen

Voor mijn zuster Susan Styan,
met liefde

Archipel is een imprint van BV Uitgeverij De Arbeiderspers

Copyright © 1993 Frances Fyfield
Copyright Nederlandse vertaling © 1999 Luud Dorresteyn /
BV Uitgeverij De Arbeiderspers, Amsterdam
Oorspronkelijke titel: *Shadow play*
Uitgave: Bantam Press, Londen
Omslagontwerp: Marjo Starink
Omslagfoto: © Henk Nieman, Amsterdam

ISBN 90 295 1625 9 / NUGI 331

I

Het was half zeven 's avonds en het leek wel middernacht. Alle anderen hadden het tien jaar oude gerechtsgebouw verlaten, dat reeds de eerste verschijnselen van verval vertoonde dankzij de krachttoer auto's op het dak te stallen, gevangenen in de kelder, en het recht daartussenin. Helen West had de hele dag gepraat over door handboeien veroorzaakt letsel. Viel zoiets onder mishandeling? Of was het alleen maar mensonwaardig als de handboeien om je polsen knelden? Wat had Logo ook alweer gezegd? Dat ze voor een politieman het enige legale middel waren om je te laten gillen? Hij had de opmerking met zijn gebruikelijke dubbelzinnige glimlach te berde gebracht en daarmee al hun medeleven samengebald voor de littekens op zijn polsen, en dat was geruime tijd voordat hij begon te zingen. Ik ben misschien klein maar ik heb brede polsen, had Logo gezegd: kijk, ze doen de handboeien altijd te strak om. En op dat moment, na deze naïeve erkenning zo laat in de middag, was de rechtszaak tegen hem mislukt. Helen kwam rillend van de kou bij haar auto aan. Boven was het nat en donker, een heel verschil met de muffe gele warmte beneden.

De auto stond op het enige droge plekje van het betonnen dak, naast de lelijke spiraalvormige op- en afrit, die zich als een wijde schoorsteen aan de zijkant van het gebouw vastklampte. Kinderen zouden het hier prachtig vinden, dacht Helen, maar kinderen weten niet dat het er is. Automobilisten begonnen boven aan de winding en lieten zich door de spiralende tunnel naar beneden rollen: op een skateboard zou het beter gaan. Vanwege de bezuinigingen was de tunnel niet verlicht. Ze had vandaag eigenlijk niet met de auto hoeven gaan, maar omdat een parkeerplaats op het dak een moeizaam bevochten voorrecht was, maakte ze er toch maar gebruik van. Ze wilde weg, de regen uit, de cocon van de auto in en pas stoppen als ze thuis was, waar een avond met het werk van morgen wachtte en, naar alle waarschijnlijkheid, ruzie met Bailey. Nee, dat moest ze voorkomen. Hij ging weg, en hoewel het bootje waarin ze zich bevonden wankel was, mocht het niet kapseizen voordat hij vertrokken was. Het autoportier sloeg dicht, ze had opeens haast. Het was binnen nog kouder en ze zocht naar het contact. Het gebrek aan licht was even verstikkend als een deken.

O God, zou ze ooit kunnen doen alsof ze níét bang was voor het donker?

Gevangen in het licht van haar koplampen, als een gigantische nachtvlinder, prijkte een man. Een kleine man, licht gebogen maar kwiek, stond met tegen zijn schedel geplakte haren in de regen en loodste haar met gebiedende, overdreven hoffelijke gebaren het parkeervak uit, alsof hij gehoor gaf aan een koninklijk bevel. Hij wees haar de weg, alsof dat nodig was op dit verlaten, troosteloze dak, haar tegelijkertijd de doorgang versperrend. Wenkend liep hij centimeter voor centimeter achterwaarts voor de auto uit, waarbij hij zich vanuit zijn middel iets vooroverboog alsof hij haar wilde lokken. Die aardige Mr. Logo met zijn gave om anderen te vermaken, de gedaagde van eerder die lange middag, die zojuist was vrijgesproken op grond van medeleven, gekruid met een snufje legitieme formaliteiten, de schoft. Helen voelde de wanhopige aandrang om het gaspedaal in te trappen, in de dwaze en verrukkelijke verwachting de glimlach van zijn schalkse gezicht te zien verdwijnen wanneer hij onder de motorkap versmolt. Maar de plotselinge razernij die in de plaats was gekomen van de angst die haar bij zijn aanblik had overvallen, sloeg opnieuw om in angst. Hij was een merkwaardige verschijning, Logo. Hij mocht hier helemaal niet komen, zwaaiend met zijn armen in zijn te korte mouwen, waaruit die brede polsen tot enorme handen uitgroeiden. Helen draaide het raampje omlaag, hield haar voet op de koppeling en de auto in de versnelling, klaar om weg te schieten, bang.

'Wilt u even aan de kant gaan, Mr. Logo? U mag hier niet komen. Wat doet u hier eigenlijk?' Haar stem was luid en het gezag dat erin doorklonk verbaasde haar. Logo ging angstvallig op een eerbiedige afstand naast de auto staan.

'O, ik ben een luchtje aan het scheppen, Miss West. Ik zag een deur en ben naar buiten gelopen.'

'Ga aan de kant, Mr. Logo,' herhaalde ze.

'Ik sta nu toch niet meer in de weg? Dat verbeeldt u zich maar. Ik wilde u iets vragen.' Hij kwam dichterbij. Plotseling kromden zijn vingers zich om de bovenkant van het halfgeopende zijraam, zijn glimlachende gezicht was vlakbij en zijn polsen pletten tegen het glas. In het donker zag Logo er bijna fatsoenlijk uit, maar zijn kleding vormde een parodie op de goede zeden en ze moest denken aan de gerafelde manchetten van zijn tweedehandskostuum en de zwakke lijflucht onder de smerige kleren.

'Zeg eens, mijn lieve Miss West, zegt u mij eens: kan ik ze voor de rechter slepen voor die open plekken? Kan dat, kan dat, kan dat?' De stem rees spottend en smekend tot het een liedje werd, het einde van het vragende couplet en het begin van het refrein. 'Ik dacht dat u zo schoon was, Miss West. Schoon van gedachten, schoon van gezicht...' De striemen die door de handboeien waren achtergelaten, waren duidelijk te zien, zijn vingers ontspanden zich.

'Waarom mag ik geen aanklacht indienen? Mag het wel? Mag het niet? Het is niet mijn schuld. Waarom heeft de politie mijn vrouw nooit gevonden? Ik kan er ook niets aan doen dat ik zo doe,' intoneerde hij liefjes.

'De volgende keer zal ik je krijgen, met je hypocriete lofzangen. Duvel op,' zei Helen.

Haar auto schoot zo snel naar voren dat ze hem een ogenblik niet meer in haar macht had; ze was de muur naar de uitgang al gevaarlijk dicht genaderd, toen ze stopte. Met knarsende versnelling reed ze achteruit, dook de donkere tunnel in en voelde Logo achter haar rug lachen. Onverantwoordelijk snel stortte ze zich door het slakkenhuis naar beneden, de auto schoot, als een bobslee de muren ontwijkend, omlaag. Aan het einde, waar de valpoort naar de buitenwereld zich opende, kwam ze onzeker tot stilstand. Ze bleef staan om adem te halen, onderhevig aan een vreselijk verlangen om te gillen, en dankbaar voor het licht dat de begane grond opluisterde. Vanuit een armzalig keetje, van waaruit een televisietoestel extra licht naar buiten liet schijnen, wierp de bewaker een blik op haar, stond zonder plichtplegingen maar met kennelijke tegenzin op en kuierde naar haar toe.

'Wat is er met u aan de hand? U komt naar beneden sjezen als een straatjongen.'

'Er staat een vent op het dak,' zei Helen.

'O ja?' De onverschilligheid was tastbaar. Beneden was het warm. 'Ik dacht dat alle gekken naar huis waren. Er is in ieder geval niemand ontsnapt, dat weet ik zeker.' Rond half vier waren ze allemaal verdwenen, al degenen die voor de eerste of de vijftiende keer naar de gevangenis werden teruggebracht. Ze werden afgevoerd in busjes met getraliede ramen. 'Ooit zal hij toch naar beneden moeten komen, wie het ook mag wezen. Ik zie het wel. Is hij gevaarlijk?'

Helen liet haar adem bevend ontsnappen.

'Ik weet het niet,' zei ze langzaam. 'Ik weet het gewoon niet.'

Logo? Gevaarlijk? Nee. Waarschijnlijk was hij alleen maar een eenzame stakker en het was onprofessioneel van haar om hem uit te schelden. Officieren van justitie werden geacht dat niet te doen.

Dit keer reed ze rustig weg. O God, ik moet doen alsof ik niet bang ben voor het donker. De onverschillige reactie van de bewaker op de aanwezigheid van de indringer op het dak van het gerechtsgebouw kalmeerde haar, zijn houding neutraliseerde het onheilspellende en maakte er iets banaals van. Helen staarde naar de ruitenwissers die met hun versleten rubbers strepen door haar uitzicht trokken, terwijl de regen door het nog steeds geopende zijraam op haar schouder spatte. Ze maande zichzelf vaart te minderen: denk aan iets anders dan aan het feit dat je voor de tweede keer op één dag voor schut bent gezet. Geoffrey zou het niet willen horen, omdat hij met zijn gedachten ergens anders was, bezig was met het pakken van zijn geestelijke en emotionele bagage, samen met zijn kleren. Helen wist opeens weer waar ze heen moest: naar Geoffreys huis en niet dat van haar, en ze voelde de oude vertrouwde wrevel, die nog werd versterkt omdat hij zo onredelijk was, in zich opstijgen.

Rose Darvey had lang gewacht op het telefoontje van Helen West naar kantoor, na afloop van de rechtszaak. Dat deed ze regelmatig. Het was de taak van Rose om het verloop van de rechtszaken van die dag te noteren en in haar notitieboekjes bij te houden waar alle papieren zich bevonden. Ze werkte bij het Openbaar Ministerie, stadsregio Noord, tjonge, wat geweldig. Aangezien het werken en leren werken met computers, de hogere macht van hun bestaan, haar niet werd toevertrouwd, moest ze de aantekeningen vervolgens naar iemand anders brengen die ze intoetste en weer teruggaf. Rose verachtte de computer, zuiver omdat ze er niet mee mocht werken, hoewel ze dat best kon, want het was helemaal niet moeilijk, en omdat ze wist dat het veel eenvoudiger zou zijn en veel tijd zou besparen als ze zelf, zonder tussenkomst van een derde, de telefonisch doorgekregen gegevens zou invoeren. Maar dat was te simpel geredeneerd voor de kapiteins van dit schip. Rose moest tevens weten, en zorgde er ook voor dat ze het wist, waar alle officieren van justitie aan het einde van de dag uithingen om te waarborgen dat ze de spullen die ze nodig hadden voor de volgende dag hadden opgehaald of afgeleverd. Ze deed dit met een heimelijke minachting voor de meesten van hen. De administratieve krachten uit haar eigen stal konden rekenen op haar onvoorwaardelijke loyaliteit; de juristen waren een lachertje. Om Dinsdale Cotton kon je lachen, Redwood was een klungel, maar hij was de baas, John Riley was wel aardig, Amanda Lipton was een bekakte trut... Helen West praatte tenminste nog tegen haar, maar het waren allemaal geboren idioten. Rose vermoedde al heel lang dat het allemaal minkukels waren. Toen Helen West tegen Rose had gezegd dat ze haar hersens verspilde met haar administratieve arbeid en vroeg waarom ze geen rechten ging studeren, had Rose ongelovig haar hoofd geschud. 'Rot op,' had ze gezegd. 'En zeker net zo worden als u, en de rest van mijn leven hier slijten? Grapjas.' Helen was de kwaadste niet, al kon ze neerbuigend doen, en Rose was niet helemaal eerlijk. Ze vond het heerlijk om in dit grote gebouw te werken dat even degelijk was als een burcht, ze wilde niets liever, maar dat zou ze met het pistool op de borst nog niet hebben toegegeven. Niet tegenover een van hen in elk geval.

Vandaag had Rose gewacht, zonder haar nagels te lakken of op het zachte, dunne, geverfde vlechtje te kauwen, dat niet rechtop, in plukken op haar hoofd stond zoals de rest, maar dat in haar nek krulde, waar ze er altijd bij kon om ermee te spelen. Ze wachtte eenvoudig zonder te friemelen, gespannen, en keek naar haar voeten die ze over de armleuning van een oude, gammele stoel had geslingerd en nam zichzelf in ogenschouw met het soort half bewonderende walging dat haar tweede natuur was. Bewondering voor haar lichaam, om wat heel veel mannen ermee wilden doen, walging omdat ze die aantrekkings-kracht zelf niet begreep. Ze maakte zich zorgen om haar lichaam, maar andere zorgen hadden voorrang. Zorgen zetten vele vrouwen in bewe-ging: ze maakten Helen West zenuwachtig, onbeschoft, oncommuni-catief, soms grappig en uiteindelijk verontschuldigend, maar nooit lusteloos. Ze maakten Rose Darvey heel stil.

'Ik ben laat, Rose,' zei Helen door de telefoon. 'Logo is vrijuit ge-gaan. Waarom ben je niet komen kijken? Het is goed voor je om te zien waar het allemaal over gaat.' Ze klonk gekwetst, Miss West, ze had een pestbui. Zoals zo vaak de laatste tijd.

'O ja?' zei Rose met bestudeerd gebrek aan eerbied. 'Dacht u soms dat ik niks anders te doen had? Dat ik tijd had om toe te kijken hoe u zich in zo'n achterlijke rechtszaal belachelijk loopt te maken voor het OM?'

'Nou, dat is me vandaag aardig gelukt.'

'Hoe is hij nu weer de dans ontsprongen?' Ze kenden de naam Logo allemaal. De woede van Helen West om de smadelijke vrijspraken van hem en anderen had door het hele kantoor gezinderd. 'Hij zei dat hij niet in overtreding was op het schoolplein. Dat hij er per ongeluk te-recht was gekomen. Om het te vegen, zei hij. Om te kijken, zei hij. Hij zei dat hij door de eenzaamheid gedesoriënteerd raakt. Hij is ge-woon een stakker en dit was even een vergissing, dat soort dingen. Dus ik moest de handdoek gooien. Hoor eens, vergeet dat ik ooit heb ge-zegd dat je officier moest worden. Vergeet alles wat ik zei over rechten studeren. Je bent beter af als je plees schrobt. Tot morgen.'

'Oké. Hou u haaks.'

Rose legde de hoorn neer, maar hij gleed van de haak af omdat haar hand trilde en ze nam niet meteen de moeite om hem goed te leggen. Zouden ze die kerel ooit achter slot en grendel krijgen? Het was het laatste telefoontje voor vanavond, en het ergste. Nou, God zegene je, stomme Helen West, dat je die schoft weer hebt laten glippen. Maar dankzij mijn werk hier weet ik tenminste waar hij uithangt. Rose legde de hoorn terug, streek haar vingers door haar haren en stopte de vijftien centimeter lange vlecht terug in de kraag van haar rode blouse. De kraag voelde vochtig aan en het voorpand was gekreukt. Maar wat kon de man van vanavond anders verwachten na een werkdag? De telefoon ging weer. Rose was niet in juichstemming toen ze opnam, de hoorn was nog klam van het vorige contact.

'Ik sta beneden bij de voordeur, Rose. Zullen we iets gaan drinken?'

'Ja, best. En een hamburger eten? Ik heb trek.'

'O ja? Kijk eens aan. Ik toevallig ook.' Er klonk een veelbetekenend gegrinnik.

'Ik kom zo.'

Ze wist precies hoe de rest van de avond zou verlopen. Een paar drankjes, bij wijze van betaling voor het gezelschap en een lift naar huis, en het kon haar niets schelen. Het ging erom dat ze het gebouw altijd in het gezelschap van een man verliet. Om het even wie.

Toen ze het kantoor door liep, haar jas aantrok, haar haar opduwde en naast een bureau bleef staan om haar panty recht te trekken, bezon Rose zich. Waarom zou ik, verdomme? Waarom? Het was een dikke panty, passend bij het weer, en hij was uitgelubberd bij de knieën. Gedachteloos schoof ze haar korte rok omhoog en trok de panty zorgvuldig strak, beginnend bij de enkels, om hem ten slotte boven haar middel op zijn plaats te hijsen. Ze stopte de gekreukte blouse in haar rok, slingerde haar tas over haar schouder, streek haar kleren glad en keek naar de deur. Daar stond Dinsdale Cotton, officier van justitie, lachend toe te kijken. Rose was razend.

'Heb je genoeg gezien? Je hebt je ogen niet in je zak, hè?'

'Het spijt me,' zei hij. 'Het spijt me vreselijk. Het was niet mijn bedoeling om je te bespieden. Het spijt me echt.'

'Ik dacht dat je naar huis was.'

'Was ik ook. Maar ik had de helft van mijn spullen laten liggen, dus ik moest terug. Wees maar niet boos. Zullen we iets gaan drinken? Nee, niet om wat ik zag, maar omdat ik je in verlegenheid heb gebracht. En omdat ik me zo'n stommeling voel. Ik had echt niet verwacht dat iemand zich aan het aankleden was, het spijt me erg.'

Hij bleef staan waar hij stond, al zijn plezier verdween door de woedende uitdrukking op haar gezicht. Stomme idioot, dacht ze, maar hij was niet onaardig. Geen wonder dat hij op Helen West viel en zij op hem. Als je niet lette op zijn dwaze naam en zijn prachtige, sluike, goudkleurige haar en het feit dat hij, behalve in een landhuis, nergens op zijn plaats scheen, kon hij er best mee door, nieuwsgierig maar aardig, en bovendien de aantrekkelijkste man van kantoor, hoewel dat niet veel zei. Rose liet zich vermurwen.

'Laat maar,' mompelde ze. 'Laat dat drankje maar zitten. Een andere keer graag.'

Hij boog, hij boog verdomme, echt waar. Dat zou Rose later tegen Paul zeggen, als afleiding, alsof afleiding enig effect zou hebben. Tot haar eigen verbazing boog Rose eveneens, ze stelden zich alle twee aan als kinderen. Die uitwerking had Dinsdale op mensen.

'Denk aan je panty,' grijnsde hij. Dit keer glimlachte zij ook, met haar ogen. Als hij niet had geglimlacht en zijn excuses aangeboden, had ze zijn ballen eraf gebeten.

Zo'n geval hadden ze vorige week op kantoor gehad, van een vrouw die tijdens een ruzie met haar vent een van z'n testikels had afgebeten. Rose was de enige die niet verbaasd was geweest.

Ze stampte de gang uit, schoof twee afgehandelde dossiers in de oude goederenlift om naar de kelder af te voeren en hing haar tasje recht. Er waren vijftien manieren om naar de voordeur te gaan. Als je rechts afsloeg kwam je uit op het einde van een brede gang, die zo breed was dat er een bus doorheen kon rijden. Daarna ging je links, de smalle trap af. Vijftien meter verder bevond zich echter een bredere trap die uitkwam op een smalle en overbodige deur, die als blokkade diende naar de verdieping eronder, in plaats van dat de trap in een vloeiende beweging werd voortgezet, wat alleen maar mooi zou zijn geweest. Dezelfde brede trap zette zich voort naar de voordeur, twee verdiepingen lager, met dezelfde onderbrekingen. Precies zoals de achteringang en de rammelende trap die zij nam naar de verdieping eronder, door de piepende tochtdeuren. Naar beneden, beneden, beneden, opzettelijk lawaaierig, omdat ze graag lawaai maakte en van de leegte genoot zonder ooit bang te zijn, het was er zo groot dat je je er kon verstoppen. Aan de kamernummers was geen touw vast te knopen. Ooit was het een ziekenhuis geweest, een Victoriaans gekkenhuis. Dat had Helen West tegen Rose gezegd, in het kader van haar opleiding: Miss

West zat boordevol nutteloze informatie. De aanpassingen om het in een kantoor te veranderen waren minimaal geweest, vandaar de brede gangen en de superbrede deuren, berekend op brancards en dwangbuizen onder begeleiding. Ze had naar Helens verhandeling geluisterd met grote, knipperende ogen, wachtend op haar beurt, die uiteindelijk ook kwam. 'Nee, ik geloof u niet, het is hier nooit veranderd... Het is gewoon wat het toch al was: een gekkenhuis, of niet soms?' Rose beende langs de videoruimte voor het bekijken van onzedelijke opnamen, langs de bibliotheek waar alle justitierapporten incompleet waren en die vol lag met de kranten van de afgelopen week, langs het kantoor van Fraude, struikelend over de opbollende vloerbedekking voor de passagierslift waarop 'Defect' stond. Helen West had ook nog, heel geestig, opgemerkt dat ze beter allemaal met de goederenlift op en neer konden gaan omdat die betrouwbaarder was en per keer ten minste één pygmee kon vervoeren. Rose nam aan dat ze geen duurder gebouw konden betalen. Alleen gekken wilden hier werken.

Opeens wist ze niet meer of ze de avond die haar wachtte aankon, maar in de tweede draai van de trap wist ze dat het wel zou lukken. Roekeloze Rose, zo luidde haar reputatie. De negentienjarige Rose die het kantoor nooit zonder vent verliet.

Hoofdagent Ryan en inspecteur Bailey van de recherche zaten bij de eerste hulp van het Hackney-ziekenhuis.

'Wat een gekkenhuis hier,' zei Ryan. 'Volgens mij wordt het gerund door een stelletje gestoorde dokters.'

'Geen kwaad woord over artsen. We hebben ze nodig.'

'Ik sprak geen kwaad. Ik zeg alleen wat ik ervan vind.'

'Wil je dan alsjeblieft op je woorden letten? Hoe lang nog, denk je?'

'O, nog tien minuten. Daarna hebben ze vijf minuten werk met je en kan je naar huis.'

Bailey keek op zijn beschadigde horloge en kreunde. Zijn linkeroog werd half dichtgedrukt door een paarse zwelling. Een hematoom, zou er in het rapport staan. Voor Ryan was het gewoon een blauw oog, beroepsletsel dat politiemensen met Baileys rang niet vaak opliepen. Ryan schrok van het gekreun, het eerste tot dusverre. Tot dusverre had Bailey zich beperkt tot een reeks vervloekingen, die ook al niet kenmerkend voor hem waren. Ryan vroeg zich af hoe het liefdesleven van zijn chef eruitzag; hij had de laatste tijd geen al te gelukkige indruk gemaakt, maar hij had ook nooit met een officier van justitie moeten gaan hokken.

'Wat is er? Doet het pijn?'

'Natuurlijk doet het geen pijn verdomme,' zei Bailey met zware ironie. 'Maar het schoot me net te binnen dat ik eten had moeten inslaan. En koken, rond deze tijd. Verdorie. Ze zal het met soep moeten doen.'

Ryan was verbijsterd. Hij dacht aan zijn eigen huwelijk, dat ondanks de nodige hoogte- en dieptepunten verre van onbevredigend en één lange reeks van verbrande ovenmaaltijden was, maar die waren in ieder geval in de oven gezet.

'Helen? Dan eet ze toch soep. Waarom kookt ze zelf niet? Kookt ze nooit?' Hij had evengoed kunnen zeggen: doet ze de was nooit?

Bailey richtte zijn goede oog op Ryan. Het zag er een beetje triest uit, om niet te zeggen angstaanjagend, zoals het hem autonoom aanstaarde.

'We koken om beurten. In haar huis kookt zij, in mijn huis kook ik. We zijn alleen uit ons ritme. Van afwisseling is weinig sprake de laatste tijd.'

Meer ontboezemingen zaten er niet in en Ryan begreep dat hij van onderwerp moest veranderen. En trouwens, op deze gure januaridag vlak na kerst wilde hij met een vakantie in het vooruitzicht niet gaan someren. Hij wreef zich in de handen.

'Wat maakt het uit. We gaan overmorgen naar Bramshill. Weg van dit alles. Hebben we het niet verdiend? Erg kan het niet zijn.'

Ze gingen allebei naar een nascholingscursus van de politieopleiding. Ryan zei dat die van hem was om lezen en schrijven te leren; die van Bailey was bedoeld voor de hogere rangen. Straks lieten ze hem nog met gijzelaars praten.

'Vandaag kon er best mee door, vond je niet?' vervolgde Ryan, nog steeds op een manier in zijn handen wrijvend die Bailey irriteerde. 'Vijf aanhoudingen op de laatste dag in actieve dienst. Je trok een aardig sprintje, chef, echt waar. Nooit geweten dat je zo hard kon lopen.' Hij bedoelt aardig snel voor iemand van mijn leeftijd, dacht Bailey.

'Nee, je wist niet dat ik kon hardlopen en je wist ook al niet dat die vent om de hoek me met geheven vuist opwachtte, of wel soms? Waarom heb je niet gewaarschuwd? Ik had wel tegen een muur op kunnen lopen, dan had ik het helemaal kunnen vergeten.'

Ze schudden allebei van het lachen. Ryan bekeek de verpleegster die naar hen toe kwam. In Bramshill zouden ook vrouwen zijn, vast wel. De oude man was aan een pleziertje toe.

'Hoor eens,' zei hij tegen de verpleegster. 'Als je klaar bent met Mr. Bailey, wil je dan een pleister over zijn oog plakken om het er erger te laten uitzien? Er zit namelijk een vrouw op hem te wachten thuis. Hij moet medelijden opwekken.'

Ze wachtte. Helen voelde de leegte van Baileys flat zodra ze de sleutel in het sleutelgat stak. Alweer te laat, altijd te laat, maar ze kon het hem niet eens kwalijk nemen omdat haar heel vaak precies hetzelfde overkwam. De keren dat hij echt veel te laat was, betaalde ze hem meestal met gelijke munt terug door bij een volgende gelegenheid helemaal niet op te komen dagen. Wat een kinderachtige spelletjes speelden ze toch. Het lampje op zijn antwoordapparaat knipoogde naar haar. Misschien stond er een bericht of uitleg op, want hij was heel consciëntieus met dat soort dingen, maar omdat ze zijn privacy respecteerde – opdat hij die van haar ook zou respecteren – luisterde ze het niet af. Ze hadden de regel dat, al bezaten ze elkaars huissleutel, dit niet hetzelfde was als volkomen thuis zijn bij de ander. Het ontbrak Helen aan gevoel van gerechtvaardigde verontwaardiging en ze wist dat ze er geen recht op had. Geoffrey was politieman, hij had geen vaste werktijden zoals andere mannen. Ze hadden gekozen voor een relatie die tegelijkertijd ongebonden en gebonden was. Het kon niet anders dan dat die wemelde van de problemen, en zij was degene die vasthield aan deze onhandige vorm. Samenwonen was ook niet echt een succes geweest. Helen wist nooit precies of Baileys met de mond beleden verlangen om het opnieuw te proberen, of zelfs met haar te trouwen, hun onbestendige regelingen ten goede kwam of juist irritatie opwekte. Misschien waren ze gewoon op elkaar uitgekeken. Oud en muf, zoals het brood in zijn broodtrommel. Hij zou wel zijn vergeten boodschappen te doen. Er was rijst, er waren garnalen in blik, pakken soep en er was meer dan genoeg wijn om de dag te vergeten. Misschien geen feestmaal. Ze had deze bovenste verdieping van het pakhuis weer kunnen verlaten, waar het zoveel koeler was dan in haar eigen volgepakte souterrain, om naar de avondwinkel op de hoek te gaan en de proviand aan te vullen, maar dat deed ze niet. In plaats daarvan wachtte ze een kwartier en ging toen naar huis.

Het was donker in de straat waar Logo woonde en nog donkerder in de steeg tussen zijn huis en dat van opoe. Ze waren geen van tweeën eigenaar van hun huisje, dat was onmogelijk met hun inkomen, zelfs in een straat als deze waar geen verstandig mens een huis zou kopen. Dat was tenminste Logo's mening. De makelaars die vijf huizen aan de overkant met hun aanplakbiljetten hadden opgesierd, dachten er misschien anders over. Er waren pogingen gedaan om Legard Street op te waarderen, maar degenen die er met de overmoed en het optimisme van de jeugd neerstreken, vertrokken gewoonlijk al na een jaar of zo. Arbeiderswoninkjes, waarvan de meeste inmiddels koophuizen waren en een paar waarin de oude huurders nog woonden, zoals dat van hem en opoe. De huurders waren oud, een bedreigde en strijdlustige soort die niet samenklitte, maar wel de particuliere eigenaren met hun nieuwe voordeuren bespotte. Iederéén werd bedreigd door de nabijheid van het voetbalstadion. In het seizoen om de week, en daarbuiten nog talloze andere keren, werd hun straat versperd door auto's en werden hun tuintjes vertrapt door de duizenden die te voet hun elftal kwamen aanbidden. Hoe beter het elftal presteerde, hoe slechter de straat eraan toe was. De jonge mevrouw Jones van nummer zeventien was na de geboorte van haar eerste kind verhuisd, omdat ze niet was opgewassen tegen het vooruitzicht een lijst met wedstrijddata in de keuken te moeten ophangen om te weten op welke zaterdag ze haar huis kon verlaten om naar het ziekenhuis te gaan teneinde de volgende te baren. In vergelijking met de gevaren die het voetbalstadion met zich meebracht, vormde Logo's gezang maar een bescheiden bron van irritatie.

Hij zong met een lichte tenor, zijn stem versmolt met de aanhoudende regen, wat de luguberte versterkte maar de erin doorklinkende triomf niet verzwakte.

'Kom, christenschaar, komt zingen wij!
Het is voor ons, voor u en mij,
dat God zijn Zoon gegeven heeft,
het is voor ons, dat Jezus leeft...'

'Tralala!' eindigde hij, omdat hij de woorden van het volgende vers niet kende. Er sloeg een deur dicht. Het geluid van haastige voetstappen door de plassen. Er sloeg nog een deur dicht, iemand zette zijn vuilnis buiten. Logo keek niet om zich heen. Het was geen gezellige straat. Hij dook het steegje in en tastte naar zijn huissleutel. Alsof hij die nodig had. Iedereen die het wilde, hoefde maar een trap tegen de deur te geven en kon zo naar binnen, maar blijkbaar wilde niemand dat.

'Moeder!' brulde hij, zijn huisdeur openduwend. Achter de kapotte afrastering die de steeg flankeerde op het punt waar die in een bemoste achtertuin overging, scheen licht door de ruit van de keukendeur van het buurhuis. Logo liep erheen en tikte tegen de ruit. Misschien had ze hem door de regen niet horen roepen, maar dit hoorde ze zeker en hij had er behoefte aan met iemand te praten. Hoewel ze er aanstoot aan zou nemen, net zoals ze het vervelend vond dat hij haar met moeder of opoe aansprak terwijl ze niet eens familie waren, duurde het gewoonlijk niet langer dan drie minuten eer ze bij hem was. De oude mevrouw Mellors was het slachtoffer van haar eigen verlangen naar gezelschap. Logo was haar levenslijn. Ze was tevens de enige in de straat die zijn gezang ook nog steeds leuk vond toen het nieuwtje er al lang af was.

'Ik zou verdorie net zo goed je moeder kunnen zijn,' mopperde ze, terwijl ze de haveloze deur die hij op een kier had laten staan openduwde en zich naar binnen sleepte. 'Wat wil je nu weer?'

'Niks,' zei hij verontwaardigd. 'Sinds wanneer wil ik iets van je? Het is gewoon nat buiten en ik dacht dat je misschien trek had in een borrel.'

Ze zuchtte. 'Wat ken je me toch goed, maar je had me best een nat pak kunnen besparen en me een glas kunnen brengen. Jij bent toch al nat. Ik was aan het breien.'

'Niemand zegt van mij dat ik nat ben.' Hij nam de pose van een bokser aan en ging breeduit voor haar staan, zijn glimlachende gezicht verzachtte de agressie. Margaret ging moeizaam zitten.

'Dat weet ik,' zei ze. 'Blijkbaar heb je het er vandaag goed afgebracht. Geen wonder dat je het wilt vieren. Ach, ik wilde dat ze je niet steeds zomaar oppakten, al die politiemensen. Het is niet eerlijk. Niet dat de gevangenis je kwaad zou doen. Ze zouden je te eten geven, zodat je een beetje vlees op je botten zou krijgen.' Ze giechelde.

'Wens je me dat toe, ondankbaar oud mens? Wens je me dat toe?' Uit zijn ene uitgezakte jaszak haalde hij een halfje whisky te voorschijn en uit de andere een fles dry ginger. Klasse. Margaret Mellors merkte dat het speeksel haar in de mond liep bij de aanblik van de whisky. Ze richtte haar blik op haar benen die ze op het vergane linoleum had uitgestrekt, met de wandelstok er evenwijdig naast. Margaret wachtte op een nieuwe heup, ze had het gevoel dat het wachten eindeloos lang duurde. Weliswaar kon ze met haar oude heup nog aardig uit de voeten, maar om deze tijd van de dag had ze pijn.

'Nee,' gaf ze toe. 'Dat wens ik je helemaal niet toe en dat weet je best. Ik wou alleen dat jij je eens gedroeg. Maar voor mij ben je goed, Logo. Van mij mag je nog een poosje meelopen. Schenk je die borrel nog in of laat je me de hele avond wachten?'

Hij viste een pakje sigaretten uit een van zijn bodemloze zakken en gooide het in haar richting. Ze ving het behendig op met beide handen. Margarets handen en hersenen waren niet aangetast door ruim zeventig jaar hard werken zonder grote verwachtingen van het leven, zelfs niet in het begin. Gezegend zijn zij die niets verwachten, placht ze te zeggen, want die worden niet teleurgesteld. Logo en zijn familie hadden haar veel van de vreugde geschonken die ze in haar leven had gekend. Hij keek haar aan met de glimlach die politierechters vermurwde en zei zachtjes: 'Ben ik goed voor jou, moeder? Het is eerder andersom. Ik weet niet wat ik zonder jou had moeten beginnen, maar het wordt ons niet in dank afgenomen, of wel?' Ze schudde haar hoofd, ze vond het niet prettig dat het gesprek deze wending nam, maar hij hield voet bij stuk.

'Wat had ik gemoeten met zo'n vrouw? En een opgroeiende dochter met zo'n moeder? Ik weet het niet. Jij bent een moeder voor ons allemaal geweest, jij en Jack. God hebbe zijn ziel. En wat gebeurt er na al die liefdevolle goedheid? De vrouw gaat er met een ander vandoor en de dochter maakt haar vader het leven zuur. Maar dat doet niet ter zake, opoe.'

Margaret haalde haar schouders op, ze hoopte nog steeds dat het gesprek een andere wending zou nemen. Ze twijfelde er niet echt aan dat ze de loftuitingen verdiende, maar dat wilde nog niet zeggen dat zij ze ook wilde horen, en de gedachte aan de vermiste dochter, evenals aan die mooie vrouw, vervulde haar nog steeds met een smart die scherper was dan alle lichamelijke pijn. Ze was eraan gewend en maakte zichzelf wijs dat ze zijn obsessie misschien niet begreep, omdat ze geen kinderen van zichzelf had, terwijl Logo het over zijn eigen vlees en bloed had. Ze had zich over Logo's kind ontfermd, maar wist dat ze nu geen aanspraak meer op haar kon maken.

'Ik neem aan dat je ze niet hebt gezien?' vroeg hij treurig. Even dacht ze dat hij de buren bedoelde die de grootste hekel aan hem hadden, de huisbaas van hun identieke huizen en diens vrouw, maar die bedoelde hij helemaal niet.

'Wie bedoel je? O, ik begrijp al wie je bedoelt. Nee, rare, natuurlijk niet. Al in geen vier jaar. Doe niet zo gek. Waarom vraag je dat toch steeds?'

De whisky, die ze spaarzaam maar gretig tot zich nam, zat al in haar bloedbaan en verdoofde de pijn, maar niet de spijt en de schuldgevoelens. 'Ik heb gewoon gedaan wat ik kon,' zei ze. 'Ik wou maar dat je er niet steeds naar vroeg. Ik heb je dochter en je vrouw niet meer gezien sinds het overlijden van Jack. Jij zou de eerste zijn die het wist als het anders was. Hou je er nu over op, rare snuiter?'

Logo wierp zijn hoofd in zijn nek en lachte met een stemgeluid dat even glorieus klonk als zijn beste gezang. Zijn sombere stemming, die van voorbijgaande, oppervlakkige aard was aangezien hij in wezen opgewekt en monter door het leven ging, scheen voorbij te zijn. Ach, je moest wel van hem houden: hij was een portret, hij dobberde als een kurk over alle tegenslagen en hield een baan vol die niemand anders ambieerde: daarvoor voelde ze bewondering. Wie anders wilde er straatveger zijn en de hele dag die grote oude bezemkar voortduwen en afval oprapen? Ze voelde zich even loyaal ten opzicht van Logo als altijd, een even grote beschermingsdrang als wanneer hij wel haar zoon was geweest en even bezorgd. Geen van de andere bejaarden in de straat had een zoon die ook maar half zo attent was als hij.

'Ik heb lekkere soep op staan, mocht je trek hebben,' zei Margaret. 'Maar of je nu trek hebt of niet, ik lust nog wel een glaasje,' en de pijn in haar borst, de voorbode van tranen, nam af met het klokken van de vloeistof.

'Nee, ik hoef niet meer, bedankt. Twee is genoeg.'
'Je maakt een grapje. We zijn nog niet eens begonnen. Nog eentje?'
'Nee, dank je. Vind je het erg als ik je alleen laat drinken? Ik denk dat ik maar eens naar haar huis ga om te kijken of ze daar is. Het is niets voor haar om...'
'Chef, Geoff, zo zijn de vrouwen.' Ryan was van streek, dat wil zeggen, woedend. Hij had zijn chef naar huis gebracht en daar bleek niemand te zijn, zelfs geen verbrande maaltijd of kopje soep, alleen een sjaal op een stoel om te laten zien dat ze er geweest was en de boel weer net zo had achtergelaten. Mannen konden niet leven op een vleugje parfum. Het antwoordapparaat had staan knipperen en wenken als een wezen dat iets in zijn oog had gekregen en er was geen spoor te bekennen van een brandend haardvuur, een onderjurk of iets in die geest. Wij verwelkomen onze stoere held, amen. Ryan, die overal tegen kon behalve tegen het ongemak dat een seksegenoot leed door toedoen van een vrouw, zette de opgelapte blauwogige held in zijn auto en leverde hem elders af. Naar zijn eigen ervaring kon je, als je toch al te laat was, evengoed heel veel te laat zijn en straalbezopen. Hoe later je het maakte, des te opgeluchter waren ze om je te zien, en de woede was na twee uur even groot als na zes uur.
'Goed, ik breng je wel. Maar dan ga ik meteen weg, oké?'
'Ja, natuurlijk. Erg aardig van je.' Zijn formele reactie klonk eigenaardig koel. Bailey verloor zijn zelfbeheersing nooit, of hij nu brooddronken of echt dronken was, opeens kon hij killer en gevaarlijker zijn dan zwart ijs. Ryan benijdde Helen West niet, die hij graag mocht en bewonderde, ze moest alleen eens leren om zich als een vrouw te gedragen.

Ze stopten voor het grote oude huis waarin haar appartement zich bevond. Ryan kende zoals altijd de weg vanaf de pub. Ook al woonde hij buiten London, hij scheurde als een taxichauffeur. Sla na de pub rechtsaf, rij binnendoor via Legard Street langs het voetbalstadion, sla linksaf bij het park, bij de verkeerslichten rij je rechtdoor naar de nette buurt. Het was niet bepaald een wijk waar Ryan vaak vertoefde, maar Bailey kende er de weg omdat die vrouw daar woonde, God sta hem bij.

Ryan wuifde en liet de motor al grommen toen zijn chef nog bezig was uit te stappen. Twee deuren verder zette hij de motor af, stapte uit en liep terug. Helen West had een mooie voordeur in haar souterrain en de lichten brandden. Ryan bleef in het donker staan en zag Bailey aanbellen. 'Waar was je, Helen?' zei hij toen de deur openging. 'Waar was je? Kon je niet even wachten?' Hij zag dat de oudere man zich een weg naar binnen baande en hoorde haar antwoord. 'Het spijt me,' zei ze. 'Het spijt me. O, wat heb je gedaan? Toch niet weer...'

Dat leek er meer op. Ryan was blij dat Bailey een verband over zijn oog had. Daardoor zag hij er tegelijkertijd gewond en als een zeerover uit.

Naar de snelweg toe nam hij opnieuw de kortste weg door Legard Street. Waarom vond iedereen het laat? Volgens zijn normen was het helemaal niet laat. Hij overwoog of hij onderweg naar huis nog ergens zou aanleggen. Doorrijden, jongen, doorrijden, vermaande hij zichzelf. Overmorgen Bramshill, wees braaf en zorg dat je om tien uur thuis bent. Zijn vrouw wist wel beter dan zo laat nog te bellen. Toen hij rechts afsloeg, genietend van de snelheid en het rechtschapen gevoel dat zijn nuchtere toestand hem schonk, herkende Ryan in het schemerlicht een bekend gezicht in een van de auto's die hij passeerde, terwijl hij tussen de dubbel geparkeerde auto's slalomde in die dubieuze straatjes rond het stadion. Kijk nou eens, dacht hij bij zichzelf, ik dacht dat ik het verdere verloop van deze avond kon voorspellen. Ik dacht dat ik hem dronken zou krijgen en het zal me nog lukken ook. Hij had erom gewed.

Rose Darvey had precies geweten hoe deze avond zou verlopen, maar desondanks was ze teleurgesteld te merken dat hij inderdaad zo voorspelbaar was als ze had vermoed. Elke escorte van kantoor kende zijn prijs. Die werd nu vereffend en dat alles voor een lift in een aftandse Ford Cortina, het beste wat een aspirant-politieagent zich kon permitteren. Hij had haar meegenomen naar de pub voor drie rondjes drank en drie rondjes chips en daarna, met meer tegenzin, naar een

McDonald's, waar ze zwijgend hadden gezeten, kauwend op het beste wat het menu te bieden had, onder het soort licht dat haar verlamde en het zwijgen oplegde, en dat alles als vooruitbetaling op het nagerecht. Rose Darvey, met haar slipje om één enkel en de panty die bij de knieën was uitgelubberd, nu verborgen onder het bed in een van de flats voor politiemensen in opleiding. Met aspirant Williams die zich een weg tussen haar dijen baande voordat hij de nachtdienst in ging en er een heleboel lawaai bij maakte. O Rose, Rose, Rose, alsof de naam ertoe deed. Hij had zijn overhemd nog aan en stootte tussen haar benen met een gezicht dat helemaal trilde. Hij torende boven haar uit en ze bekeek hem ongeïnteresseerd. Haar handen lagen op zijn magere billen, die ze kneedde alsof het deeg was: mannen waren gevaarlijk als ze geil waren, je moest doen alsof je het leuk vond. Rose werd geplet en gemangeld. Hij nam de tijd, op de maat van haar namaakkreetjes en het sloeb-sloeb-geluid, terwijl zij naar het granolplafond staarde. Net toen ze dacht dat er nooit een einde aan zou komen, voltooide hij zijn daad en liet zich vallen. O, Rose, Rose, Rose. Hou je kop, wilde ze zeggen, maar dacht eraan dat ze hem moest blijven strelen. Tien minuten later zaten ze weer in de Cortina, hij op weg naar zijn werk en zij naar haar bed. Ze reden de Northchurch Street uit, waar Helen West woonde, zo wist Rose, omdat ze al die dingen nu eenmaal wist. De lichten waren daar beneden nog aan, ze zou wel aan haar kopje chocolademelk zitten. Inmiddels keek ze strak voor zich uit, zoals meestal trouwens. Paul begon haar zwijgzaamheid verontrustend te vinden, maar hij was zo verstandig zijn geluk niet op het spel te zetten.

'Welk nummer is het ook alweer?' vroeg hij toen ze drie kilometer voorbij het stadion waren.

'Dat zou je wel willen weten, hè?' zei Rose parmantig, de panty zat min of meer op zijn plaats, maar het voelde verontrustend kleverig aan tussen haar benen. 'Zet me maar op de hoek af, dat is makkelijker. Dag.'

Hij gehoorzaamde, hij had zijn hoofd er niet bij omdat hij zich aan het concentreren was op zijn nachtdienst en wenste dat hij overdag meer had geslapen. Ze liep langzaam de straat uit zolang hij nog in het zicht was en begon daarna te rennen.

O God, als ik maar niet hoef toe te geven dat ik bang ben voor het donker.

2

Het kantoor van het Openbaar Ministerie oogde aan het begin van de middag niet gedistingeerder dan in het donker, maar Brian Redwood, heer en meester over alles wat hij inspecteerde, troostte zichzelf met de gedachte dat de visuele ergernissen tenminste ongebruikelijk waren. Hij had altijd een gigantisch kantoor gewild, al was het maar om zijn status te weerspiegelen – hoewel hij nu moest erkennen dat het een mythe was, aangezien hij koning zonder kroon was. De kamer die hij in gebruik had, bood een vorst voldoende ruimte om aan één zijde als een erwt op de troon te zitten, maar de luister was die van een geruineerd Russisch paleis en bood het comfort van een grot. Redwood had, toen hij het jaar ervoor gedwongen was geweest zijn intrek te nemen in dit gebouw, zijn ogen niet kunnen geloven, en ofschoon zijn ongeloof was afgenomen, was dat met zijn teleurstelling niet het geval. Het was allemaal onderdeel van het vernederingsproces en hij wist nog steeds niet of dat een opzettelijk proces was. Het enige kenmerk van het gebouw dat hem aanstond, was het grootse hekwerk buiten, dat het geheel aan drie zijden omheinde; het stond hoog en strak in het gelid, uit elke elegante fleur-de-lis stak een dodelijke punt als een barrière tegen de wereld. Redwood keurde die ergens wel goed als middel om zijn personeel binnen, in plaats van anderen buiten te houden, om de spijbelaar en de ontsnapte gevangene te tarten, maar aan de rest van het gebouw had hij een hartgrondige hekel. Hij was een onopvallende man, een lid van de grijzemuizenbrigade, ongekleurd door humor maar verre van dom. Met de letter van de wet had hij nooit problemen gehad, daarom had hij dit vak ook gekozen, maar mensen waren een andere zaak.

Die middag oefende hij zich in het verbeteren van de communicatie met zijn staffunctionarissen. Een folterende managementcursus had hem erop geattendeerd dat dit niet alleen veel te laat maar ook een verplichting was, aangezien het moreel van zijn personeel onder zijn verantwoordelijkheid viel. Tevergeefs had hij trachten uit te leggen dat geen enkele chef die in een dergelijk gebouw was neergepoot bij machte was het stof van eeuwen te verwijderen en de meute te verblijden, tenzij hij hun een salarisverhoging gaf. De reactie hierop van bovenaf was bespottelijk: hij moest hun hart en verstand voor zich winnen en ervoor zorgen dat ze het onverdraaglijke verdroegen. Dat draaide uiteindelijk uit op de maandelijkse bijeenkomsten, uitsluitend voor de officieren van justitie, gehouden aan het einde van de middag. Ze zaten in zijn kamer op een bonte verzameling stoelen en aten de met jam bestreken donuts die hij uit eigen zak had betaald. Redwood had een zeer ouderwets beeld van een traktatie en hij zag niet in waarom tijdverspilling ook nog duur zou moeten zijn.

Ze werden geacht de zaken die hun zorgen baarden te bespreken in een soort openbare biecht, en dat deden ze ook min of meer, onder elkaar, Redwood negerend, die zijn blik intussen over de muren liet glijden. Hoge plafonds met kapotte friezen, grote paneeldeuren, die zo dik onder de tientallen lagen glansverf zaten dat de panelen er vrijwel in versmolten waren. Een grote en lelijke open haard uit de jaren negentig van de negentiende eeuw werd aan het gezicht onttrokken door een elektrisch equivalent uit de jaren vijftig van de twintigste eeuw, dat inmiddels in onbruik was geraakt. Over de wanden liepen gasbuizen, eveneens buiten gebruik, terwijl de nieuwere radiatoren zij-aan-zij met de oude stonden. Het was een kamer met veel toevoegingen, waaruit niets was verwijderd, behalve wat misschien mooi had kunnen zijn. Elke keer als hij een van de enorme schuiframen, die bijna vanaf de vloer tot boven zijn hoofd reikten, probeerde open te schuiven, brak hij zowat zijn vingers. Hij was zich er onbehaaglijk van bewust dat zich onder zijn voeten en boven zijn plafond kamers in dit kolossale gebouw bevonden die hij zelfs nog nooit had gezien. Toen hij hier was begonnen had het hem drie dagen gekost om de wc's op zijn verdieping te vinden, en zelfs nu nog nam hij elke dag een andere route.

Roken was in zijn persoonlijke domein niet toegestaan en Redwood merkte met sombere voldoening op dat Helen West zich niet alleen zenuwachtig bewoog, maar tevens oogde alsof ze liever een stevig glas gin dan slappe thee had. Hij bezag haar met zijn gebruikelijke mengeling van wrevelig ontzag en onbehaaglijkheid. Ze was veranderd de laatste tijd. Voorheen had ze hun altijd voorgehouden dat ze zich bewust moesten zijn van de mogelijke onschuld van degenen die werden beschuldigd van een misdrijf, maar nu scheen ze geobsedeerd te worden door hun frequente onvermogen schuld aan te tonen. Op dit moment vermaakte ze hen allemaal met een verhaal over een vent die Logo heette.

'Hij komt dus binnen, in pak, stropdas, alles, als vleesgeworden, tot armoede vervallen fatsoen en, o ja, dat vergeet ik nog, met een bijbel in zijn hand. "Ik heb mijn eigen bijbel meegebracht," zegt hij liefjes met een buiging naar de rechterstafel. Hij luistert naar alle bewijsvoering en stelt alleen de meest ter zake doende vragen, alsof hij zichzelf al zijn hele leven vertegenwoordigt.'

'Waarschijnlijk is dat ook zo,' zei Dinsdale lachend. Helen begeleidde haar verhaal met gebaren. Hij had Logo ook al eens ontmoet en genoot van Helens perfecte mimiek.

' "Neem me niet kwalijk," zegt hij tegen de moeder van de eerste getuige, "maar uw lieve dochtertje heeft zich er toch niet over beklaagd dat ik haar ook maar met één vinger heb aangeraakt?" "Nee, nooit," geeft de getuige toe. "Dus ik heb haar alleen een snoepje aangeboden, precies zoals de anderen?" "Dat klopt," zegt de getuige. "En ik liet mijn aanbod niet vergezeld gaan door enig laaghartig gebaar?" De getuige raakt in de war. "Wat is dat?" "Ik weet het niet, mevrouw. Ik kan niet precies beschrijven waartoe ik niet in staat ben, maar ik dacht dat ik daarvan werd beschuldigd." O, hij is zo gruwelijk welbespraakt. "Ik ben bang, mevrouw," zegt hij ten slotte, "dat ik uw dochter vanaf de school heb gevolgd omdat ze alleen was en huilde, omdat ik me zorgen over haar maakte, maar ook omdat ze me doet denken aan mijn eigen dochter, die ik heb verloren." Hij had de getuige in tranen, ze voelde zich schuldig. En de rechtbank. Hij is een soort naïef genie. Daarna vertelde hij hoe ruw de politie hem had behandeld, liet ons de striemen van de handboeien zien en niemand durfde te zeggen dat die helemaal niet van recente datum waren. Iedereen wrong zich in allerlei bochten om aardig voor hem te zijn en hij werd vrijgesproken. En weet je wat hij toen deed?'

'Ja,' zei Dinsdale. 'Hij zong.'

'Precies,' zei Helen. ' "Blijf bij mij, Heer, want d'avond is nabij. De dag verduistert, Here, blijf bij mij!" Hij heeft een prachtige stem, maar hij wist tot hoever hij kon gaan, dus stopte hij na het tweede vers.'

'Ik ken het,' zei John Riley, de enige kerkganger onder hen.

'Weldra verloopt des levens kort getij,
Vreugde verdooft, de glorie gaat voorbij.
Alles verzinkt, waar ik mij henen keer:
Gij houdt uw trouwe, o blijf bij mij, Heer!'

Zijn mooie basstem eindigde in een verlegen cadens en blozend sloeg hij zijn blik neer. Je had een speld met een bons kunnen horen vallen in de daaropvolgende stilte. Redwood schoof ongemakkelijk in zijn stoel. Dit was echt te veel voor iemand die de voorkeur gaf aan ingetogen gedrag.

'Snap je wat ik bedoel?' zei Helen, de betovering verbrekend. 'Je kunt geen man verhoren die op die manier lofzangen zingt. En je kunt er evenmin omheen dat het de vijfde keer is dat hij werd betrapt op verdacht rondsluipen. Weet je wat jaren geleden zijn eerste specialiteit was? Zich op privé-terrein bevinden. De mensen draaiden zich om in een of ander kantoorgebouw waar hij schoonmaakte en dan stond hij opeens achter hen. Nu is hij straatveger. Tegenwoordig probeert hij donkerharige meisjes mee te lokken voor een wandeling over kerkhoven. En hij weet hoe machteloos we staan. Hij doet in feite nooit iets. Ben ik de enige die hem zo onguur vindt?'

'Hij had helemaal niet mogen worden vervolgd,' zei Redwood boos. 'Niet als de bewijzen zo mager waren als jij doet voorkomen. Waar zat je met je gedachten, Helen? Wat is er met je beoordelingsvermogen gebeurd? Je bent bezig zelf een aanklacht te worden!'

Het was een oud grapje, aanklager, aanklacht, dat was het beste wat hij kon zeggen om de indruk te wekken dat hij ook nog naar iets anders dan het zingen had geluisterd, maar Helen keerde zich zonder enige humor tegen hem.

'Natuurlijk waren er wel bewijzen!' Ze stopte en bloosde. 'Er was tenminste een halve aanranding. Ik bedoel, hij was behoorlijk vasthoudend.' Rond haar mondhoeken verscheen een glimlach. 'Goed. Ik snap het. Hij heeft haar niet daadwerkelijk betast. Hij zegt dat hij gek wordt van voetbal. Als een weerwolf van de maan.'

'Wat is een halve aanranding?' informeerde Dinsdale.

'Een fatsoenlijke,' zei Redwood, 'en als jullie het niet erg vinden, ik bedoel, als dit alles was...' Hij had zijn plicht gedaan. Ze namen de wenk ter harte en stonden gelijktijdig, opgelucht, op. De bijeenkomsten waren een opgave en het was benauwd in de kamer.

'Helen, wil je even wachten?'

Dinsdale bleef bij de deur staan, klaar om terug te komen, terwijl Helen bleef staan. 'Niks aan de hand, man,' blafte Redwood. 'Ik ga haar heus niet de mantel uitvegen, het gaat over iets heel anders. Je hoeft niet zo beschermend te doen, ze heeft geen getuige nodig.' Hij vroeg zich af, en niet voor het eerst, hoe het kwam dat Helen altijd omringd werd door een legioen bondgenoten. Maar zodra Dinsdale was verdwenen, wenste Redwood dat hij zou terugkomen zodat hij niet alleen met haar hoefde te zijn. Hij kuchte met het holle geluid van iemand die op de bladzijde zoekt waar hij is gebleven en niet tegen een stilte kan, maar eigenlijk zijn praatje wil uitstellen. De deuren hier sloten tenminste met een zwaarwichtige stilte, in tegenstelling tot de ramen die ratelden als de donder.

'Helen, ik heb je hulp nodig. Het is een nogal delicate kwestie en ik weet niet wat ik ermee aan moet.'

Ze keek hem scherp aan en wachtte op de grap, al wist ze dat Redwood nooit de draak stak met mensen en hen alleen onderuithaalde als ze even niet opletten. Misschien was het een oprechte smeekbede van een man die absoluut niet wist hoe hij met emoties moest omgaan en haar benijdde om haar volslagen onbekommerde houding tegenover de onstuimige gevangeniswegen van het leven. Ze besloot hem het voordeel van de twijfel te gunnen. Hij kuchte weer en zocht een zakdoek, maar staakte dit in het verlangen van wal te steken, zodat hij het maar achter de rug zou hebben. Hij wentelde zijn problemen wel vaker af op Helen en daar schaamde hij zich voor.

'Rose,' zei hij zwaarwichtig. 'Rose Darvey.'

Helen ging meteen in de verdediging. 'Dat is een geweldige meid. Slim, ze zou meer verantwoordelijkheid moeten krijgen, ze werkt als een paard, van 's morgens vroeg tot 's avonds laat –'

'Het zijn de late avonden waar ik het over heb,' onderbrak hij haar.

'Hoezo? We mogen blij zijn dat we haar hebben. Ik dacht dat u had gezegd dat ze meer naar buiten mocht, meer rechtszittingen mocht bijwonen, meer verantwoordelijkheid kreeg. Ik weet wel dat ze niet bepaald welgemanierd is, maar wat geeft dat? Ze is grof in de mond, maar ze is scherpzinnig...'

'Heel toepasselijk, zowel grof als scherp. Ik ben blij dat je haar zo ziet. Evenals de inspecteur van het plaatselijke politiebureau die belast is met de verantwoordelijkheid voor het welzijn van zijn jongste agentjes in de legering iets verderop in de straat. Hij kwam me opzoeken.' Nog een kuch. Dit keer vond hij de zakdoek, keek ernaar, weifelend of hij zijn neus zou snuiten, maar met groeiende zekerheid over wat hij moest zeggen. 'Rose heeft in recordtempo de hele divisie afgewerkt. Ze gaat elke avond met een van de jongens stappen. Ze heeft haar voorkeuren, maar het schijnt allemaal af te hangen van de dienst die ze draaien en hun daaruit voortvloeiende beschikbaarheid, verder zijn ze haar om het even. Ik heb het gevraagd aan de bewaker beneden en hij bevestigde dat er elke avond wel een aspirant op haar staat te wachten als ze vertrekt. Bovendien weet ik zeker dat ze is verhuisd in het jaar dat ze hier nu werkt en alleen haar oude adres zit in het bestand. De inspecteur maakt zich zorgen, hij zegt dat de kazerne in oproer is. Jeugdige jaloezie en zo. Kunnen we er met haar over praten? Mijn hemel, wat moeten we doen?'

Hij sprak met de vermoeidheid van iemand die het zicht op jeugdige begeerte en jaloezie kwijt is, en uitsluitend om die reden voelde Helen met hem mee. Ze zweeg. Redwood vervolgde zijn verhaal.

'De inspecteur maakt zich enigszins zorgen omdat hij volgens eigen zeggen zes jonge jongens heeft in één ploeg die elkaar naar de strot vliegen, ofschoon God mag weten waarom, want ze hoeven niet bepaald om haar gunsten te strijden, die ruwweg drie drankjes en een zakje chips kosten –'

'U bedoelt dat ze niet meer bieden,' zei Helen boos. 'Goedkope schoften. Ze worden helemaal niet slecht betaald.'

'Ik bedoel dat ze niet meer schijnt te vragen,' zei Redwood. 'De inspecteur zegt natuurlijk dat er niets nieuws is aan deze situatie, meisjes blijven nu eenmaal meisjes en jongens blijven jongens, maar ze hadden nog nooit eerder een mannenverslinder van het OM gehad. Het dwingt niet bepaald respect af voor onze dienst, vind je wel?' eindigde hij slapjes.

'En wat heeft u tegen de inspecteur gezegd?'

'Ik heb gezegd dat ik niet verantwoordelijk ben voor de privé-levens van onze administratieve krachten en trouwens ook niet voor die van onze officieren.' Hij keek haar veelbetekenend aan. Helens aanhoudende liefdesaffaire met een politieman was nog steeds onderwerp van kritiek. 'Ik heb gevraagd of hij al met de jongens had gesproken, omdat er twee partijen voor nodig zijn.'

Helen knikte goedkeurend.

'Maar hij stond erop,' vervolgde Redwood. 'Kan er iemand met Rose praten? Ik kan het niet doen. Ze zou me uitkafferen.'

'Mij ook,' zei Helen.

'Maar jij lijkt het beste met haar overweg te kunnen.'

'Maar dat wil niet zeggen goed. Hoe kan ik haar tegenhouden, als ze dit inderdaad doet? Misschien wil ik haar wel niet tegenhouden, misschien heeft ze gewoon plezier...'

'Dat betwijfel ik,' merkte Redwood met verrassende wijsheid op. 'Dat betwijfel ik ten zeerste. Ik heb altijd gevonden dat het hoogste seksuele genot in monogamie lag.' Helen keek hem aan, het was een van die zeldzame momenten waarop ze elkaar begrepen. Hij was dus niet geheel ontbloot van mededogen en hij had uiteindelijk dochters. 'Ik zal erover nadenken,' zei ze. 'Als u het niet erg vindt dat ik haar meer dan anders onder mijn hoede neem, en misschien kunnen we haar een alternatieve prikkel geven? Interessanter werk, bijvoorbeeld? Promotiekansen?' Redwood huiverde en glimlachte flets. Helen eiste altijd een tegenprestatie.

Hij zag haar opstaan om te vertrekken en in dezelfde beweging haar boodschappen bijeengaren. Alleen Helen West, altijd gehaast, was schaam teloos genoeg om te laat bij een vergadering binnen te komen zetten, gewapend met boodschappen, alsof ze iets wilde bewijzen of zo. Hij vergat dat ze van buiten was gekomen en dat het nog een flink eind lopen was naar haar eigen kamer.

'Je ziet eruit alsof je op het punt staat om een weeshuis te voederen,' bromde hij.

'Nee hoor,' zei Helen, opeens opgelaten door het gewicht dat ze meetorste. 'Het is maar voor één persoon. Ik heb een echtgenote nodig.'

De levensmiddelen bonkten tegen haar benen toen ze de eindeloze gang uitliep naar kamer 251. Wat had haar in vredesnaam bezield om bij een marktstalletje kilo's fruit en groenten te kopen terwijl ze op weg naar huis toch nog langs de supermarkt moest? O ja, mijn beurt om mijn excuses te maken omdat ik zo gemeen was gisteren; mijn beurt om te koken en ik heb een hekel aan koken, waarom heb ik niet gezegd dat we uit eten gingen? Maar mijn arme ziel voelt zich een beetje opgelaten om in het openbaar te worden gezien met zo'n enorm blauw oog, dat ik niet weg heb kunnen kussen.

Zwaar door de gang bewegend over de bobbelige vloerbedekking, met ritselende papieren zakken, zette Helen Rose Darvey uit haar hoofd. Rose kon tot morgen wachten. Wachten, zoals alles, totdat Geoffrey Bailey met zijn blauwe oog (dat vanmorgen nog erger was dan gisteravond) was verdwenen.

De kamer van de administratie lag slechts drie enorme deuren van Redwoods kantoor af, maar hij kwam er zo weinig mogelijk. Het rode licht van de belachelijke goederenlift knipperde in de sombere gang. Helen liep naar de kamer waar Dinsdale en John, de een was even extrovert en charmant als de ander verlegen was, elkaar gezelschap hielden. Drie administratieve krachten, onder wie Rose, stonden bij de deur, aangelokt door John, die was blijven zingen. Helen hield haar pas in toen ze voorbijkwam, evenzeer aangetrokken als zij, maar niet alleen door het geluid, ook door de betoverende Dinsdale die heel anders was dan de anderen. Om te beginnen was hij in geen enkel opzicht een mislukkeling: hij vertoonde alle sporen van een bevoorrecht milieu, eigen geld, charme, nederigheid en hij wist altijd precies wat hij moest zeggen. Iedereen was dol op hem. Zelfs Rose, wat wilde zeggen dat hij voor de lakmoesproef was geslaagd. Dinsdale vormde een verrukkelijk probleem: de gedachte aan hem deed haar blozen, aan haar leeftijd denken (vijf jaar ouder dan hij) en ook aan Redwoods opmerking over de vreugden van de monogamie. Terwijl Helen toekeek, bereid om zich bij de fanclub te scharen, maakte Rose zich haastig van de groep los. Ze sprintte naar de telefoon, haar rechtovereind staande haren wapperden en haar vlecht zwaaide heen en weer tegen haar nek. Helen sukkelde achter haar aan met haar prozaïsche boodschappen, waarvoor ze zich een beetje schaamde. Zakken met aardappels en fruit gaven haar het gevoel dat ze de afstand van jong naar oud had overgestoken: ze maakten haar nietig en ze versnelde haar pas door de eindeloze gang in de schaduw van het meisje. Helen bleef voor de deur staan en luisterde naar Rose die de telefoon beantwoordde, zoekend naar een vorm van bevestiging van wat haar zojuist was verteld over Rose en de politiejongens, en was zich er onbehaaglijk van bewust dat ze eigenlijk niets van wat Redwood had gezegd ter discussie had gesteld, of had geschreeuwd: 'Welk bewijs heeft u dat onze veelbelovendste kracht zo promiscue is als een konijn?' Ze wist dat ze geen tegenwerpingen had gemaakt omdat ze niet verrast was geweest. Helen werkte vaak nog laat. Ze wist dat Rose nooit in haar eentje het kantoor verliet.

De telefonerende stem van Rose liep over van ergernis; hij werd meegevoerd door de luchtstroom uit een ander gigantisch raam. Helens geloof in de ongevoeligheid van de jeugd vervloog. 'Luister,' zei Rose, 'luister. Je komt of je komt niet. Kom je niet, dan kun je het verder vergeten. Dan hoeft het niet meer.' Het was duidelijk milder dan het had kunnen zijn. Rose praatte met opeengeklemde kaken, ingehouden. 'Hoe bedoel je, later?' vroeg ze. 'Wat heb ik aan later? O, dan zit ik misschien in de pub. O, bij de Crown and Anchor, daar ergens. Je zult me moeten zoeken. Klootzak,' siste ze toen ze de telefoon neerlegde. 'Klootzak, klootzak, klootzak.'

Het was al donker buiten, donkerder dan zwart fluweel, donkerder dan de houtskool waarmee Helen haar merkwaardige maar vaak treffende portretten tekende, en dat was alles wat Helen door het raam zag toen Rose opkeek en haar weerspiegeling opmerkte. Het gezicht van Rose op het oude glas vertoonde golvende lijntjes van een kinderachtige en onaantrekkelijke woede, maar toen ze zich omdraaide lag er een sluwe uitdrukking op haar gelaat.

'O, bent u het. Nou, het kan me niks schelen of iemand me hoort bekvechten.'

'Je gaat je gang maar,' zei Helen. 'Zolang je het maar niet tegen de hoofdofficier had. Dat zou je loopbaan niet bepaald goed doen.'

Rose barstte in lachen uit, waardoor haar scherpe gezichtje opklaarde en verlevendigde tot dat van een ander, gedweeër schepsel, totdat ze abrupt ophield en Helen schattend aankeek. Helen kon haar minachting, vanwege de deprimerende zakken fruit en groente, voelen. Rose Darvey zou nooit een dergelijke bepakking meetorsen en zou ook nooit op het idee komen dat Helens leven eveneens een periode zou kunnen hebben gekend waarin ze op gin, tonic en chips leefde, een levenswijze die ze nog vaak miste.

'U ziet er moe uit. Gaat u mee na het werk iets drinken?'

Helen was verbaasd, op een bepaalde manier gestreeld. Wat het onderliggende motief ook mocht zijn, er moest beslist enig blijk van goedkeuring aan ten grondslag liggen, waar ze in haar huidige onzekere gemoedstoestand behoefte aan had. Maar nog voordat ze erover kon nadenken, had ze het aanbod al haastig van de hand gewezen, met een hulpeloos gebaar de plastic tassen optillend waardoor ze zich nog ouder voelde. Appels, sinaasappels en aardappels. God sta me bij.

'Het lijkt me enig, Rose, maar ik kan niet. Ik moet naar huis, eten inslaan, je weet wel...' Rose wist het niet. Te laat, Helen merkte dat haar excuses, die welgemeend en hoffelijk hadden kunnen zijn, klonken als een uitvlucht. Het ogenblik waarop ze iets vertrouwelijker had kunnen worden, vervloog al onder het spreken. Rose wendde zich af naar haar bureau, speelde zonder blijk te geven van teleurstelling met de telefoon en haalde haar schouders op.

'Geeft niet. Laat maar.'

'Een andere keer...'

'Nee, laat maar. Het was zomaar een inval. Maar mag ik u iets vragen, nu u toch hier bent?'

Misschien was de kans op iets gemeenschappelijks toch niet vervlogen, maar Rose klonk zakelijk. 'U weet dat ik in een notitieboek bijhoud waar alle dossiers zich bevinden? En dat hoe-heet-ie die gegevens daarna elke dag allemaal in de computer invoert, met alle data erbij van de voorgeleiding, zodat we weten waar alle paperassen uithangen en wanneer iemand weer voor moet komen?' Helen moest tot haar schande bekennen dat ze het niet precies wist, omdat ze opzettelijk onkundig wilde blijven van het reilen en zeilen van het kantoor. 'U heeft de rommeligste kamer. Zijn mijn aantekenboeken toevallig bij u terechtgekomen?'

Het werd als een beschuldiging uitgesproken, zo onnodig agressief dat Helen kortstondig de verdenking koesterde dat Rose vermoedde dat er kritiek op haar was geuit en zichzelf al op voorhand verdedigde. Of misschien was dit haar reactie op een zachtaardige afwijzing.

'Dat denk ik niet. Wat zou ik ermee moeten doen? En wat maakt het uit, als het allemaal al in de computer zit? Dat is dan toch de enige registratie die we nodig hebben?'

'O, wat bent u stom,' zei Rose. De andere vijf meisjes kwamen rumoerig terug, gaapten, pakten hun jassen en mutsen, en grinnikten naar Helen. Ze waren allemaal veel aardiger dan Rose en veel minder gecompliceerd, dacht ze in een opwelling van vertrouwde irritatie. De blik die Rose over haar schouder wierp en het al te opgewekte afscheid van haar collega's werkten als een afwijzing en Helen nam de wenk ter harte. Rose bezat een bruisend charisma en een levenslust die in schril contrast stond met haar brutale lompheid; ze zocht wel iemand anders om mee naar de pub te gaan. 'Tot morgen!' riep ze krachtig, om er vervolgens met een laatste medelijdende blik op de grofstoffelijke tassen aan toe te voegen: 'Nog een prettige avond.' Ineens brak er een grijns door op haar knappe gezicht. 'Met een paar aardappels pak je elke vent in...'

Ik wou dat ik zo was, dacht Helen later, die zich bleef afvragen welke vreemde aanval van knagend huishoudelijk besef haar ertoe had gedreven de groenten te kopen. Er waren van die dagen waarop zich een matte lusteloosheid van haar meester scheen te maken en ze zich gemakkelijk door een winkel of een stalletje liet hypnotiseren. Ik wilde dat ik negentien was, zorgeloos, energiek en op het punt stond verliefd te worden, een nieuwe baan te nemen en elke avond giebelend een andere vent versierde, hoewel misschien niet die jonge aspirantjes uit de legering, met hun puisterige melkmuiltjes. Geoffrey Bailey was er ook ooit een geweest, en die gedachte maakte dat ze haar moeizame wandeling van de bus naar de supermarkt even onderbrak. De gedachte aan Bailey schonk haar geen vreugde, integendeel, hij riep een doffe, verontrustende angst en schuldgevoelens op.

Geoffrey Bailey was in geen enkel opzicht ijdel, maar omdat hij geen raad wist met de reacties van het publiek op zijn mishandelde gezicht voelde hij zich onprettig. Hij zou inmiddels te oud moeten zijn om zich daar iets van aan te trekken, en zoals Ryan had gezegd: 'Voorheen was je toch ook moeders mooiste niet? Wie zou het moeten zien?' Ryan deed hem evenwel geen recht. Bailey had onder alle omstandigheden tenminste een gedistingeerd voorkomen. Hij was lang en slank en zijn gezicht vertoonde een verrassende ascese voor iemand die zijn mannetje stond in een gevecht, hoewel de rimpels een leeftijd van dik in de veertig en een ondervoede jeugd verrieden. Ryan had ook wel eens horen zeggen dat Bailey was bevorderd omdat een kostuum hem zo goed stond, en dat was ook niet helemaal eerlijk. Ryan begreep de obsessie met eerlijkheid en plichtsgevoel van zijn chef niet in deze wereld waarin het aan beide ontbrak. Bailey zag er onberispelijk en onverzettelijk uit in een pak, beangstigend, vonden sommigen, tenzij hij was gezegend met het komische effect van een blauw oog erboven. Het oog bonsde en brandde alsof het een eigen leven leidde en Bailey had meer dan voldoende ontberingen doorstaan voor één dag. De rest van hem deed zeer om redenen die er los van stonden. Helen West was zijn geliefde (hij had een hekel aan het woord minnares, waaraan een element van financiële afhankelijkheid kleefde dat geenszins van toepassing was) en hij was de avond ervoor nodeloos onaardig tegen haar geweest. Het deed niet ter zake dat dit wederzijds was geweest: hij had haar onbetrouwbaar genoemd, egoïstisch, terughoudend. Er waren nog minder vleiende waardeoordelen in hem opgekomen, nog veel extremer, waarvoor hij was teruggeschrokken, en zijn schuldgevoel betrof de ongezegde dingen, het zielige onvermogen om zelfs maar een fikse ruzie te hebben met rondvliegende potten en pannen. Het was geëindigd met wederzijdse verontschuldigingen en Helen die hamamelis op zijn oog legde, waarbij ze de vriendelijke en afstandelijke welwillendheid van een verpleegster tentoonspreidde. Vandaag was begonnen met de belofte van het slachten van een gemest kalf om zijn vertrek te vieren, waar zij, zo vermoedde hij, met evenveel opluchting als verdriet naar uitkeek. Het schuldgevoel was zijn dag binnengeslopen en leidde hem naar de supermarkt die zij, zo voelde hij aan, meer instinctief dan dat hij het wist, op weg naar huis zou aandoen. Het was haar beurt om te koken.

Hij gaapte. Jouw huis, mijn huis, geen huis. Hij was nooit op de juiste plek voor een overhemd dat bij zijn stropdas paste. Hij kon net zo goed met een caravan midden in een weiland gaan bivakkeren, dat had hij gisteravond willen zeggen. Ik vind alles goed, Helen, maar zou je iets meer van jezelf kunnen laten zien? Ik geef toe dat ik vijfenveertig jaar geleden ben geboren met de verwachting dat een vrouw vermoedelijk mijn leven lang voor me zou koken; die hoop heb ik laten varen, en toen het wel zo was vond ik het niet echt prettig, maar ik zou het wel erg prettig vinden als je het af en toe uit jezelf aanbood, ook al kook ik veel beter dan jij. Het is bezig de maatstaf te worden voor ons denken, dit gedoe met boodschappen doen en eten koken. En ik ben ook niet verschoond van het denkbeeld, waarvan jij de absurditeit hebt bewezen, dat een vrouw zacht moet zijn en op haar vijfendertigste een zekere belangstelling voor baby's moet hebben ontwikkeld. Jij voldoet aan geen van mijn verwachtingspatronen. Ik hou heel veel van je, maar er zijn momenten, zeker de laatste tijd, dat ik het moet zeggen om het te voelen, en jij zegt het helemaal niet. Je bent bezig kil te worden, liefste, je verhardt, maar laat ik niet al te veel zeggen, want tien jaar geleden, voordat ik mijn compassie hervond, om maar te zwijgen over mijn verstand, was ik zelf zo hard als een spijker.

Het schuldgevoel over de ongezegde dingen deed hem in het licht voor de supermarkt stilstaan, tegen de achtergrond van een tiental schreeuwerige reclames: 'Nescafé! 10 ct korting! Jaffa-sinaasappels! 20 ct!' Afwezig, dol op sinaasappels en nog gekker op mandarijnen die hem aan de kerstdagen deden denken die net achter hem lagen, ging hij naar binnen en zocht sinaasappels uit, grapefruits, appels en aardappels. Hij zou haar in ieder geval met voorraden achterlaten.

Hij zag haar achter in het eerste gangpad staan (zeep, waspoeder, bleekmiddel, toiletpapier), reeds afgeladen met een aktetas en drie uitpuilende witte plastic tassen. Zelfs in dit harde licht zag ze er mooi en bijzonder uit. Hij zag haar het eerst in de monitor die boven de deur hing; door zijn lengte kon hij over de schappen heen kijken en hij had gedacht: schat, jij zou nooit een bank kunnen beroven, je ziet er zo karakteristiek uit. Een groot breed voorhoofd, met dat geleidelijk aan vervagende litteken, gemaskeerd door zorgrimpels, het dikke donkere haar naar achteren geborsteld en bijeengehouden door een haarspeld waar het niet allemaal in paste en het gezicht dat hem altijd deed denken aan dat van een exotische danseres, gezegend met een grappig onvolmaakte schoonheid en enorme ogen. Haar nationaliteit zou je nooit raden, met dat melancholieke uiterlijk, en hier en nu kon je, ondanks de nonchalante elegance van haar mooie zwierige jas, het gezag dat ze bezat evenmin raden. Ze zag er verloren uit. Ze stond verstard van onzekerheid voor een toonbank waarop VIS! stond. Dat deden supermarkten met haar. Bij een marktkraam lag het anders, maar hier functioneerde ze niet. In een flits begreep hij haar beter, hield hij meer van haar, maar of hij haar aardiger vond was nog steeds de vraag. Hij zag dat ze groenten had gekocht, net als hij.

De mensen keken naar haar zonder haar echt te zien, merkte hij, maar hun aandacht werd in ieder geval niet getrokken door een man met een blauw oog die tegen de richting in liep en alles wat hij had uitgezocht, teruglegde bij de groente-en-fruitafdeling. Hij oogde als een dief die zijn expeditie had gestaakt, een onverlaat die niet kon betalen, en hij voelde zich dwaas omdat hij alles waarvan hij wist dat zij het had gekocht zo keurig terugplaatste, de aardappelen bij de aardappelen, het fruit bij dezelfde fruitsoort, de plastic zakken op hun plaats. Bailey, die erom durfde te wedden dat zij slechtere producten bij haar marktkraam had uitgezocht en er bovendien meer voor had betaald, legde zijn goederen een beetje spijtig terug. Daarna liep hij naar de plek waar zij nog steeds onbeweeglijk stond. De rode jas plooide toen hij zijn handen om haar middel legde en in haar oor fluisterde.

'Zin in een avondje stappen? De sleur doorbreken? Man met blauw oog zoekt jou.'

Ze bewoog zich niet, leunde tegen hem aan.

'Ik ga nooit met vreemde mannen uit,' zei ze. 'Ik blijf thuis. Wil je kabeljauw of schol? De andere kan ik niet eens spellen.'

Misschien luisterden ze wel naar hun naam, maar hij betwijfelde of ze die konden spellen. Om tien over tien inspecteerde hoofdagent Morgan de nachtploeg, wijk E, King's Cross. Ze traden wanordelijk, in willekeurige volgorde aan, met als enig doel door hem geteld te worden. Je gaf ze tegenwoordig geen instructies meer. Hoewel de hoofdagent het graag anders had gezien, de helft van deze ploeg bestond uit aspiranten, groentjes van het platteland met accenten die je met een mes kon snijden en voor zover hij kon zien, zat er nauwelijks een goeie tussen. Hij was blij dat hij hun geweten niet hoefde te inspecteren, neuzen tellen was echter eenvoudig. Van de tien ontbraken er drie. Degenen die present waren, en via uiteenlopende wegen naar het werk waren gekomen, hadden geen verklaring voor de afwezigheid van het contingent uit de legering.

Hoofdagent Morgan stuurde de oudste agent erop af, Michael, al vierentwintig jaar oud, een knappe bokser met een gebroken neus en een verrassend zachtaardig temperament, totdat hij met een gevecht werd geconfronteerd en zelfs dan leek hij zijn met littekens bedekte vuisten onder controle te hebben. Michael had een lengte die bespottelijk oogde in een piepkleine surveillancewagen en een omvang waarnaast de voordeur van de legering verschrompelde.

Binnengekomen kon agent Michael het conflict ruiken, hoewel het er even verlaten was als in een winkel na sluitingstijd. De late dienst, de ploeg van twee tot tien, was nog onderweg naar huis, terwijl de vroege dienst, die van acht tot twee, de bloemetjes buiten zette in de stad. Zijn neus voor onraad volgend sprintte Michael de trap op waar nu onmiskenbaar agressieve geluiden te horen waren. Hees geschreeuw, gegrom, omvallend meubilair, een dans van trage boze voetstappen, de venijnige geluiden van bot op bot en een woedende pijnkreet bepaalden zijn traject. Een van de slaapkamerdeuren stond op een kier, de hanglamp zwaaide dronken aan het lage plafond en bescheen het tafereel eronder als een trillende kaarsvlam. Hij zag een vernielde geluidsinstallatie, een goedkope bedlamp in brokstukken. In de tegenoverliggende hoek, die werd beschenen toen het licht terugzwaaide, bungelde een kastdeur aan zijn scharnieren, tegengehouden door een ineengedoken jongeman die met zijn linkerhand zijn ogen afschermde en zijn rechterarm uitstak naar de rand van een rommelig bed waarop, in de verste hoek, een meisje met punkhaar zich zo klein mogelijk had gemaakt. In een houding die zowel angst als onverschilligheid uitstraalde, hield ze haar knieën tegen haar borst en haar handen tegen haar oren gedrukt. In het midden van het toneel worstelden en stompten twee jongemannen elkaar met de woestheid van vechtende honden, gedeeltelijk gekleed in politieuniform: een marineblauwe broek en een lichtblauw overhemd, één ervan gescheurd maar nog wel dichtgeknoopt. 'Klootzak, schoft.' Betekenisloze keelklanken, even ondoelmatig als de stompen, die desondanks het geluid van kneuzend vlees voortbrachten.

Ze waren elkaars gelijken qua gewicht, lengte en haat, maar geen van tweeën bezat ook maar de helft van Michaels getrainde massa. Hij liep op hen af, knerpend over de glasscherven en greep de beide bronstige jongens bij de kraag. Hij pakte met elke hand een vuistvol gesteven katoenen overhemdstof beet, snoerde de stof rond hun keel, zette zich schrap, hief ze op en slingerde ze uit elkaar. De een struikelde achteruit tegen de muur, waar zijn hoofd met een ziekmakende dreun tegenaan bonsde, de ander stuiterde tegen de kastdeur en viel min of meer over de ineengedoken jongen en het meisje heen, dat nog verder de hoek in kroop. Michael merkte gedurende de hijgende stilte op dat zij haar rok over haar naakte dijen trok en in het korte ogenblik waarop het licht terugzwaaide, zag hij een netwerk van kanten ondergoed op de vloer liggen. De kamer rook sterk naar zweet, vis, stomend vlees; een mengeling van geuren, waarvan de recentste, die van bloed, de smaak van ijzer naar zijn mond bracht. Geleidelijk aan vertraagde de hanglamp zijn woeste gezwaai en kon hij de gezichten onderscheiden.

'Parkin? John! Williams! Stommelingen! Ga je gezicht wassen en meld je voor de nachtdienst. Anders kunnen jullie het schudden.' De radio aan Michaels riem kraakte: ze wisten weer wie en wat ze waren en reageerden automatisch, in een roes, op de bevelen. Toen ze de kamer uit stommelden, behalve de jongen die op de vloer hurkte, van wie de kamer was, wierpen ze een giftige blik in de richting van het meisje op het bed. Agent Michael keek haar even afkeurend aan en liet haar aan haar lot over. Pas op de terugweg kreeg hij spijt van zijn gedrag. Om half elf liet hoofdagent Morgan de nachtploeg nogmaals aantreden en schold hij hen allemaal uit, schuldig of onschuldig, inclusief agent Michael, omdat die het onzinverhaal herhaalde dat hem was opgedist om hun straf te ontlopen. Michael staarde recht voor zich uit met zijn vriendelijke ogen, de rest was stil en wrokkig. De derde van rechts, de kleinste van de ploeg, aspirant Williams, had een dik oog dat nu nog roze was, maar algauw pimpelpaars zou worden. Hij hield zijn mond dicht om de pijn van een gebroken tand te verzachten, maar kon niet verhinderen dat hij huilde als een baby en hij bracht zijn vuist naar zijn gezwollen mond om het beschamende gesnik tegen te houden.

'Ik wist eigenlijk wel dat je liever biefstuk had. Die had je op je oog kunnen leggen, en daarna had ik hem kunnen bakken.'

'Zoiets als een hond die vlees in de tuin begraaft om het malser te laten worden. Jij hebt het soort ideeën waardoor je bijna vegetariër zou worden. Heb je dat in een boek gelezen?'

'Vis is goed voor je. Zo is het toch? Eiwitten zonder vet? Maar als je bedenkt hoe ze vis vangen, zo verwoestend –'

'Jij kunt best een beetje vet gebruiken. Slank is mooi, maar mager...'

'Moet je horen wie dat zegt. Jij ziet eruit alsof je zo doormidden breekt.'

'Nou, als je het wilt proberen,' zei Bailey. 'Ik sta geheel tot je beschikking. Maar wees voorzichtig met me, ik ben tenslotte een gehavend man.'

Helen lachte, zoals vroeger, toen ze voor het eerst op de versleten maar briljante kleuren van zijn tweedehands bank had gezeten en de lege muren had bewonderd. Ze had niet eens gedacht aan de rit naar huis, de kou buiten en de balkonkat die haar smetteloos witte blouse grijs had gemaakt, zonder dat een van beiden daar enig commentaar op leverde. Zelfs toen al was hij bezeten geweest van de gedachte dat hij haar zo wilde houden, een vast punt in zijn leven, in plaats van dit zich almaar verplaatsende, almaar kwellende doelwit. Hij veronderstelde dat een vrouw die zo aantrekkelijk was als deze, zo aardig maar zo uitgesproken was als deze, wel zo móést zijn. Bailey kon geen onderscheid meer maken tussen de gebreken en de noodzaken in hun bestaan, wist niet hoe ze van hieraf verder moesten, alleen waar ze waren geweest. Hij voelde zich deemoedig door de conclusie die zich gedurende het afgelopen etmaal had gevormd en vond het moeilijk die te uiten. Helen mocht dan misschien opgelucht zijn bij het vooruitzicht van zijn gedwongen vertrek, hij wist nu tenminste dat zij niet de enige was. Hij was ook opgelucht, ook al lag ze in de kromming van zijn arm, slechts gekleed in een omslagdoek, waar haar kleine atletische ledematen naakt onderuit staken, voldoende om een man zijn pijn, het ontbreken van een toetje en de droge vis te doen vergeten. Ze omhelsde hem, maar de druk van haar vingers was vederlicht.

'Dat vergat ik nog te vragen,' zei ze opzettelijk slaperig. 'Laten ze je in Bramshill elk weekeinde of om de week naar huis gaan?'

'Dat weet ik niet,' antwoordde hij, onrustig door zijn leugen. 'Dat weet ik pas als ik er morgen ben.'

'Ik zal je missen,' zei ze eenvoudig. Meer niet. Hij wist niet precies waarop hij had gehoopt. Dacht aan de lofzangen uit zijn kindertijd. Gij houdt uw trouwe, o blijf bij mij, Heer!

Heuvelafwaarts, ver voorbij de wildernis, die op zijn beurt ver buiten het bereik van het voetbalstadion lag, dat nog steeds door de gebogen lampen werd verlicht hoewel de toeschouwers allang weg waren, rende Rose Darvey. Haar gehol werd slechts belemmerd door haar korte rokje, haar lompe schoenen, een hoeveelheid wodka en de duizelingwekkende uitwerking van een lamp die voor haar ogen heen en weer slingerde. Ze wist dat ze werd achtervolgd, wist dat ze niet had mogen stoppen om zich te verbergen en zachtjes te huilen, ze had niet toe mogen geven aan haar angst voor het donker. Op de hoek schenen de koplampen haar vol in het gezicht, de man die haar achtervolgde was achterom gereden. Ze dook een van de hagen in die om de minuscule voortuintjes groeiden. Een autoportier werd zorgvuldig dichtgeduwd met de doelbewuste bewegingen van iemand die er geheel door in beslag werd genomen. Ze haalde wat vrijer adem. Toen kwamen er voetstappen haar kant op, aarzelden, passeerden haar met zekere tred, hielden stil en kwamen terug. Als hij het portier had dichtgesmeten, had ze nog hoop gehad: aan dergelijke geluiden was ze gewend, maar door de rustige precisie gilde ze het bijna uit. 'Kom eens te voorschijn.' De stem was al even behoedzaam, maar bars. 'Ik weet waar je zit. Kom te voorschijn. Doe niet zo raar.'

Toen ze hem gehoorzaamde en langzaam in beweging kwam, hield hij zijn adem in. Hij had een verbeten gezicht verwacht, maar zag de prachtige ogen van een opgejaagd kind.

3

Mrs. Mellors streelde het hoofd van het blonde kind dat voor haar stond, terwijl ze op de bus stonden te wachten. Dat deed ze omdat ze niet anders kon. Het kind schudde haar hoofd als om een lastige vlieg kwijt te raken, sloeg haar hand tegen haar gouden lokken toen het strelen doorging en draaide zich om, op het punt boos te worden. Maar toen ze zag wie het was, grijnsde ze, de tandeloze glimlach van een zesjarige die haar bovenste melktanden al vroeg kwijt was en wachtte tot hun opvolgers doorkwamen. Het was een lelijk kind, afgezien van haar haar, een schreeuwlelijk, het soort waar Margaret Mellors een zwak voor had, omdat ze ergens altijd bewondering had voor iemand die de gave bezat alle remmen los te gooien. Niet dat ze het trachtte na te volgen, en bovendien was het inmiddels te laat om de rustige gewoonten van een heel leven te veranderen waarin haar enige ondeugd, als ze de kans kreeg, bestond uit de twee glaasjes per avond, maar ze koesterde een naïeve bewondering voor lawaaischoppers. Haar uitzonderlijke geduld met onhandelbare kinderen vormde een van de vele redenen die haar populariteit bij de jonge ouders in Legard Street verklaarden. Hier woonden geen yuppies. De jonggehuwden die hun dynastieën in deze kleine huisjes begonnen, behoorden niet tot degenen die zich een kinderjuf konden veroorloven: ze droegen langs gevaarlijker wegen zorg voor hun gebroed en hun hypotheken. Nu en dan stond er een vader bij de uitgang van de basisschool, maar meestal was het voorbehouden aan moeders die grauw zagen van uitputting, met zuigelingen op de arm die van hot naar haar werden gesleept.

Margaret Mellors had nooit te koop gelopen met het feit dat ze graag op kinderen paste met de bedrevenheid van de appelwangige oma die wel in hun leesboeken maar niet in hun echte leven voorkwam, maar dergelijk nieuws hoefde je kennelijk niet van de daken te schreeuwen. Gedurende de afgelopen vier jaar, die zowel een vacuüm in haar leven had gemarkeerd als een lotsverandering voor de straat, had het nieuws van haar bereidwilligheid zich als een soort van faam verspreid en haar huis werd overstroomd met kinderen. Alleen lag er nu iets weifelends in haar aanraking van het onweerstaanbare blonde hoofdje, omdat ze een lichte verandering in de houding van de moeders van dit soort kinderen had bespeurd. Er was een merkbare, zij het langzame verandering opgetreden in hun bereidheid om kinderen in haar huis achter te laten. Aanvankelijk dacht Margaret dat het aan het invallen van de winter lag en de diepgewortelde achterdocht die al deze jonge mensen koesterden jegens de ouderwetse gebrekkigheid van haar smetteloze huisje, maar ze was tot het inzicht gekomen dat er meer aan de hand was. De verschillen in levensstijl zorgden ervoor dat de onwelkome roddels verbijsterend traag werden doorverteld en nog onnauwkeurig ook, maar desondanks meden degenen die Mrs. Mellors het hardst nodig hadden, haar nog steeds.

'Hallo, Margaret! Hoe gaat het? Zeg eens dag, Sylvia. Toe. Wees eens lief.' Door de hartelijke begroeting van de moeder ontspande Margaret zich en het feit dat het kind haar accepteerde gaf haar een zeker gezag. Wat ook de reputatie van haar huis mocht hebben bedorven, zijzelf was het niet. Niemand had een hekel aan haar vogellichaampje en haar frisse talkpoedergeur. Niet dat ze het hoopte, maar in zekere zin zou ze het tegenovergestelde hebben geprefereerd; hadden ze maar niet allemaal zo'n hekel aan die arme, lieve Logo, beseften ze maar dat de leugens die hem omgaven helemaal bezijden de waarheid waren. Als je het over schreeuwlelijken had, dan was hij er zeker een, maar in wezen was hij een goeie jongen, ondanks zijn bijbel en zijn gezangen, als ze het maar wilden zien. Het probleem in deze buurt was alleen dat iedereen het veel te druk had.

'Hallo! Waar gaan jullie heen? Winkelen? Ik beklaag je, je zult er niet veel kans voor krijgen.' Margarets hand lag nog steeds op het haar van het kind en beroerde luchtig de heerlijke warmte van haar nek. Ze wist wanneer ze geen irritatie moest opwekken en het kind verzette zich niet, ze wrong zich vrolijk in bochten, voordat ze schrijlings op het been van de oude vrouw tot rust kwam en tegen haar maag en wandelstok geleund op aandacht wachtte.

'Je bent allang niet meer bij me geweest, hè?' zei Margaret opgewekt. 'Ga je nu naar de crèche?'

'Sha,' zei het kind.

De moeder verplaatste haar gewicht ongelukkig van haar ene naar haar andere voet.

'Eigenlijk is het zo, Margaret, dat ze erheen zou moeten gaan, maar de helft van de tijd kunnen ze haar niet hebben, dus het komt neer op twee ochtenden per week, en de rest van de tijd drijft ze mij tot wanhoop. Ik moet telkens vrij nemen en ik heb toch al een deeltijdbaan –'

'Waarom stuur je haar dan niet naar mij?' vroeg Margaret vriendelijk, zich van de vrouw afwendend en de straat uit kijkend alsof ze zojuist iets had gezien dat haar bijzondere aandacht trok. Het kind begon luidkeels te zoemen en sprong op om nauwe cirkels om hen heen te trekken, het vervaarlijke gezoem van een wesp imiterend.

'Zachtjes, lieverd,' zei Margaret. Het kind hield op en keerde terug om luidruchtig in Margarets halfvolle boodschappentas te snuffelen. Margaret protesteerde niet, terwijl de moeder met een zekere gretigheid naar haar grote, rustige gezicht keek, dat niet paste bij haar lichaampje.

'Hoor eens Margaret, ik zou haar meteen naar je toe willen sturen, maar je moet weten dat ik dat niet kan doen, niet met die buurman van je. Je weet wel wat ik bedoel. Is hij echt je zoon? De mensen zeggen dat hij je zoon is, jullie zijn allebei zo... klein van stuk, maar hij lijkt niet op je. Hoe het ook zij, als het zo is, en iemand zei tegen me dat het niet zo was... Ik wil niet onbeschoft zijn maar ik kan Sylvie niet bij je brengen als hij bij jou over de vloer komt, of wel soms?'

'In 's hemelsnaam, waarom niet?' vroeg Margaret wezenloos.

'Weet je dat dan niet? Dat weet je toch zeker wel?'

Maar uit de uitdrukking op Margarets gezicht sprak een ongelooflijke onwetendheid ten aanzien van alles wat in Logo's nadeel was. Ze begreep kennelijk niet dat er meer speelde dan het onduidelijke onbehagen dat Logo bij zijn buren losmaakte. Omdat hij zo nu en dan een spade uit een tuin jatte, dacht Margaret defensief, omdat hij hun vuilniszakken doorzocht, zoals de voddenraper die hij nu eenmaal was. Hij was alleen maar een beetje gek, die arme Logo, en niemand heeft wat op met een man die een zwarte bijbel meesjouwt als het tegenovergestelde van een talisman. Dit was geen slechte buurt, maar wel goddeloos. Margaret vermande zich. Als hij eruitzag als de zoon die zij nooit had gekregen, dan was Logo haar probleem: ze wilde absoluut niet dat hij iemand anders tot last was.

'Nee, hij is geen familie van me, maar ik woon al ruim twintig jaar naast hem en zijn gezin, toen hij nog een gezin had, dus ik ken hem beter dan wie ook, zou je kunnen zeggen. Sinds zijn vrouw en kind de benen namen, of eigenlijk pas een jaar of twee later, is hij een beetje vreemd geworden. Je moet je niets van hem aantrekken, hij is best een goeie man. Zachtaardig, hij zou nog geen vlieg kwaad doen en hij is altijd goed voor me geweest. Heel goed.'

De onderzoekende blik van de jonge vrouw was zo scherp, dat Margaret eventjes dacht dat de poeder van haar gezicht brandde. Ze poederde haar gezicht altijd heel licht, in overeenstemming met de hoeveelheid talkpoeder op de rest van haar lichaam. Ze kleedde zich aan en uit in een stortregen van zoetruikend stof en probeerde er fatsoenlijk bij te lopen. Dat vormde haar enige compensatie voor leeftijd, zwakte en de versleten heup waartegen geen enkele behandeling had geholpen, en hoe beperkt de compensatie ook was, hij werkte. Margaret Mellors met haar bepoederde gezicht, haar keurige kleine gestalte en haar bijna eetbare vriendelijkheid, was immer een lust voor het oog.

'Iemand vertelde,' zei de vrouw en probeerde de agressie uit haar stem te weren, 'dat hij al heel vaak is gearresteerd. Maar dat hij zich er altijd onderuit draait.'

Margaret veerde op, ze verhief haar stem niet omdat ze die behoefte nooit voelde.

'Dat komt omdat hij nooit iets doet. Hij is altijd op zoek naar een kind dat eruitziet als zijn dochter vroeger, hoe ze er nu uitziet weet ik niet, maar zo zit het. Het is stom, maar dat doet hij nu eenmaal...'

Haar stem stierf weg. Terwijl ze sprak en het kind aan de boodschappentassen rukte en haar opzij trok, wist ze al dat elke poging om het raadselachtige gedrag van Logo te verontschuldigen zinloos was. Ze kon het beter over een andere boeg gooien.

'Maar wat hij ook uitvoert, het doet er nauwelijks toe,' zei ze. 'Waarom dacht je trouwens dat hij overdag bij mij thuis zou komen? Hij werkt immers, weliswaar op zijn manier, maar dan komt hij nooit bij mij. Nooit. Hij is op pad met zijn bezemkar.'

Het was bijna waar en ze wilde ook dat het waar was. Ze zweeg even om het effect te vergroten. 'Nooit,' voegde ze er met rustige nadruk aan toe en voelde zich trouweloos, maar niettemin vastbesloten. Het kind begon weer te bewegen, te zoemen, maar harder nu, tot het in een soort gegrom overging. De moeder keek haar geschrokken aan.

'Ik ben eigenlijk een hond,' kondigde het kind aan.

'Natuurlijk,' pruttelde Margaret gezellig. 'Ben je een grote of een kleine hond? Alleen maken die andere geluiden. Kun je niet beter een kat zijn?'

De laatste wapens werden de moeder uit handen geslagen. Het had enige overredingskracht gevergd, maar niet veel.

'Luister, zou je kunnen... Ik moet heel veel boodschappen doen en ze is een nachtmerrie in winkels –'

'Natuurlijk kan ze bij mij komen, als dat handig is. Ontspan je nu maar, je ziet er een beetje pips uit. Ga je naar de koopavond? Dan kun je een hoop halen. Haast je maar niet.'

Dus werd Margaret Mellors die namiddag een uur of vier gezelschap gehouden door de hyperactieve Sylvie. Het was niet echt gelogen van Logo, zei ze tegen zichzelf. Tenslotte hadden ze de ongeschreven regel dat ze nooit ongenood elkaars huis betraden – nooit –, maar desondanks hield ze een onprettig gevoel aan het gesprek over, het herinnerde haar te veel aan kwesties die onder het tapijt waren geschoven en er het beste niet meer onderuitgehaald konden worden. Zijn deur ging open als je er een schop tegenaan gaf, maar de aanblik door het venster had iets wat iedereen ervan weerhield. En hij had inderdaad zijn bezigheden, daar loog ze geen woord van, medewerker van de reinigingsdienst werd hij genoemd, bedacht ze trots, zo werd hij genoemd. De gemeente wilde hem ook al kwijt: iedereen had het op hem voorzien, zei hij, maar Logo bleef zolang als het duurde op de loonlijst staan in het kader van de Wet op gelijke behandeling, om een aantal redenen. Ten eerste hielden ze van zonderlingen en er waren niet zo veel vrijwilligers die de spoken op het kerkhof in hun gebied trotseerden, en nog minder om de troep na een voetbalwedstrijd op te ruimen, en ook verrichtte niemand uit zichzelf zo veel bijzondere taken. Ze konden hem ervoor uit de pub halen, waar hij werd beschouwd als een zingende en dansende mascotte, hoewel hij nooit echt dronken was. Hij kon overweg met gebarsten waterleidingen, afwateringspijpen in schimmelende kelders, wist hoe hij het rottende afval van een tiental jaren moest verwijderen: hij raakte het onaanraakbare met zijn blote handen aan; schepte een dode hond of kat uit een kelder, voortdurend zingend. Zo'n pezig mannetje ontsloeg je niet, ook al klopten zijn uren misschien niet.

'O God, die helpt in nood...' riep Logo uit, zijn kar voortduwend. Groot oud ding, niet het nieuwerwetse type van plastic met twee bakken, ergonomisch en economisch verantwoord, die wilde hij niet, hij had zijn oude bak op wielen toch, of niet soms, en die vond hij prima, maar hij had ervoor moeten vechten. Ondanks de herinnering aan die strijd had hij die middag weinig puf en zijn voeten in zijn gympen waren ijskoud.

Logo maakte gretig gebruik van de vele kansen die zijn baantje hem bood om te niksen, maar afval merkte hij wel altijd op. In de goot zag hij onder het langslopen enkele late herfstbladeren liggen, nog halfbevroren van de ochtendvorst, het geniepigste vuil dat er bestond, ongeschikt om te composteren, zonder plek om heen te gaan, mooi bij het ochtendgloren maar nu veranderend in natte drek, totdat de volgende nachtvorst ze als toast, waartussen de insecten en het slijk rust vonden, aan elkaar vroor, tot het blad weer smolt en de stank vrijkwam. Logo hield van die geur: hij hield van de aarde als die nat was en aan zijn voeten plakte. Hij had zijn eigen dienstrooster; de ene dag was hij lui, de volgende actief. Vandaag was hij gereedgekomen met het kerkhof: hij kon naar huis, maar dat wilde hij niet, hij ging liever op een muurtje in zijn beduimelde bijbel zitten lezen. Hij hield van de verhalen.

'Hebben wij geen bevoegdheid om een zuster als vrouw mede te nemen gelijk ook andere apostelen en de broeders des Heren? Of hebben alleen ik en Barnabas geen bevoegdheid om vrij te blijven van handenarbeid?' reciteerde hij met hoge, vragende stem, terwijl hij in de richting van zijn woonstraat liep.

Het was een van die dagen waarop het eigenlijk niet echt licht was geweest; van een zonsondergang was geen sprake. Toen hij de hoek omsloeg, zag Logo de gestalte van Margaret Mellors voor zich uit lopen met haar smalle rug, gekleed in de dunne, grijsbruine jas zonder enige pretentie of stijl, die al jarenlang meeging. Ze was bezig een sinaasappel uit haar tas te halen, die ze vervolgens als een bal door de straat liet rollen in de richting van een hekje. Een klein kind slaakte een kreet, gilde, en rende blaffend achter de sinaasappel aan totdat ze hem met haar vuistje onderschepte en, terwijl hij nog voortrolde, als een terriër vastgreep.

'Je hoeft er niet in te bijten,' riep Margaret. Logo zag het blonde hoofdje in het fluctuerende licht van de straatlantaarns. Terwijl hij stil en gespannen toekeek hoe Margaret de sinaasappel weer weggooide, werd hij zich langzaam bewust van verontrustende geluiden. De mensen verzamelden zich voor een voetbalwedstrijd. Hij merkte dat het verkeer achter hun straat naar hen toe oprukte, hij voelde op een afstand de eerste hordes aankomen. Het deed hem altijd denken aan vliegen die op een karkas neerstreken, maar Margaret merkte niets. Hij probeerde te begrijpen waarom zij fruit voor haar oppaskind weggooide; om het uit te putten misschien, je gooide stokken voor een hond weg en eetbare dingen voor een kind, maar zijn belangstelling vervaagde algauw. Het wicht leek niet op zijn eigen kind dat, net zoals hij, donker was als een zigeunerin en al langgeleden was weggelopen; ze moest inmiddels een vrouw zijn.

Margaret riep het kind en toen dat terugrende, greep ze haar stevig bij de hand en leidde haar de straat door naar haar huis. Logo dacht somber aan zijn ijskoude voeten en kwam overeind om op de grond te stampen. Hij zocht de kou op, vond die niet echt erg en het stampen was meer ritueel dan noodzaak. Hij wachtte tot Margaret uit het zicht was, zoog zijn longen vol lucht en begon te zingen.

'Van den Heil'gen Geest ontvangen,
en geboren uit een maagd,
is Hij vlees voor ons geworden,
Hij zo diep voor ons verlaagd.'

Dicht tegen de muren gedrukt liep hij Legard Street uit, de moeilijk hanteerbare bezemkar voor zich uit duwend als een grote oude kinderwagen, in de richting van de meute die zich door de hoofdstraten daarachter zou verdringen. Op zoek naar een donker kindje, met een hoofd vol donker haar dat vanuit haar nek in een waterval van krullen tot op haar middel neerviel, als de verwarde manen van een weggalopperend, volbloed merrieveulen. Bij hem vandaan.

Dinsdale Cotton vond Helen mooi. Dat zei hij niet, maar dat vond hij al vanaf het moment dat hij haar voor het eerst had gezien. Hij kon de huidige discussie met zijn hersens des te makkelijker volgen, omdat deze hem een betere kans gaf naar haar ogen te kijken, haar handen, haar benen, in welke volgorde ze zich ook aan hem toonden, zonder dat het de schijn wekte dat hij haar met zijn blik opvrat. Hij wist dat het nog steeds veel te vroeg was om verder te gaan, dat zou als vloeken in de kerk zijn, maar hij speelde wel met de gedachte en genoot intussen van wat hij had. Bovendien was de conversatie altijd de moeite waard, ook al ontkenden ze allebei de heimelijke gevoelens die ze voor elkaar koesterden.
'Bewijsvoering,' zei ze. 'Toe nou Dinsdale, waarom doe jij dit niet? Waarom moet ik wel en jij geen lezing houden over bewijsvoering? Hoe komt het dat ik als vrijwilliger werd aangewezen en jij niet, terwijl jij nog de achterpoot van een ezel kunt lospraten en iedereen weet dat ik eigenlijk nooit iets van de wet heb begrepen? Ik breng die alleen in praktijk. Wat moet ik tegen ze zeggen?'
Hij keek verstolen naar haar slanke, gekruiste enkels toen ze achteroverleunde in de plakkerige lounge van de Swan and Mitre en besloot dat hij niet verder kon kijken en zich net zo goed kon vermaken met een intellectuele krachttoer.
'Wat je zegt hangt altijd af van het publiek,' zei hij. 'En er is geen publiek – afgezien van een symposium van wetenschappers, dat de informatie níét zo eenvoudig mogelijk toegediend wil krijgen.'
'Gelukkig. Meer kan ik zelf niet behappen. Toe, laat eens horen. Ik moet een praatje van tien minuten houden over het onderwerp "Wat is bewijs?" Het publiek bestaat uit politierechters zonder enige juridische scholing. Laat je inleiding maar horen, alsjeblieft.'

Dinsdale nam een slok wodka met tomatensap, dat er in zijn handen helemaal niet achterhaald uitzag. Hij zette een denkbeeldige bril af en schudde een al even denkbeeldige stapel papier recht op de tamelijk smerige tafel.

'Bewijzen, mijn beste, zijn feiten. Ze zijn er in de vorm van bouwstenen of cement. In wezen zijn er drie soorten bewijzen. Het eerste soort is het meest direct, bijvoorbeeld van een oog- of oorgetuige van een voorval, rechtstreeks uit de bron. Daarna komt het, minder direct, van degenen die daarop volgen, die de brokstukken van het wrak bijeenrapen, de bloedproeven en spermavlekken onderzoeken en die dus kunnen zeggen: het is inderdaad gebeurd. Dat is middellijk bewijs; hoewel dit bouwstenen uit de tweede hand zijn, zijn deze het onomstotelijkst van allemaal. Er komen ook bewijzen voort uit een aantal niet-gerelateerde feiten die het slachtoffer en de gedaagde omringen, maar niets met hen te maken hebben, en dat is het cement. Dat zijn kleine feitjes, positief en negatief, die in de richting van één conclusie wijzen. Zo hoort een getuige een deur dichtslaan om drie uur in de morgen, een ander ziet vlak daarna een man op straat; een derde persoon heeft het over iemand die hij eerder die avond in het plaatselijke café heeft gezien en die er hetzelfde uitzag; een vierde noemt bij toeval een mogelijk motief. Door de kleinste en onschuldigste toespelingen verraadt de ene broer de andere. Een netwerk van feitjes, die elk op zich irrelevant zijn. Je hebt dit cement nodig als je niet voldoende hebt aan de bouwstenen alleen. Zoals bloedvlekken en vingerafdrukken.'

'Bekentenissen?' vroeg Helen, hogelijk geamuseerd. 'Zijn die als bewijs direct genoeg om er bouwstenen van te maken?'

'O, zeker,' zei Dinsdale luchtig. 'Dat zijn de beste stenen, maar bij deze generatie hebben ze de neiging om te verbrokkelen. Wat je natuurlijk tegen je gehoor moet zeggen, is dat de enige bewijzen die voor de reconstructie van een zaak mogen worden gebruikt, bewijslast is die op een correcte manier is verkregen. Dus als je de gedaagde zo bang maakt dat hij een bouwsteen ophoest, dan mag je die niet gebruiken om een muur om hem heen op te trekken. Heb je hier genoeg aan?'

'Vast en zeker. Maar je voordracht heeft precies twee minuten geduurd. Wat zal ik die andere acht doen?'

'Verhaaltjes vertellen. Hoe langer hoe beter. Wil je nog iets drinken?'

Helen stond op het punt om het aanbod af te slaan, gehoor gevend aan het lampje dat tegen acht uur automatisch aanfloepte om haar eraan te herinneren dat het tijd was om naar huis te gaan. Toen bedacht ze dat er geen Geoffrey Bailey was in zijn of haar huis, al in geen week. Ze had zich niet naar de supermarkt hoeven slepen voor haar inefficiënte jacht op eerste levensbehoeften. Door de gedachte aan haar opluchting welde er een onverteerbaar brok schuldgevoelens in haar keel op, dat ze besloot door te slikken. Ze hield echt van Geoffrey Bailey, en ze was zich er gewoonlijk heel wel van bewust dat dit zo was, maar bevrijd te zijn van de sleur van de relatie, van de tijd die het kostte samen te zijn, voelde als een beloning waar ze maanden naartoe had gewerkt. Vooral als bij dit voorrecht ook het gezelschap van een gesoigneerde, ongedwongen man als Dinsdale was inbegrepen, die je inpakte met zijn bewondering en weergaloze vaardigheden als causeur. Dat was weer eens iets anders dan het vertrouwelijke gegrom en gebrom.

'Ach ja, waarom niet? Word je niet thuis verwacht of zo?'

Dinsdale haalde vaag zijn schouders op. Helen kon zich niet voorstellen dat hij geen uitgelezen harem had, maar zijn huiselijke loyaliteiten waren zijn zaak, daar hoefde zij zich niet mee bezig te houden. Op dit moment hoefde ze met niets of niemand rekening te houden, behalve met de toestand van haar spijsvertering.

'Nu we het toch over bewijzen hebben,' zei Dinsdale, terugkerend van de bar met een servet waarmee hij de tafel met precieze beweginkjes schoonveegde, 'is wat ik daar zie een bewijs van iets? Of is het een product van mijn al te vruchtbare fantasie?' Helen keek en floot zacht.

Aan de Swan and Mitre viel weinig aan te bevelen, behalve dan dat de pub in de nabijheid van duizend kantoren lag en een uitgesproken sfeer van ouderdom ademde, dankzij de sherryvaten die boven de bar hingen. Het vuil was onvervalst en de drommen mensen stommelden in het kunstlicht tussen het geklets van schorre stemmen door. Roken was verplicht: massa's mannen en vrouwen waren uit hun werk gekomen om zich over te geven aan een aantal slechte gewoonten, voordat ze zich naar het strenge regime van hun eigen huis begaven. De houten tussenschotten langs de muren creëerden enige intimiteit, voor het overige waren de rendez-vous even openbaar als in een telefooncel. In een afgeschutte ruimte, egoïstisch de ruimte voor vier bezettend en een inval van derden verhinderend door het listig neerleggen van jassen waardoor het leek alsof er nog iemand werd verwacht, zat Rose, geflankeerd door een jongeman. Zijn gestalte, het uniformoverhemd en het korte kapsel verrieden hem als politieman, bewakingsbeambte of iets in die geest, maar het was onnodig ernaar te raden.

'Kijk niet zo opvallend, Helen, je staart. Is dat niet agent Michael? De bokser?'

'Ik geloof van wel. Waarom zou ik niet kijken? Mijn hemel, ze práten met elkaar...'

'Wij ook, dat is een natuurlijk gevolg van de nabijheid van een medemens.'

'Onder andere,' zei Helen luchtig, 'Rose schijnt daar een specialist in te zijn. Ze ziet er de laatste dagen heel mooi uit, is het je niet opgevallen? Een beetje ingetogen, minder punkachtig.'

'Ik dacht dat dat jouw invloed was. Door een gesprek met haar te hebben, van vrouw tot vrouw, zoals Redwood je heeft verzocht.'

'Meermalen heeft verzocht zelfs, na nog meer klachten en een vechtpartij in de legering. Ja, ik heb geprobeerd met haar te praten, je weet wel: Rose-zit-je-iets-dwars? op die manier, kan-ik-je-ergens-mee-helpen? Maar dat heeft niet veel uitgehaald. Eerder het tegendeel. Ik ben vast mijn voeling met de jeugd kwijt. Ik heb nog nooit van mijn leven zo'n stroom verwensingen naar mijn hoofd gekregen. Nee, dat is niet waar, toch wel, maar doorgaans niet zo welbespraakt. De boodschap was: rot op, laat me met rust, ouwe trut, jij snapt er toch niets van op jouw leeftijd. En als Redwood me wil ontslaan moet hij dat vooral proberen. Ik heb me tactisch teruggetrokken.'

'Bloedend, maar ongebroken?' vroeg Dinsdale en liet glimlachend zijn bewonderenswaardig witte tanden zien.

'Nee, zowel gebroken als bloedend. Bestond er maar geen generatiekloof. Ik mag haar wel, ik kan die broeierige woede van haar niet aanzien, maar zij is niet in staat om mij aardig te vinden. Je kunt haar er niet van overtuigen dat je best begrijpt waar zij het over heeft.'

'Je hebt in ieder geval een prijzenswaardige inspanning geleverd,' zei Dinsdale ernstig, oprechte vernedering bespeurend. Zijn hand op de schoongeveegde tafel zwierf tot vlak bij de hare. De aanblik ervan, bleek, met keurig geknipte nagels, bezorgde haar een onverklaarbaar gevoel van eenzaamheid. De vingers trommelden een snel ritme, alsof ze luisterden naar verborgen muziek die zij niet kon horen. Zoals de muziek die tussen Rose en haar vrijer fibreerde, verborgen maar harmonisch, en de rokerige atmosfeer doorkliefde tot aan de plek waar zij, de twee volwassenen, zaten. Helen dacht dat ze nog wel wist hoe het was, de muziek van de romantiek, en voelde zich ouder dan Noach. Ouder dan de sherryvaten en even doof.

De pub op de hoek van Legard Street en de hoofdweg die naar het voetbalstadion leidde, schonk eveneens sherry, maar alleen als erom werd gevraagd en als het verzoek een paar keer werd herhaald. Hun specialiteit was het soort pastei dat, zelfs na langdurig verblijf in de magnetron, de spijsvertering van een stoomlocomotief op de proef stelde. De pastei werd vastgehouden bij de rand van de cellofaanverpakking en het was niet raadzaam om de vulling te bestuderen. Logo had geen belangstelling voor voedsel en de pub was leeg.

Hij at zijn pastei op. Die was aan de buitenkant verbrand en vanbinnen ijskoud en slaagde er niet in zijn hongergevoel te verdrijven, maar maakte dit bij elke hap erger. De holle maag, in het midden ingesnoerd door een litteken waardoor hij eruitzag alsof een haai er een hap uit had genomen, ontspande zich onder de omgegorde broek. Hij boerde zachtjes, rondkijkend naar publiek. De barman nam hem met marginale belangstelling op, minder tolerant dan gewoonlijk. Hij was zijn schappen aan het bijvullen voor wanneer de menigte uit het stadion stroomde. Op een avond als deze, in de stilte voor de storm, kon hij Logo missen als kiespijn, en als die ellendeling ging zingen, zou hij hem de deur uitzetten en tussen de stoet geparkeerde auto's poten, te midden van het gebulder dat oplaaide zodra iemand een doelpunt scoorde.

'Alles goed?' vroeg hij, tegelijk vriendelijk en dreigend.

'Ja hoor,' zei Logo. 'En met jou?'

'Ook prima. Is het nog geen tijd om naar huis te gaan?' Hij leunde over de tafel heen en veegde het blad omstandig af, uit het gebaar sprak waakzame passiviteit en ongerustheid. Logo hing altijd overal tegenaan zonder ooit te gaan zitten, om beter zijn keel te kunnen schrapen voor het volgende gezang, dacht de barman, maar Logo wist wel beter. Hij zat niet graag. Het oude litteken was alleen bekend bij hemzelf en een dokter die sindsdien allang was verhuisd zonder zijn patiëntgegevens mee te nemen. Het waren slordige hechtingen, maar ze waren dan ook in het holst van de nacht aangebracht op een eerstehulppost zonder enige gedachte aan toekomstige ijdelheid. Inmiddels waren ze oud en in hun wijsheid trokken ze om hem erop te attenderen dat hij niet moest gaan zitten met zijn bescheiden hoeveelheid buikvlees ingerold, maar altijd fier overeind moest blijven staan, als een onbuigzaam tinnen soldaatje. De barman deed een schijnuitval in de richting van de oude wond. Hij had er geen kwaad mee in de zin, het was vriendelijk bedoeld. Maar de reactie was absurd: Logo klapte dubbel alsof de por echt was, gilde het uit van pijn en wankelde tegen de muur achter de schoongeveegde tafel. Zijn arm lagen gekruist over zijn buik en hij jankte als een kind. 'Au, au, au, alsjeblieft, niet doen, niet doen. Au!'

De barman was niet onder de indruk. De maagpijn van iemand die zijn pasteitjes at liet hem koud, en hij hoefde evenmin het hysterische gegil te pikken van zo'n griezeltje dat wel een wandelende bijbelreclame leek.

'Ga naar huis. Donder op. Ik heb je niet eens aangeraakt. Eruit. Vooruit, wegwezen.'

Logo hield zijn maag vast en liep zonder om te kijken de schemering in. Het was binnen warm geweest, de pastei binnen in hem verwarmde hem en hij had voldoende geld bij zich voor nog een borrel, maar toch ging hij weg. Hij nam het karretje en de bezems die erin stonden mee van de plek waar hij ze had achtergelaten. Ze gaven hem steun, maar ook muziek, op zijn tocht door de stille straten. Rommel, rommel, wielen van versleten rubber draaiden almaar rond, alsof ze even verbijsterd waren over hun slechte constructie als hij, hoewel hij ze voor geen goud zou hebben verwisseld. De grote bezemkar was heel geschikt voor een voddenraper.

Naar huis, spaar de paarden niet.

'"Van onderen verdrogen zijn wortels, en van boven verwelken zijn twijgen,"' mompelde Logo in zichzelf, denkend aan de barman, en daarna, met zelfmedelijden: '"Zijn nagedachtenis vergaat van den aardbodem, zijn naam wordt op straat niet meer genoemd."'

Er steeg een overweldigend hees gebrul op uit het stadion toen hij passeerde; de straten stonden vol auto's zonder mensen erin. Logo greep de stuurstang van zijn kar stevig beet en liep verder, luisterend naar het geluid van duizenden kelen die zongen: *'Walk on! Walk on! You'll never walk alone!'* Hij voelde zijn bijbel in zijn broekzak stoten, zijn voeten waren warm nu, zolang hij bleef lopen. En dat deed hij ook, steeds sneller, tot aan de verre deur van zijn eigen huis, zonder te zingen, zonder lawaai te maken, niets van dat alles. Hij was een brave jongen geweest, heel braaf; het was nog steeds vroeg, dus hij zou niet naar z'n lieve ouwe moer gaan, voor het geval zij nog steeds dat blonde lastpakje probeerde uit te putten met verstoppertje spelen. Toen bleef hij staan, opeens ontnuchterd en koud.

Verstoppertje spelen in zijn huis en in dat van opoe Mellors, daar leek het op. De lichten op zijn eigen benedenverdieping waren aan en schenen door de bevroren ruiten van zijn keuken de steeg in. Hij kon zich niet voorstellen dat Margaret het kind, die blonde, ondeugende spring-in-'t-veld, naar zijn huis had gestuurd om te spelen, maar dat was de enige verklaring die er in hem opkwam. Tenzij het kind er alleen heen was gegaan, de deur had opengeduwd en op ontdekkingstocht was gegaan. Hij wist dat hij niet voor acht uur werd verwacht: hij was zelden vroeger thuis, maar dat Margaret, eigenlijk zij allebei, maar vooral het kind, ervan uitging dat hij nog niet thuis zou komen, ervoer hij als heiligschennis. Hij zette stilletjes de bezemkar neer en liep op zijn tenen naar de deur.

De moeder van de kleine Silvie bevond zich verderop in de straat en probeerde zich een weg te banen tussen de stoet geparkeerde auto's door, die inmiddels drie rijen dik was, zonder dat je er zelfs maar een voet tussen kon krijgen. Ze was al zo laat geweest omdat de ondergrondse was stilgezet vanwege een gevecht tussen voetbalsupporters en vervolgens was de bus om dezelfde reden gestopt. Al het stadsvervoer haperde op voetbalavonden. Ze was een beetje in paniek, maar nog niet heel erg. Ze wist dat Margaret voor Sylvie zou zorgen, maar alles scheen steeds meer tijd te kosten, en het kind was bij Margaret thuis. Ze had geprobeerd te bellen, maar er had een rij voor de cel gestaan, dus had ze ervan afgezien en nu was het al half negen. Geeft niet. Op haar lange wandeling vanaf de ondergrondse klikklakte ze de straat door. Ze vroeg zich af hoe laat haar echtgenoot thuis zou komen en verheugde zich daarop, en toen, halverwege haar huis, hoorde ze in haar onderbewustzijn een kind gillen op de manier waarop alleen haar kind dat kon. Ze voelde het in haar bloed, de pijn op haar borst alsof ze scheermesjes had doorgeslikt, toen ze begon te rennen, struikelend met haar boodschappen. Ze rende en viel languit in de donkere steeg tussen het huis van Margaret Mellors en het buurhuis in. Ze wist zeker dat ze het kind in de verte had horen gillen: ze voelde het. Ze struikelde over de bezemstelen die uit een bezemkar de steeg in staken, stootte haar heup en al haar boodschappen tegen de bakstenen en stormde zonder plichtplegingen Margarets huis binnen, nog steeds gegil horend. *Waar ben je? Waar ben je, schat?* Ze hijgde van inspanning, maar daar was ze, Sylvie het tirannetje, in Margarets armen, voor de televisie.

Ze lag, zo goed als bewusteloos, met haar armen om Margarets hals met haar voet te wiebelen. Aan hun voeten lag uitgetrokken breiwerk, de mouw van een trui stak uit een breitas, het kind klampte zich eerder vast dan dat het leunde, en de moeder was jaloers. Toen meende ze tranen in de ooghoeken van het lieve oudje te zien. O, wat moest zij moe zijn, dat was de onvermijdelijke prijs om Silvie stil te krijgen. Maar ondanks het geruststellende tafereel, ondanks de troostrijke geur van talkpoeder, sinaasappels, chocolademelk en het heldere licht, voelde de moeder iets in haar aderen bonzen. Ze smeet een paar munten van een pond op het aanrecht, bedankte uitvoerig en nam snel haar kind mee. Sylvie was dof, bijna catatonisch, haar voetjes bonkten zwaar op het linoleum van de keukenvloer en in de steeg buiten.

Pas toen ze in haar eigen huis was, besefte de moeder dat de bezemkar waar ze op de heenweg tegenaan was gebotst, op de terugweg helemaal niet meer in de weg had gestaan. Het ding had wel iets van een kinderwagen gehad. De herinnering flitste door haar hoofd als een vluchtig en onbelangrijk detail.

'Kom binnen, Margaret, waarom niet? Iedereen doet het. Al je vrienden.'

Zijn whisky stond op tafel, stoffig van de reis in de bezemkar, die nu uit het gezicht stond op het plaatsje achter het huis. Logo's huis zag even asgrauw als het stof op zijn schoenen. Hij had zijn jasje uitgetrokken en onthulde zijn vale, versleten zwarte kleren die hij in kringloopwinkels aanschafte, en Margaret had de tijd om zich af te vragen hoe het kwam dat hij er altijd in slaagde de indruk te wekken dat hij schoon was, terwijl zijn kleren in werkelijkheid intens smerig waren.

'Het spijt me, Logo. Het spijt me echt. Ach, dat kind is een lastpak, echt waar, maar ik dacht dat ze doodop was, en toen ik haar iets te eten heb gegeven ben ik gaan zitten en toen ben ik in slaap gesukkeld, neem ik aan, want ze was opeens verdwenen. Ik riep haar, ik dacht dat ze bij mij boven was, maar ik kwam er algauw achter dat ze bij jou boven zat. Toe nou, je weet best dat je alleen maar tegen de deur hoeft te duwen. Dus het spijt me wel, maar dit had je niet hoeven doen. Ze kon er niets aan doen.'

Hij richtte zijn grote ogen op haar.

'Wat had ik niet hoeven doen?' wilde hij weten. 'Wat niet? Zij deed niks. Jij wel.'

Ze ging moeizaam zitten, liet haar schone stof opdwarrelen en bracht een hoestend geluid voort dat deels door de stoel werd geproduceerd en deels een zucht van uitputting was. Ze nestelde zich in de stoel en kromde haar vingers over de uiteinden van de vettige, met stof beklede armleuningen. Ze vertoonde geen greintje spanning en oogde als een oude vrouw die net een uiltje had geknapt en haar waardigheid probeerde te bewaren door te doen alsof ze niet slapend was betrapt. Of bang was geweest.

'Ach, doe niet zo gek,' zei ze ontspannen. 'Het arme kind is alleen maar bij mij de deur uit gelopen terwijl ik sliep en bij jou naar binnen gewandeld, zij kan die deur net zo goed openduwen als iemand anders. Ze doet het licht aan, want daar kan ze net bij, en kijkt rond. En toen kwam ik haar zoeken, maar toen had jij haar al de stuipen op het lijf gejaagd, dolle Dries. Waarom deed je dat? Je handen zo naar haar toe laten klapwieken, was het een spelletje?' Ze sprak zoals ze altijd deed, zonder haar stem te verheffen of van toon te veranderen. Ze had een kudde wilde paarden kunnen kalmeren en vanuit haar ooghoek zag ze hem ontspannen en haar een kleverig glas aanreiken, voor de helft gevuld met zijn verzoeningsdrank. 'Ik ken je al vele jaren en ik ben nog nooit bij je boven geweest. Ik zou het niet eens willen, als ik naar de rest kijk. Ik heb nooit reden gehad om verder dan de keuken te komen. De beste feestjes vinden altijd in de keuken plaats. Daar gebeurt het. In de keuken. Het is zowat het enige belangrijke vertrek in huis. Die van jou kan trouwens wel een sopje gebruiken.'

Ze strekte haar benen om haar gelijk te bewijzen. 'Ooo, wat aardig,' zei ze en hief haar glas met een goed ingestudeerde knipoog. 'Heel aardig.' Ze deed alsof ze niet zag hoe smerig het glas was; de whisky zou de bacteriën wel uitroeien en trouwens, daar was ze toch niet bang voor. Je kreeg ze als zuigeling binnen en was er daardoor zes generaties lang tegen beschermd. Bleekmiddelen en desinfecterende middelen voerden in haar eigen huis de boventoon, maar ze verwachtte eigenlijk nooit dat dit bij anderen ook het geval was.

Als ze bang was, en dat was ze, behoorlijk bang, dan liet ze dat niet merken. Voor haar eigen man had Margaret de wetenschap dat hij een dodelijke ziekte onder de leden had, twee jaar lang verborgen gehouden; en ze had altijd spelletjes gedaan met kinderen, dus ze wist hoe ze moest veinzen. Ze zei niet tegen Logo dat ze Silvie niet één maar twee keer het huis in had gevolgd en dat ze de eerste keer naar boven was gegaan en in alle kamers had gekeken, totdat ze had ontdekt waar ze zich had verstopt. Nu ze er ogenschijnlijk ontspannen bij zaten, leek het beter om niets te zeggen; het was koud, dus ze dronk. Twee glazen per dag, en ze hield nog even veel van hem, maar ze begon nu te begrijpen wat haar buren bedoelden. Het kind was doodsbang geweest: dat mocht je een kind niet aandoen, ze schaamde zich voor hem.

Geoffrey Bailey vond zijn kamer op de derde verdieping. In zijn kast bewaarde hij een fles whisky, waaruit hij een ruime hoeveelheid in het tandenborstelglas schonk. Verder was er vanzelfsprekend niets van hem, alles werd verstrekt door de Organisatie, wat hem als gast de vrijheid liet er misbruik van te maken. In de spiegel kijkend streek hij over zijn dunnende haar. Hij zou het paars kunnen verven en dan nog zou niemand vanhier het merken. De glimlach stierf weg. Het eten was verrassend goed geweest voor een kantine, net als de avond ervoor. Misschien wipte hij met Ryan nog even bij de pub langs om te kijken of zijn blauwe oog al wegtrok. De zwelling scheen minder te worden als hij glimlachte, en dat was vaak.

Het was niet eens laat voor de donderdagavond, half negen pas, en hij voelde zich prettig vermoeid, gestimuleerd door het leren.

Morgen zou hij op weekendverlof mogen, die mogelijkheid had hij. Maar bij nader inzien deed hij het maar niet.

Het was hier weliswaar geen rusthuis, maar hij rustte wel uit. En Ryan was aan de beurt om een rondje te geven.

4

De surveillancewagen doorkruiste Legard Street sneller dan gewoon-lijk. Hij sloeg aan het einde rechtsaf en begon aan een duizelingwek-kende zwerftocht door de straten, links, links, rechts, rechts, een traject dat totaal afweek van de militaire precisie van de voorgeschreven route. De auto haastte zich zonder op- of omkijken door Seven Sisters, op zoek naar de dichtstbijzijnde afslag waardoor hij er weer omheen kon rijden. Het had geen zin om hier te blijven staan in een auto met een streep over de zijkant: de dames van de nacht moest je in het geniep observeren, of helemaal niet. De hoerenlopers hoorden nog geen trein aan komen denderen, maar de meisjes doken in elkaar en verdwenen in de donkere straat, mannengezichten achterlatend die voor de derde keer achtereen wanhopig uit het zijraam staarden.

De politiemannen in de surveillancewagen keken recht voor zich uit. Het was een onuitgesproken feit dat geen van beiden geïnteres-seerd was in het opsporen van iemand wiens gedrag tot arrestatie noopte. Na anderhalf uur van samenzijn hadden ze evengoed nog eens vijf minuten nodig om een gesprek te beginnen dat even noodzakelijk als moeilijk was. Ze hoopten allebei dat het kort zou zijn. Voorbij Se-ven Sisters, waar de vrouwen op hun ongeschikte schoeisel als gazellen hadden gerend, scherp rechts naar de achterkant van het nog verlichte stadion. Iedereen zat weer veilig thuis, de autoradio zweeg tot hun beider verbazing, het moment was nu rijper voor een praatje, hoewel geen van beiden als een gemakkelijke prater kon worden betiteld.

'Shit, niet te geloven, er gebeurt niets, helemaal niets. Het voetbal-len is afgelopen, iedereen is weg. Is het altijd zo?'

'Nee.' Agent Michael was minder onmeedeelzaam dan de meesten, maar op het emotionele vlak was hij wel degelijk heel erg gereserveerd tegenover zijn collega's. 'Het is meestal anders, maar het is nog vroeg. We nokken pas af om twaalf uur, de pubs zijn nog niet dicht, je kunt er nog niets van zeggen.' Opeens zette hij de auto aan de kant van de weg, draaide het raam omlaag en zocht in zijn zakken naar een pakje sigaretten. De auto schommelde tijdens zijn zoektocht.

'Oeps,' mompelde hij, op de rem trappend, zijn grote lichaam over het stuurwiel buigend om beter in de achterzak van zijn uniformbroek te kunnen graaien. 'Hier moeten ze ergens zitten, alles zit altijd in de verkeerde broekzak.'

De jongeman naast hem schudde van het lachen en de pijnlijke ijzigheid ontdooide tot een soort ijsdrab. De sigaretten die ten slotte in een verkreukeld pakje van tien stuks te voorschijn kwamen, zagen er allemaal zo platgedrukt en zielig uit, dat je je moeilijk kon voorstellen dat ze zo'n schade konden aanrichten. Aspirant Williams, een jongen uit Wales, rookte eigenlijk niet – één keer per jaar, mam – maar dit zou een uitzondering worden. Zijn mond deed nog steeds zeer, vooral als hij lachte.

'Hij ziet eruit als mijn pik op een goeie dag,' verklaarde Michael, starend naar de geknakte sigaret, een armzalig, zielig geval. Hij hield hem tussen zijn vingers bij het filter vast, de rook dreef somber naar de andere kant toe. 'Hij moet nodig opnieuw bedraad worden. En wat is er eigenlijk met jou aan de hand?'

De jongeman aan zijn linkerzijde trok met trillende handen aan zijn sigaret. Hij zag er best goed uit, dacht Michael, maar in de ring zou hij onbruikbaar zijn, daar mocht je geen zenuwen tonen, vreselijk. Misschien zou hij het even slecht doen als ze de auto uit moesten om hun gezag te laten gelden tegenover een groep jongeren aan de andere kant van het stadion, die fris uit de voetbalwedstrijd en de voordeur van de pub kwamen en allemaal als idioten aan het schreeuwen waren en heibel wilden trappen.

'Hoor eens,' zei de jongen, de sigarettenrook inhalerend die hem duidelijk even ziek maakte als een al te geurige sigaar. 'Hoor eens, wat die avond betreft...'

'Welke avond?'

'Van laatst. Je weet wel, wanneer was dat? Eeuwen geleden, minstens een week. Nou, ik vond het tof van je. Je snapt me wel.'

'O, dat. Dat stelde niets voor. Waarom zou ik het doorbrieven?' Michael werd bijna strijdlustig, hij kauwde eerder op zijn sigaret dan dat hij eraan trok. 'Het was anders geweest als jullie haar hadden geslagen, maar dat was niet zo, en ik hoef het hele verhaal ook niet te horen.' Williams was verbijsterd. Hij had verwacht dat Michael wilde horen hoe de heibel was ontstaan, maar hij dacht alleen maar aan het meisje. Michael wierp de half opgebrande sigaret uit het zijraam. Die belandde op een bevroren blad, waar hij bleef doorgloeien. Hij keek verbaasd toe. Vuur en ijs, ijs en vuur, geen van tweeën in staat om de ander teniet te doen. Gevoed door de merkwaardig hevige en moeizame momenten van de afgelopen dagen beleefde hij alles bijzonder intens. Bomen, bladeren, afval, al het bezinksel van het leven en de natuur had iets poëtisch gekregen, maar hij was nog steeds dezelfde als eerst. Een vriendelijke en loyale man met meer hersens en een groter hart dan de meesten van zijn collega's, maar niettemin een politieman, wiens grootste loyaliteit lag bij zijn collega's. Alleen lag zijn loyaliteit nu ook elders.

'Het was wel een beetje stom, hè?' zei hij zacht. 'Zoals jullie met z'n allen over de grond rolden. Je hebt een paar aardige klappen gehad. Hoe begon het eigenlijk?'

'Dat kun je wel raden. Die rotmeid. Ik hoorde Brian door de muur van mijn kamer heen een nummertje met haar maken. God, wat maakt die een herrie, hij lijkt wel een varken. Eerst had ik haar stem al gehoord, het geluid ervan, en toen kreeg ik een waas voor mijn ogen, omdat ze de avond ervoor hetzelfde met mij had gedaan. En met de anderen, maar dat wist ik toen nog niet. De slet.'

'Ik hoop dat jullie kapotjes gebruiken?' vroeg Michael paternalistisch, zijn gezicht pijnlijk vertrokken in weerwil van zijn rustige stem. Hij wilde dat hij de sigaret nog had om iets in zijn handen te hebben. Het was waar dat hij niet naar het ontstaan van de ruzie in de legering had hoeven vragen om te weten te komen wat er was gebeurd, maar hij had deze verbale bevestiging wel nodig gehad. Ineens ontspande hij zich.

'Dan neem ik aan dat je haar wel eens hebt thuisgebracht?'

'Wel eens, ja,' mompelde de ander.

'Mooi, dan kun je me dus wijzen waar ze woont.'

'Pardon?'

'Waar ze woont. Welke straat, op welk nummer.'

'Dat weet ik niet,' zei de jongen verbaasd. 'Dat weet ik niet, omdat je haar nooit voor de deur mag afzetten. Ze zei altijd: "Zet me maar op de hoek af," en ik was aan de late kant en... O! Ik begrijp het.'

De uitdrukking van respect en dankbaarheid die eerder op zijn gezicht had gelegen, verdween en hij keek sluw naar zijn metgezel. Hij probeerde te lachen maar het klonk als gejank. 'Ik begrijp het. Nu zit jij achter haar aan. Om de brokken op te rapen. Wat ben jij een –'

'Schoft.' Michael maakte zijn zin behulpzaam af en startte de motor. 'Inderdaad, misschien doe ik dat wel, maar niet op de manier die jij denkt. Er is namelijk een verschil. Ik ga niet met haar naar bed. En laat me nu de hoek maar zien waar je haar afzette. Dan weet ik of het dezelfde plek is als die van mij.'

Opgewekter nu zette hij de auto in de versnelling. De man naast hem zweeg verslagen en wachtte tot de radio hun van werk zou voorzien en de mistroostige jaloezie zou verdrijven.

Rose zat in de vensterbank van haar flat op de eerste verdieping die ze deelde met twee andere meisjes. Ze wachtte al de hele avond om de auto voorbij te zien komen. Geen willekeurige auto, maar die speciale auto, met de witte lak en de klemvaste muur van lichamen erin. *Kijk naar de muur, mijn schat, terwijl de heren langsrijden.* Dat gedicht had ze op school geleerd, onderwezen door een ouwe sok die hen ervan probeerde te overtuigen dat elk spraakgebruik zijn eigen ritme had, maar niemand die ze kende praatte zo. Ze zat in haar slechtverlichte slaapkamer te niksen, bekeek haar gezicht in de spiegel, waarop het enige licht gericht was dat ze wilde ontsteken. Zelfs een gestalte achter de halfgesloten gordijnen wilde ze niet prijsgeven. Buiten op straat was het opvallend stil, de kou had alle potentiële feestgangers en pubbezoekers naar huis gedreven. Achter een raam aan de overkant flikkerde het lugubere neonlicht van een televisie.

Telkens als Rose het geluid van een auto hoorde, liep ze de kamer door om daarna terug te keren naar de spiegel, waar ze zonder ijdelheid haar gezicht bekeek en haar gedachten de vrije loop liet. Bij tijd en wijle maakte ze met haar vingers voor de lelijke schijnwerper schaduwfiguren op de tegenoverliggende muur: het figuurtje van een konijn met enorme zwaaiende oren en een obsceen lange, gepluimde staart, die op eigen kracht leek te bewegen. Het was bijna dwangmatig, die zenuwachtige gewoonte van haar om deze niet onvriendelijke figuurtjes te maken als het licht zich daarvoor leende. Maar ineens raakte ze geërriteerd door de zenuwachtige bewegingen van de clowneske schaduwen, beangstigd door het eigen leven dat ze, voor haar vermaak, gingen leiden. Langzaam opende ze haar hand en omvatte daarmee de andere als een vrijwillige handboei, om zichzelf vaarwel te wuiven op de muur tegenover haar. Haar gespreide vingers deden denken aan de vleugels van een enorme vogel die voor de zon langs wegvloog. Ze liet de vleugels bewegen totdat het gevaarte, half onheilspellend en half exotisch, het licht geheel blokkeerde en haar bang maakte.

Toen hoorde ze het geluid van een andere auto, vertrouwd zonder kwellend te zijn. Het schaduwspel had haar gekalmeerd. Ze begaf zich ongehaast naar het raam, knielde neer en legde haar kin op de vensterbank; het dunne gordijn hing achter haar hoofd. Ze werd beloond met de aanblik van een surveillancewagen, die zich niet haastte maar stapvoets reed, een gezicht dat aan de passagierskant naar buiten blikte, opkijkend naar de ramen als een moeder die haar kind in een warenhuis zoekt. Ze herkende het gezicht vaag, liet haar kin zakken totdat haar neus zich op gelijke hoogte met het raam bevond en giechelde even. Toen stak ze haar hele hoofd omhoog en wendde zich slinks af toen de auto twee deuren verder aan de overkant stopte en hij uitstapte. Ze wierp nog een talmende blik op zijn gestalte, zoals hij daar op straat stond met zijn adem die als mist in de lucht dreef, omkijkend naar zijn auto voordat hij naar haar opkeek. Met merkbaar plezier zag ze dat hij zijn schone, geperste uniform gladstreek en toen was ze weg, verborgen door de gordijnen scharrelde ze over de vloer naar het lichtknopje toe.

Even was het stil, toen klonk de bel in het vacuüm van het lege benedenhuis, zonder reactie van de bovenverdieping. De twee meisjes met wie Rose de etage deelde waren er niet, anders hadden ze hem wel binnen genood, want ze lieten iedereen binnen, vooral iemand in uniform. Rose wachtte tot het geluid van de bel was weggestorven en hoorde daarna voetstappen op de bevroren grond knerpen, een groot lichaam tegen de afvalbak aan lopen en het gebruikelijke geschuifel dat het vertrek aankondigde.

Weer bij het raam, nu met het licht uit, zag ze hem opnieuw zijn jasje rechttrekken voordat hij op de bestuurdersstoel plaatsnam. Ze probeerde erom te lachen. Ik durf te wedden dat je dat altijd doet, grote sufferd, zei ze om haar lippen te laten bewegen, maar toen de auto langzaam wegreed, restte er alleen nog maar scherpe pijn van verdriet, zodat ze de neiging had om de ruit in te slaan en te roepen: hier ben ik! Maar de opwelling trok weg, in tegenstelling tot het verdriet. Ze was met een taxi van kantoor naar huis gereden en had zich opgetut voor het geval hij haar vond: huilen zou haar uiterlijk geen goed doen, dus knipte ze het licht aan en begon, in een hoekje gedrukt, opnieuw een schaduwspel op te voeren.

'Houdt hij van me?' vroeg ze aan het konijn. 'Zou hij ooit van me kunnen houden? Kan dat zo snel, zomaar? O, alsjeblieft...'

Haar slaapkamer was opgesierd met knuffeldieren; ze stonden in waakzame rijen tegen de muurkant van haar eenpersoonsbed, waardoor er weinig ruimte voor haarzelf overbleef. Ze had een kussensloop met volanten, een beddensprei met volanten en een heleboel andere frutsels. Het effect hield het midden tussen een boudoir en een speelgoedwinkel.

Van beneden klonk gedaver, weergalmende voetstappen en stemmen die naar hun benauwde huisvesting leidden. Cheryl had de grootste kamer omdat ze de flat had gevonden en heel gewichtig een waarborgsom had gestort bij de bank waar ze werkte. De anderen hadden kleinere kamers; ze kwamen allemaal uit op een krappe overloop die naar een nog krapper keukentje leidde. Ze hadden afgezien van een gemeenschappelijke huiskamer om niet met z'n tweeën op een kamer te slapen, om redenen die voor de hand lagen maar niet werden uitgesproken. Voor het geval ze beet hadden, zoals Cheryl stelde; een man aan de haak hadden geslagen, bedoelde ze, maar in feite hadden de andere twee nog nooit beet gehad, niet in hun flat of waar dan ook: het waren hardwerkende meisjes, vol ambitie en romantische dromen en niet geneigd tot vluchtige affaires. Ze hadden elkaar als huisgenoten omarmd vanuit een wederzijdse behoefte, en via de kolommen van de *Evening Standard*, maar dat was niet hetzelfde als vriendschap, hoewel het daar tussen Mary en Cheryl wel voor doorging. Ze gingen samen uit, gewoonlijk naar pubs en disco's en vormden een beleefd, aaneengesloten front tegenover Rose, omdat Rose raar was, gesloten, helemaal niet zoals zij, en hoewel ze zonder klagen hun rommel in de keuken opruimde, maakte ze zich daarmee niet bepaald bemind. Niets was zo sterk als afkeer. Het regime werkte echter, op zijn manier, beter dan de meeste.

Rose hoorde ze samen de keuken in klossen, en vervolgens een van de twee naar de badkamer op de overloop gaan, waarvan ze de deur altijd op slot deden, wat volkomen overbodig was, omdat geen van drieën de naakte privacy van de twee anderen zou hebben geschonden, tenzij in wanhoop. In dat geval trapte Cheryl tegen de deur, klopte Mary jammerend aan en Rose wachtte gewoon. Dit aspect van hun gedwongen intimiteit beviel haar het minst van alles, en ze bewaarde haar make-upspullen, haar waszak en haar handdoek, tezamen met haar leven, in haar eigen kamer, maar nu schoot haar te binnen dat ze zich niet aan die zichzelf opgelegde regel had gehouden, en ze kreunde. Ze had die test morgenochtend moeten doen, zoals ook op het doosje stond. Het gekreun en het besef viel samen met een trap tegen haar deur. Cheryl, vriendelijk, bezorgd en bloednieuwsgierig.

'We laten pizza's komen. Wil jij er ook een? En wat doet dit ding op de wastafel?' Ze hield een zwangerschapstest omhoog, duidelijk als zodanig beschreven op de kartonnen verpakking die een buisje bevatte.

'Wilde je ons iets duidelijk maken?'

Rose schokschouderde. Het was te laat.

'Ik weet het niet. Er zijn drie versies. De ene zegt dat ik het ben, de andere zegt van niet en de derde zegt dat het niet zeker is, om je nóg zo'n test te laten kopen. Deze weet het niet zeker, maar desondanks denk ik dat ik wel zwanger ben. Ja, ik wil best een pizza. Met tonijn.'

Ze gingen in de keuken zitten, waar ze met hun drieën, plus de telefoon op het eettafeltje, nauwelijks in pasten. Mary bestelde telefonisch de pizza's en keek met dezelfde uitdrukking als Cheryl vanuit haar ooghoek naar Rose. De ontdekking van de zwangerschapstest voorkwam elk gesprek over het werk of over het weer; ze keken naar haar als naar een buitenissig dier in de dierentuin, met een mengsel van eerbied, nieuwsgierigheid en lichte afkeer. Als gemankeerde maagden hadden ze min of meer aangenomen dat zij het óók was, en ze wilden weten wat er precies voor nodig was om het tegendeel te bewerkstelligen, van a tot z, van het begin tot het einde, hoe het voelde. Dat wilden ze allemaal vragen voordat de pizza werd gebracht en alles weer normaal zou zijn, maar het begon tot Mary en Cheryl door te dringen dat dit eigenlijk niet kon. Cheryl, die wat meer ervaring had, koos voor de luchtige benadering. Ze pakte een bierblikje uit de koelkast en liet dat rondgaan. Rose schudde haar hoofd.

'Het probleem met seks is,' zei Cheryl droevig, 'dat niemand het je ooit wil vertellen. Wat je moet doen.' Ze keken allebei naar Rose, half uitdagend, half smekend. Die vertrok haar gezicht.

'Je moet gewoon niet doen wat ik heb gedaan,' antwoordde ze. Ze liet het treurig klinken, alsof de daad in kwestie volledig op zichzelf stond. Goed dan, ze zou het hun vertellen, ze aan het lachen maken door leugens te vertellen, alles om zich van voldoende verdraagzaamheid te verzekeren, om haar te helpen omgaan met de gesmolten angst die de plaats van haar bloed leek te hebben ingenomen. Alles om het kwade uur uit te stellen waarop ze zou moeten beslissen wat haar te doen stond.

'Ben je verliefd?' vroeg Mary, zoals altijd onthutsend naïef.

Rose giechelde ongemakkelijk. Toen ze naar beneden liep om de pizza's aan te pakken, veegde ze haar ogen en neus aan haar trui af en hoopte maar dat ze zouden denken dat ze zich doodlachte.

'Je gaat toch niet beweren dat je verliefd bent?'

Na middernacht, in de kantine, was de jongere agent voldoende hersteld om enige spot in zijn stem te leggen. Hij huiverde toen de gloeiendhete thee in aanraking kwam met de zere plek in zijn mond en hij dacht even aan het bezoek aan de tandarts dat hem boven het hoofd hing. Agent Michael maakte aantekeningen met speciale aandacht voor de bijzonderheden van de betrokkene: een minderjarige jongen die ze zojuist achter in een slijterij hadden opgepakt. Een uitzonderlijk rustige nacht, dacht hij, eerder hoopvol dan ontstemd.

'Op haar? Op Rose, bedoel ik,' drong de jongere man aan, dankbaar het begin te zien van een zachtrode blos die de huid van Michaels vredige voorhoofd kleurde, toen die zich weer over zijn schrijfwerk boog. Dezelfde blos was in de auto misschien onopgemerkt gebleven. Dat gaf Williams een voorsprong.

'O, dat geloof ik niet,' zei Michael. 'Ik weet niet eens wat verliefdheid is. Maar toen jullie vorige week tot de orde waren geroepen, bedacht ik dat niemand zich om haar had bekommerd, ze was gewoon de deur uit gesmeten. Dus keek ik naar haar uit en even later zag ik haar door de straat rennen, echt rennen, alsof ze diep in de nesten zat. Toen ze de auto zag, verstopte ze zich in een tuin. Daar heb ik haar uit gevist, ik heb haar naar de plek gebracht die ik je heb laten zien en heb het telefoonnummer van haar werk gekregen. Ik had gewoon met haar te doen, meer niet. Ze mag dan een sletje zijn, ze is een zielig hoopje mens.'

De ander giechelde weer en probeerde zijn gezicht in de plooi te houden. De thee was nu beter op temperatuur en de kou buiten was weinig aantrekkelijk. Hij wilde het verhaal rekken en er zijn voordeel mee doen. Michaels karakter had op andere mannen vaak de uitwerking dat ze zich slecht voelden.

'Dus je hebt zo met haar te doen, dat je haar elke avond ziet?' Opnieuw spottend.

'Ja.'

'Dan vrees ik dat het liefde is. Je moet wel gek zijn. Je hebt alle records gebroken.'

Hier moest het ergens liggen, tussen al die andere aandenkens aan haar leven, en daarom was het zo moeilijk te vinden. Door te snuffelen in de oude chocoladedozen die ze in het grote dressoir in haar woonkamer bewaarde, bezorgde Mrs. Mellors zichzelf volop afleiding, aangezien alle vijf de dozen schatkamers van Aladdin leken. Daar waren haar trouwfoto's, uit de tijd van de ongewisse oorlogseconomie, met een geleende hoed die ze zich herinnerde alsof ze hem gisteren nog op had gehad, en een corsage met de afmetingen van een struik. Toen moest ze elke cent omkeren en nu elke gulden, er was niets veranderd. Er volgden geen foto's van kinderen. Ze hadden pas jaren later een camera gekocht en er was maar weinig om op de foto te zetten. Mr. Mellors was nu eenmaal zoals hij was en zijzelf werkte als kantinejuffrouw op een school, ze waren in dit huis getrokken en hij had ander werk bij de gemeente gekregen als voorman bij de reinigingsdienst, in de tijd dat een voorman nog iets voorstelde, en ja, o ja, ze was trots op hem geweest, maar niet op de constante strijd tegen het vuil en de stank en mannen die om geen van beide maalden, en niet op hem, als hij haar nu en dan terechtwees omdat ze geen kinderen kon krijgen hoewel hij het elke nacht probeerde, en niet op zichzelf, omdat ze pas veel later wist, toen ze al te oud waren, dat het niet aan haar lag maar aan hem, en er nooit met een woord over had gerept.

Dit alles nam meer dan een uur in beslag, de tweede doos bijna even lang, de derde langer.

Hier zaten brieven in – niet slechts uitnodigingen, verjaarskaarten, kerstkaarten, oude sleutels (ze kon nooit een sleutel weggooien, met sleutels wist je het nooit), foto's, rekeningen, stukken haarlint, broches van Woolworth's, stukjes kant, hoedenspelden (au, ze prikte zich eraan, maar de wond was bloedeloos, herinneringsloos) en versierde knopen die op een regenachtige dag wachtten – , uitsluitend brieven. Er waren briefkaarten van de kinderen op wie ze had gepast, en een gebundelde verzameling boodschappen, ansichten, kinderlijke en volwassen krabbels van de familie Logo. Want het leven had een frisse start gemaakt met de familie Logo als buren, er was een heel nieuw vijftienjarig hoofdstuk begonnen, dat de laatste jaren van Mrs. Mellors' werkende leven besloeg, de ziekte van haar echtgenoot, zijn overlijden en de uitdunning van het gezin naast haar tot op deze vreemde kleine snuiter. De Logo's hadden het productiefste deel van haar leven gemarkeerd, toen ze, de vijftig reeds gepasseerd, eindelijk het gevoel had gehad dat ze een soort familie kreeg die haar recht zou doen, en dat deden ze ook, reken maar. Logo de straatveger (Mr. Mellors had die baan voor hem versierd toen het mis ging met het schoonmaken van kantoren), en daarna zijn vrouw, en daarna het kind, stuk voor stuk schatten, stuk voor stuk niet tot zelfstandig handelen in staat, wachtten op een oma zoals zij. Maar je kende je buren nooit door en door, ook al dacht je van wel, zelfs al zat hij in je keuken jouw kost te eten en huilde hij zijn ogen uit zijn hoofd om een verhaaltje waarvan je zelfs toen al wist dat het maar de halve waarheid was, maar dat het niet jouw zaak was om er vraagtekens bij te zetten. Er zijn geen nauwere banden dan die van het bloed, dacht Mrs. Mellors, en zette de ketel op het vuur om de envelop open te stomen die de jaren hadden verzegeld. Bloed is dikker dan water, dikker dan lijm, maar wat is er tussen een man en een vrouw? Een of andere stijfselpap die slechts door kinderen wordt verduurzaamd. En daar, tussen al die briefkaarten, lag hij dan, tussen al die kinderlijke brieven van het meisje dat zij, en zij alleen, had leren lezen en schrijven, als een echte grootmoeder, omdat niemand anders het zou doen, daar lag de laatste missive van de buurvrouw, die onfortuinlijke, domme vrouw met haar lieve glimlach die niet kon koken of schoonmaken en had toegelaten dat haar dochter die van Margaret werd. Mrs. Logo schreef een heleboel briefjes, vroeg altijd om gunsten; ze schreef ze alsof het geen zonde was om iemands hart te breken.

Lieve Mags,
Het spijt me heel erg, maar ik ga nu echt weg. Ik weet dat ik tegen je
heb gezegd dat het niet goed ging tussen ons, maar ik wist niet hoe slecht.

Het handschrift was amper leesbaar, ook al had Margaret het wel duizend keer gezien op kleinere vodjes papier, met de vraag: wil je dit doen? wil je dat doen? Altijd leeghoofdig en gehaast.

Ik ga bij hem weg, dat moet, ik kan niet zeggen waarom.

Waarom niet? had Margaret indertijd gejammerd en nu nog steeds.

Ik neem Enid mee, we gaan naar mijn nicht in Schotland waar ik een baan kan krijgen en zo.

Een baan? Het leeghoofd kon evenmin in het onderhoud van haar en haar dochter voorzien als naar de maan vliegen.

Ik schrijf je als we zijn aangekomen op de plek waar we heen gaan. Zeg alsjeblieft niets tegen Logo als hij terugkomt, want dan wordt hij gek. Of moet ik zeggen nog gekker? Vraag niets en bemoei je nergens mee, ik weet wat ik doe, echt. Ik schrijf je, ik beloof het, en Eenie ook.

Margaret had zich, na overleg met haar invalide echtgenoot, gehouden aan de instructies om zich er niet mee te bemoeien en niets te zeggen. Beiden volgden de gewoonten van een heel leven, hij die van een voormalig soldaat, zij die van de vrouw van de soldaat, allebei zonder te klagen. Ze gehoorzaamde en keek passief toe toen Mrs. Logo, kort na afgifte van het briefje, het huis verliet met een kunststoffen koffer en de deur achter zich dichttrok. Er had een zekere vrolijkheid gelegen in de tred van de kleine vrouw op haar vlucht, zodat Mrs. Mellors geen mishandeling maar het bestaan van een andere man had aangenomen, en aan die veronderstelling had ze nooit getwijfeld. De dochter liep achter haar aan en droeg een schooltas, en alleen zij, die ze Eenie noemde, keek achterom en wuifde naar het niets, maar er sprak zo'n trieste wanhoop en aarzeling uit het gebaar, dat Margaret achter haar aan had willen rennen en haar achterna had willen roepen. De koffer van kunststofvezel die de moeder droeg was oud; aan één kant puilde hij uit, maar aan de andere kant niet, en het gewicht ervan was minder moeilijk hanteerbaar dan de omvang. En zo waren ze vertrokken, met z'n tweeën.

Wekenlang nog meer geschrei in de keuken onder de uitroep: waarom, waarom, waarom? van Logo, terwijl Margaret had geluisterd, niet veel had gezegd, en naar haar eigen trap had gekeken, zich afvragend of dit misschien de nacht zou zijn waarop haar man zou sterven. Na enkele dagen rapporteerde Logo zijn vrouw en kind als vermist. De politie kwam en doorzocht het huis; er werd navraag gedaan, maar ze schreef nooit, die domme vrouw, en Margaret zei nooit dat ze hen midden op de dag de steeg had zien uitlopen met de kunststoffen koffer die niet gelijkmatig bol stond, omdat het zo in haar geheugen stond gegrift dat ze er geen woorden aan had kunnen geven, en omdat ze haar hadden vertrouwd, wat betekende dat ze zich aan haar belofte hield.

'Waarom?' mompelde ze in zichzelf. 'Waarom? Hoe konden ze de boel zomaar in de steek laten?'

Je kent je buren nooit. Dus haar man was gestorven, ze had haar surrogaatkind en -kleinkind verloren, en Logo was maar blijven jammeren en had heel Noord-Londen uitgekamd, overtuigd als hij was dat hij hen zou vinden, was het niet zijn vrouw, dan toch zeker zijn schattige dochter. Arme, arme ziel, en dan ook nog de politie die hem sindsdien op de huid zat. Haar hart was naar hem uitgegaan, ze respecteerde zijn privacy, geloofde en beklaagde hem en drong zich nooit op, net als altijd. Als Sylvie er niet was geweest, zou ze misschien nooit bij hem boven zijn gekomen in zijn huis, alleen als hij ziek was geworden, en dat was hij nooit.

Maar vanavond, toen ze het blondje achterna was gegaan, roepend en spelletjes spelend op Logo's trap, boos op het ondeugende kind, was ze boven aan de trap stokstijf blijven staan. Duidelijk zichtbaar in de hoek van zijn slaapkamer, spartaans, ontdaan van al het overbodige, geen sierrandje of strookje zoals in de rest van het huis, stond die koffer van kunstvezel. Zoals hij er toen ook uit had gezien: scheef. De koffer van zijn vrouw die ermee vertrokken was en die, volgens hem en iedereen, nooit was teruggekomen.

Margaret haalde de brief van Mrs. Logo tussen de rest uit en legde hem in de messenla.

Helen West rommelde in de keuken. Van tijd tot tijd wierp ze een blik op de telefoon; ze wenste niet echt dat het ding zou rinkelen, maar op de een of andere manier nam ze het zijn stilte kwalijk. Ze had gewild dat de koelkast spannende geheimen zou onthullen, maar geheel conform haar eigen, beproefde stijl stond er niets in, afgezien van een pot augurken, eentje met ingedroogde mayonaise, boter, zo hard als een steen, een krop sla die zo bruin was dat hij bijna tot drab was vergaan en zes verdachte eieren. Ik heb geen regels, zei ze tegen zichzelf, helemaal geen regels. Ik voed me als een soldaat op de terugtocht in een bevroren woestenij en ik ben even mager geworden. Ik vind het fijn om een afvallige te zijn: ik snuffel liever in winkels dan dat ik er iets koop. Ziet mijn leven er zo uit? Er waren tien dagen zonder Geoffrey (twee telefoontjes, één te veel), voor nodig om alle oude regimes weer in ere te herstellen. Onder het uiterst dunne vernisje van huiselijkheid, slechts verworven door contacten met mannen – zoals zij werden geacht diezelfde gewoonten over te nemen van vrouwen – bleek een straatkat te schuilen.

Hoewel de waarheid ook gezegd diende te worden, het karige eten en het totale afzien van warme maaltijden, waarvan de afgelopen tien dagen sprake was geweest – tijdens welke ze met twee vingers in de lucht langs de supermarkt was gelopen, zonder in plastic zakken gepropte aardappels die langs haar schenen schrijnden – had evenveel te maken met slechtere eetgewoonten als met een vreemd, misselijk gevoel. De laat op de avond verorberde eieren werden weer zo snel aan de riolering toevertrouwd, dat het was alsof ze zich slechts in geleende tijd in haar spijsverteringsorganen bevonden. Ze beklijfden niet, die eieren, evenmin als het meeste andere voedsel, afgezien van chips, scherpe, kunstmatige, pikante smaken of ziekmakende zoetigheden. En ze was dunner geworden, absoluut, de tailleband van haar rok had die ochtend wijd gezeten: halverwege een rechtszaak was ze overeindgekomen om een reactie te roepen en had gemerkt dat haar rok een halve slag was gedraaid en achterstevoren zat, gekreukt en vormeloos. Dat voorvalletje had haar geërgerd.

Ze stond in haar keuken, die bewondering oogstte om zijn gezelligheid en stijl, maar net als de andere vertrekken het product was van wel honderd uitdragerijen, een interessant, beetje onbeheersbaar geheel. 'Ik vind dat oude buffet prachtig,' had Geoffrey gezegd. 'Ik vind die oude, gebarsten emaille gootsteen prachtig, ik vind je kopjes van de bruiloft van Charles en Di prachtig en ik vind die antieke voorsnijmessen die je van rommelmarkten hebt ook prachtig, maar, mijn lief, ze snijden niet.'

Ze was hongerig en misselijk, misselijk en hongerig. Drie, vier glaasjes met Dinsdale en knabbelen op zoutjes met de voedingswaarde van lucht, of ze rende al naar de wc met de oude, mooie tegels – zelfs daar hingen prenten aan de muren – om over te geven. Wat is dit? dacht ze, een gruwelijk bleek gezicht van de wastafel naar de spiegel opheffend. Wat was dit, verdomme?

Helen West, hoogmoedig gewend aan gezondheid, iemand die artsen zo mogelijk vermeed, rommelde in het kastje onder de spiegel om dit inwendige oproer de kop in te drukken. Bisodol, Rennies, Nurofen, aspirine, elk katerbestrijdingsmiddel onder de zon. Een zwangerschapstest van duizend jaar oud, waar ze tegenaan stootte en die ze aan de kant schoof op zoek naar iets wat krachtig genoeg zou zijn om te kunnen eten zonder dat het haar later opbrak, maar de vingers stopten uit eigen wil en trokken het ongeopende doosje te voorschijn, terwijl ze op haar hurken zonk en heen en weer wiegde van schrik na de conclusie die ze had getrokken. Wanneer was ze voor het laatst ongesteld geweest? En wanneer hadden zij en Bailey zich voor het laatst overgegeven aan het enige wat bij hen altijd honderd procent goed scheen te gaan? Zijn huis, haar huis, meestal iets vergeten. Je was op je vijfendertigste niet op je vruchtbaarst, maar een eitje stoorde zich niet aan leeftijd.

Helen pakte haar jas en ging de straat op. Verdorie, ze snakte naar Chinees eten; ze zou het gewoon gaan halen en bovendien kon ze beter niet thuis blijven malen.

Buiten bleek de avond uitzonderlijk stil en stram te zijn dankzij een ijzige koude die haar adem in condenswolkjes veranderde, zo koud, dat ze meteen rechtsomkeert wilde maken, maar gedreven door de honger liep ze door. De rijp die in de ochtendschemering was gevormd en in de middag was gesmolten, trok nu als een uitheemse kunstenaar verfijnde patronen op autoruiten. Vanuit de verte, wel anderhalve kilometer of meer, hoorde ze in de stilte het machtige gebrul van een enorme menigte. Geen geluid was hetzelfde: het geluid van de berg die naar de Heer komt. Helen bleef staan, verkild tot op het bot door dat verre gebrul van de jungleleeuw die wacht tot hij losgelaten wordt. Toen werden de auto's weer gestart: de lichten op de hoofdweg schenen in haar ogen. De misselijkheid was verdwenen.

O Heer, laat me niet bang zijn voor het donker.

5

Redwood werd regelmatig verzocht lezingen te geven – voor politiemensen in opleiding, verenigingen, kantonrechters. Dat was goed voor
zijn cv, dus nam hij ze voor zijn rekening wanneer hij ze niet kon af-
schuiven.

'Het mandaat van het Openbaar Ministerie,' zo begon hij met heldere, luide stem, 'is om aan de hand van het bewijsmateriaal, zonder
vrees of vooroordelen, degenen die de wet overtreden gerechtelijk te
vervolgen. Het bewijsmateriaal wordt ons door de politie ter hand
gesteld. En wij beslissen wat we ermee doen.'

Hij deed voorkomen alsof het een beschaafd en in hoge mate ge-
stroomlijnd proces betrof. Wat hij niet zei, was dat zijn eigen kantoor
verdronk in de papierzee. Ze gingen meer gebukt onder de stapels papieren dan onder hartkwalen. De papierwinkel zou hen er het eerst
onder krijgen.

'Natuurlijk is ons kantoor geautomatiseerd,' placht hij te zeggen,
erom denkend geen spier te vertrekken. En zo was het ook, in zekere
zin. De computer ontving informatie en dicteerde voor elke zaak de
volgende zet. Ze hadden allemaal een pathetisch vertrouwen in het
ding, zonder er ook maar iets van te begrijpen, maar het nam de noodzaak om papieren dossiers – beduimeld door tientallen handen, vaak
zonder duplicaat – van en naar de rechtszalen en de vertrekken van de
officieren mee te nemen niet weg, totdat ze ten slotte in de enorme
kelder, die Redwood nooit betrad, werden gearchiveerd.

'Vanwege de vertrouwelijke, incriminerende aard van het opgesla-
gen materiaal hebben we uiteraard uitgebreide beveiligingsmaatregelen
getroffen...'

Zelfs zíjn gezicht vertrok bij deze bewering onwillekeurig. Met beveiliging doelde Redwood op de hoge hekken met hun dodelijke punten, de vlijtige bewakers die er overdag waren en de luiwammes die er
tussen zeven uur 's avonds en hetzelfde uur de volgende ochtend
rondhing, alsmede in de weekeinden. Hij kwam van een uitzendbu-
reau, dat was goedkoper. Redwood had zo'n hartgrondige hekel aan
het gebouw, dat hij zich niet kon indenken dat iemand er naar binnen
wilde. Alleen een onbevreesd kind kon over het hek klimmen. Het

kwam niet in hem op dat er behoefte zou bestaan aan een betere beveiliging.

'Rose, kan ik de papieren voor morgen voor één uur krijgen? Zoals ik eerder heb gevraagd? Ik kom er vanmiddag liever niet speciaal voor terug.'

Rose hief een geteisterd gezicht op van de dossiers die ze in stapels op datum rangschikte, elk als een wankel monument op de vloer rond haar bureau.

'Ik weet het niet. Ik betwijfel het,' zei ze nogal bot. Helen voelde woede in zich opstijgen. De schakel tussen haar gepieker en haar gevoel voor humor bleek zwak te zijn, hij was niet alleen zwak maar ook aangetast. Ze deed een laatste poging.

'Zou je alsjeblieft de dossiers voor morgen voor me kunnen opzoeken? Dat is toch niet te veel gevraagd?'

Rose hield een bundel van zes tegen haar boezem gedrukt en liet die, zich omdraaiend, abrupt vallen. Ze trilde van de spanning, maar het oogde als een gebaar van kleinzielig verzet.

'Rose,' zei Helen op waarschuwende toon, 'ik moet om één uur echt weg en ik weet niet zeker of ik terug kan komen. Kun je mijn spullen voor morgen uitzoeken, alsjeblieft?'

Rose draaide zich om en keek haar aan, ze zag bleek van woede. Haar plukkerige haar, dat ze sinds kort wat ingetogener droeg, scheen zich op haar hoofd te verheffen als bij een egel die zijn stekels opzet.

'En als er andere mensen zijn die ook vroeg weg moeten? En er niemand anders is om hun verdomde karweitjes op te knappen en de computer stuk is en zeikerds als u het onmogelijke van je vragen? U kunt de pot op. Uw stomme dossiers zitten hier ergens tussen. U zoekt ze zelf maar op en anders komt u later maar terug.' Ze trapte met haar gelaarsde voet tegen een van de stapels, waarop de dossiers vervaarlijk wankelden, maar Rose was nog niet klaar. Ze werd overvallen door een golf van venijn die ze onmogelijk kon onderdrukken.

'En nu ik toch bezig ben, kom nooit meer met die vrome praatjes bij me aan. U en meneer Cotton: hebben jullie vanmiddag allebei vrij genomen? Fijn, hè? Waar gaat het gebeuren, bij u of bij hem?'

Helen had haar een klap willen geven; Rose vroeg erom, maar de insinuatie maakte ook een vleugje schuldgevoelens los. De dossiers vielen tergend langzaam om toen Rose de kamer uit beende. De andere administratieve krachten keken vanachter hun tafels en bureaus in doodse stilte toe. Helen haalde een keer diep adem. Ze staarde naar het venster waarin ze twee weken eerder het spiegelbeeld van Rose had gezien en zag slechts haar eigen blekere en oudere gezicht. Met de anderen als toeschouwers knielde ze op de grond en begon de dossiers door te nemen op zoek naar de exemplaren die haar naam droegen, ziedend van woede maar desondanks oplettend. Ze haatte Rose op dit moment even vurig als het meisje háár scheen te verafschuwen. Misschien schoot daarom geen van haar collega's te hulp en lieten ze haar vernederd over de vloer scharrelen. Trouwens, als ze het hadden aangeboden zou ze hebben geweigerd.

Redwood kwam de kamer in, even onzeker als altijd uit angst dat de vrouwen hem zouden bijten of dat het feit aan het licht kwam dat hij de namen van de meesten niet kon onthouden.

'Wie schreeuwde er net zo? Dat wil ik niet hebben... O! Helen, wat ben je aan het doen?' Ze keek van de vloer op met een duivelse grijns.

'Ik zoek mijn contactlens.' Redwood merkte niet alles op, maar sommige dingen vergat hij nooit.

'Ik dacht dat je geen lenzen droeg.'

'Inmiddels wel. Kan ik iets voor u doen?'

'Dat geschreeuw...'

'Dat was ik.' Met duidelijke afschuw wenkte hij haar de kamer uit, gereed om haar te berispen. Achter de deur hoorde Helen het geroezemoes van niet langer onderdrukte stemmen, dat als een ijzige wind door haar rug sneed.

In de toiletten zat Rose haar snikken te onderdrukken. Getraind als ze was in de verschillende aspecten van zelfbeheersing, kende ze al heel lang de techniek om geluidloos te huilen. Je kneep je neus dicht, zodat de inspanning van het door je mond ademen het opwellen van luidruchtiger snikken onderdrukte. Je oren met je handen bedekken bevorderde eveneens de stilte die altijd zo noodzakelijk had geschenen als ze huilde. Ze bleef zitten met de deur op slot en probeerde de ene methode na de andere uit, terwijl er grote tranen over haar gezicht rolden en haar make-up ruïneerden, die ze zo zorgvuldig in de schijnwerper boven de spiegel in haar slaapkamer had aangebracht. Hier kon ze geen schaduwfiguren maken; daar was een lamp zonder kap voor nodig. Haar nagels had ze tot pijnlijke stompjes afgebeten, nóg een reden voor de gewoonte om met haar handen te spelen. Oma had er eens een bittere vloeistof op aangebracht om haar ermee te laten ophouden: dat had even geholpen. Oma, oma, help me, help me toch, waar ben je? Het visioen van oma deed de omvang van de haarbal in haar borst nog toenemen; de inspanning om geen geluid te maken voelde als een distel die in haar keel vastzat. Oma, dacht ze. Ik moet oma zien. Oma kan me helpen. Ik ga naar oma en doe iets aan die vervloekte baby, voordat ik gek word. Ik kan het niet tegen Michael zeggen, dat kan niet. Dan zal hij nooit van me houden.

'Rose?' Een bedeesd stemmetje. 'Rose? Gaat het, Rose?' Een klaaglijk geluid van een van de anderen, die erop uit was gestuurd om poolshoogte te nemen. Rose was de heldin van haar collega's; ze maakte ze aan het lachen, ze wist meer dan zij allemaal en was voor niemand bang. 'Rose, kom naar buiten. Toe nou, we maken ons zorgen. Kom eruit, alsjeblieft.'

De smeekbede deed haar een moment verstijven. Kom eruit schat, niemand zal je ooit nog pijn doen. Rose liet haar handtas op de grond vallen, rommelde erin op zoek naar haar make-uptasje, de aloude bescherming. Ze maakte een hoop lawaai met de toiletrol, scheurde die af, snoot haar neus onnodig hard en wreef over haar uitgelopen mascara. Dezelfde stem, maar minder flemerig, had nu een minder herinneringen oproepende toonsoort aangenomen. Misschien kwam het allemaal in orde als ze gewoon doorging, zonder al te veel barsten in haar bepantsering.

'Gaat het, Rose? Zeg eens iets, wat is er aan de hand?'

Wat had ze toch een hekel aan de drama's die zich in het damestoilet afspeelden; waarom was ze hierheen gegaan, terwijl ze zich in de behaaglijk warme schoot van de kelder had kunnen verstoppen? Ze zuchtte overdreven.

'Natuurlijk gaat het goed met me. Haal de veearts maar. Ik moet afgemaakt worden.'

De stem aan de andere kant van de deur giechelde opgelucht. Rose was zichzelf weer, hun aanvoerster. En wie van jullie, dacht Rose, terwijl ze haar vingers door haar haar haalde om de stekels op te duwen die ze nu wat platter droeg omdat Michael er niet zo van hield hoewel hij dat nooit had gezegd, wie van jullie rommelt met de computer en steelt dossiers? Wie?

Margaret Mellors zat om half één in de wachtkamer van de dokter en vroeg zich af wie als volgende naar binnen ging. Ze wist dat haar eigen plaats in deze nooit eindigende rij was opgeschoven door een spoedgeval, er was haar gevraagd of ze het erg vond, wat ongebruikelijk beleefd was, en uit gewoonte had ze gezegd: 'Natuurlijk niet,' maar ze vond het wél erg. Ze had haar vertrouwen in de geneeskunde verloren toen Jack stierf, maar ze had nooit verleerd om artsen als God te zien. Ook al wisten ze niet wat een zieke man ziek had gemaakt, ze hadden ontegenzeggelijk een doorslaggevende vinger in de pap in vele kwesties die met de politie, de brandweer en gekte te maken hadden. Ze vertelden je wat je moest doen en gaven massa's anderen opdrachten, en daarom was ze hier. Margaret dacht nooit aan haar eigen lang uitgestelde behandeling, aan de wachttijd van zes weken voor elke afspraak, aan de moedwillige continuering van haar invaliditeit terwijl ze al één, twee jaar op een nieuwe heup wachtte; ze ging nog steeds naar de dokter en glimlachte alsof hij of zij de wereld kon veranderen, en stond nog steeds haar plaats in de rij af, terwijl ze inwendig een reeks verontschuldigingen bedacht voor het feit dat ze hier überhaupt was.

'Het spijt me dat ik u lastigval maar...'

'Daar word ik voor betaald. Wat kan ik voor u doen?' Een gespannen glimlach van een jonge vrouw die haar portie winterslachtoffers wel weer had gehad. Carmen-nog-wat, heette ze. Margaret had liever een man van middelbare leeftijd als dokter, die waren beter toegerust voor hun goddelijke status, maar waarom, ach waarom vroeg ze er dan nooit naar en waarom voelde ze zich zo ellendig met haar mond vol tanden staan? Alsof haar AOW liefdadigheid was en dit witgejaste kind een grootinquisiteur.

'Nou, ik vroeg me af...'

'We gaan even kijken.' Ze keek, klakte met haar tong en schreef iets op een blocnote.

'Het duurt wel lang, hè? Misschien kunt u beter nog eens naar de specialist gaan...'

'Eigenlijk,' zei Margaret, paniekerig haar moed bijeenschrapend in het besef dat ze binnen dertig seconden weer buiten zou staan als ze het niet deed, 'kan ik wel leven met die stok. Ik kom voor iets anders.' De dokter glimlachte bemoedigend, leunde achterover, zonder zich te ergeren aan deze indirecte benadering.

'Het gaat om mijn buurman.' Nu ze zover was gekomen kon Margaret het er alleen nog maar uitgooien. 'Ik maak me zorgen om hem. Hij hoort stemmen. Hij zingt de hele tijd en gisteren vertelde hij dat hij het liefste op het kerkhof is. Hij is gek, weet u. Ach, hij is altijd wel een beetje vreemd geweest, maar nu is hij echt gek. Hij maakt kinderen bang.' De geduldige glimlach van de dokter vervaagde en Margarets boodschap ook: ze kon zich er niet toe zetten te zeggen dat Logo gevaarlijk was of, om precies te zijn, gevaarlijk zou kunnen zijn.

'Op welke manier maakt hij kinderen bang?' De stem van de dokter klonk scherper.

'Ik weet het niet. Ik denk dat hij ze achtervolgt, hij is altijd op zoek naar zijn dochter... Ze arresteren hem steeds, maar niemand vraagt mij ooit wat.'

'Dus de politie weet er alles van. Heeft hij werk?'

Margaret knikte. De witjas ontspande zich zichtbaar. 'Dan moeten zij het ook weten, dunkt me. Heeft u al met de politie gesproken?'

Margaret veerde op, alsof de dokter iets ongepasts had gezegd. 'Dat zou ik niet kunnen. Ik vroeg me af... ik vroeg me af of u iemand naar hem toe kon sturen.'

'Tja, mevrouw...' ze keek haastig naar haar aantekeningen, 'Mellors... Ik denk niet dat ik dat kan doen. Hij wil zeker niet naar mij toekomen? Nee? Dat dacht ik al. Weet u zeker dat hij bij deze praktijk is geregistreerd? Nou, probeert u hem dan over te halen om naar me toe te komen, wilt u dat doen? Maar hij moet vrijwillig komen, anders kan het niet. Ik zal u het nummer geven van het maatschappelijke werk, misschien hebben die ideeën.'

Nee, die hadden ze niet, en ja, hij werd steeds gekker. Hij stampte de laatste drie nachten door zijn huis, huilend en jammerend in zijn keuken. Voor het eerst hoopte Margaret dat hij de aandacht zou trekken en weer opgepakt werd. Overal waar ze klaagde, stuitte ze op geduld zonder begrip, maar ze vertelde ook niet de hele waarheid, en toen ze werd aangemoedigd om de eigenaardigheden te overdrijven, kon zij ze alleen maar bagatelliseren. Het enige wat ze goed begreep was dat er voor degenen die zoals hij in het voorgeborchte van de hel woonden – de ene helft gek en de andere helft doodnormaal – geen hulp was, en daar stond ze dan, als tweederangsburger, als bejaarde vrouw die slecht ter been was maar lekker rook. Ze bekeken haar alsof gekte besmettelijk was; totdat ze begon te denken dat dit inderdaad het geval was.

Ze wilde en kon niemand over de koffer vertellen.

Margaret Mellors sjokte op een grijze namiddag over de slechtverlichte weg naar huis en beloofde zichzelf de open haard aan te steken. In de steeg, terwijl het laatste daglicht alweer bijna verdwenen was, vroeg ze zich af hoe iemand de kou zonder openhaardvuur trotseerde. De huisbaas had haar open haard al jaren geleden dichtgemetseld. Met Logo's hulp had ze hem weer opengemaakt en de gedachte daaraan en aan al het haardhout dat hij voor haar meenam, bezorgde haar een schuldgevoel. Toen ze de deur opendeed lag er een brief op de mat. Een expresbrief, wat een extravagantie. Het handschrift kwam haar vaag bekend voor. Ze draaide de envelop om in haar hand en rekte de opwinding totdat haar handen begonnen te trillen, waarna ze hem neerlegde om het vuur aan te maken. Toen het aanmaakhout begon te knappen, scheurde ze de brief open en las het velletje, rood aangelopen van plezier, in het licht van de vlammen. 'Ach kind toch,' fluisterde ze in zichzelf, 'ach mijn lieve kind.' Vier jaar zonder ook maar één levensteken, en nu schreef haar schat ineens, ach kindje toch. Ze vond het moeilijk om de brief los te laten, hij kon eenvoudig nog niet naar de verborgen dozen met andere brieven worden verbannen, hij moest zichtbaar blijven zodat ze voortdurend herinnerd werd aan het nieuws. Met grote tegenzin legde Margaret de brief ten slotte bij de andere in de la waarin ze haar keukenmessen bewaarde.

Zo kon ze er telkens opnieuw naar kijken.

Vrijdagmorgen om zes uur belde er iemand aan bij het voormalige ziekenhuis en bonsde op de afwerende deuren. De bel klonk in de kamer van de nachtwaker, waarin hij zichzelf elke avond en de hele zaterdag en zondag opsloot met zijn tv en de telefoon. Zijn rondes deed hij niet, aangezien hij doodsbang was voor het onoverzichtelijke doolhof van trappen, gangen en belachelijk onveilige uitgangen. Het gerucht ging dat het er spookte. Er was hier trouwens toch alleen maar papier. En hij gaf evenmin gehoor aan het voorschrift om de namen te noteren van de personeelsleden die buiten kantooruren naar binnen wilden. Soms kwamen ze 's avonds laat, vooral de fraudeteams op de begane grond, nadat ze hem telefonisch van hun komst op de hoogte hadden gesteld, zodat hij wist dat hij bij de deur moest staan wanneer zij in en uit renden met armenvol vergeten dossiers die ze nodig hadden voor de volgende dag, maar het kwam zelden voor dat er zo vroeg in de ochtend iemand kwam.

De persoon die voor de deur stond, stampvoetend van de kou, glimlachte, wuifde met een pasje en verdween naar boven met de vlotheid van iemand die er helemaal thuis was. De nachtwaker haalde zijn schouders op en droomde verder over zijn ontbijt.

Drie verdiepingen daarboven zette een vrouwelijke, keurig gemanicuurde hand de computer aan. Je hoefde geen code in te voeren om het rijk vol informatie te betreden dat door de stroomtoevoer werd opengesteld. De hand toetste snel het volgnummer in van een dossier dat al te voorschijn was gehaald. De vingers verschoven de stapel papier, wisten de laatste regel van het scherm waarin de datum van het proces werd vermeld en de noodzaak om getuigen op te roepen, en voegde er in plaats daarvan aan toe: 'Geen verdere actie: dagvaarding intrekken... Gedaagde overleden.' In het volgende dossier wisten de handen eenvoudig de hele tekst. Bij het daaropvolgende pauzeerden de vingers even en werden de handen langs elkaar gewreven, nog steeds verkleumd. Een keurig staaltje van destructie. Redwood had gelijk: computerprogramma's maakten het leven eenvoudiger. Vervolgens daalde de betrokkene met even beheerste voetstappen de ontelbare trappen naar de kelder af om een alternatieve uitgang te nemen en schoof daar neuriënd een schuifraam omhoog naast de ruimte waar de cv-ketel stond. Als je maar één keer de nachtwaker passeerde, was de kans kleiner dat hij je zich nog herinnerde.

Helen West, die aan andere dingen probeerde te denken dan aan haar aanhoudende misselijkheid, zocht in haar geheugen naar leukere tijden. Om drie uur 's nachts aan rechtszaken denken had hetzelfde effect als schaapjes tellen en werkte vaak, maar op dit moment volstond het nauwelijks om de andere gedachten te verdrijven die met alarmerende snelheid waren opgeborreld. Bijvoorbeeld waar ze tussen haar overvloedige, kleurrijke bezittingen een baby moest stallen, laat staan een peuter? Met deze overpeinzingen, die met een spectaculaire snelheid door haar hoofd schoten, gingen paniekgolven gepaard waar niets tegen opgewassen was, dus stond ze op, nam een douche en hulde haar warme lichaam in koele kleren. Een normaal leven, de continuering van haar gewone leven, danste voor haar ogen als een verlokkend visioen.

Toen ze op de bus wachtte, ving Helen in het raam van een krantenkiosk een glimp van haar gezicht op en dat zag er normaal uit, haar ogen en neus zaten nog steeds op dezelfde plaats. Maar ze zag dat ze op een afstandje van het gedrang stond en contact vermeed, alsof er voor deze ene keer echt iets was dat waard was beschermd te worden tegen botsingen en besmetting. Ze vond zichzelf niet zo aardig. Toen dacht ze aan Bailey in de vaderrol.

Er perste zich een jonge vrouw op de zitplaats naast haar, bleek en enorm, haar kantoortas balanceerde op haar zwangere buik tegen haar strakgespannen jas. Helen schoof wat op en staarde voor zich uit. Als iemand die schaapjes telt.

Het kerkhof was nooit gesloten. Daar was geen reden voor, behalve dan de storende tendens van de laatste jaren om stenen engeltjes te stelen. De laat-Victoriaanse kerk verhief zich als een monument voor het ongeloof, de kleine gemeente paste er tien keer in, maar het kerkhof borg zowel de lijken van gelovigen als ongelovigen in de zachte aarde, die zich 's zomers zo gemakkelijk liet spitten. Bij gebrek aan een geloof trok de opname in gewijde grond vaak meer belangstelling dan de rij voor het verre crematorium. Logo zag de voordelen van allebei en maakte zich er niet erg druk om. Hij kon de bladeren overal weghalen, maar het kerkhof reinigen vond hij bevredigender en hij vond het prettig dat hij zo veel van de recente namen kende. Er lagen verlepte bloemen, aandenkens van de kinderen van de basisschool achter de hekken en tussen de oudste, vergeten grafzerken lagen colablikjes en lege ciderflessen. Dat vond hij leuk. Dat gaf het geheel een extra dimensie en bevestigde zijn eigen nut.

Vijfenvijftig jaar oud, nog steeds jong in vergelijking met deze doden, met hun in lood geëtste namen op steen. Logo voelde zich gezond. Hij hield al van deze plek zolang als hij zich kon herinneren. Om elf uur die ochtend stond er een waterig zonnetje, dat eerder gloeide dan scheen achter de deken van grijze lucht en een diffuus licht verspreidde dat geen schaduwen wierp, maar wel de grond verwarmde. Logo verwonderde zich altijd over de grafdelvers en bleef staan om naar ze te kijken. Ze groeven achter elkaar, langs voorgeschreven lijnen met weinig ruimte tussen de verschillende graven. De gure januarimaand, na de kerstdagen, was de drukste tijd van het jaar, en hun methode was altijd dezelfde. Geen opmetingen, duimstokken of waterpassen, ze diepten hun graven met automatische precisie uit, met niet meer moderne hulpstukken dan de enorme scherpe spades, maar ze mopperden wel op de bevroren aarde. De aarde was hier weliswaar omgespit, ontdaan van puin en dus zachter, maar het bleef zwaar werk.

De vaste grafdelvers waren niet gewend aan publiek – de mensen bleven liever uit de buurt – maar nu en dan waren er van die macabere zonderlingen, en Logo was van hen het minst geliefd. Zijn belangstelling grensde aan het ongezonde, zijn grappen waren verdorven en zijn gewoonte om een uitvaartdienst te beginnen terwijl zij nog aan het graven waren, was zenuwslopend.

'Want stof zijt gij, en tot stof zult gij wederkeren. Als de Heer je niet wil redden, zal de duivel het proberen,' spotte hij, op zijn hurken naast hen knielend.

'Ach, hou toch op Logo,' zei de jongste man.

'Goed,' zei Logo. 'Als je zo aandringt, ga ik wel zingen.' Zijn stem galmde over hun hoofden heen en overstemde het verre verkeerslawaai.

'Diep, o God, in 't stof gebogen,
schuldig voor uw hoog gericht,
vloeien tranen uit onz' ogen,
dekt de schaamt' ons aangezicht...'

De oudste van de twee mannen draaide zich om en stak zijn hand op. Logo staakte zijn gezang.

'Als je niet ophoudt, Logo, kan ik je geen sigaret geven.' Hij was diplomatieker dan zijn collega.

'Wie is er nu weer dood?' vroeg Logo opgewekt, de steekpenning accepterend.

'Ik weet het niet. Waarom zou ik?' zei de grafdelver. 'Ik krijg alleen te horen dat ik er eentje moet graven. Een nieuwe, bedoel ik. En dat betekent: graaf geen oude op om er een nieuwe bovenop te leggen. Het kan iedereen zijn. Maar ik voorspel je dat er binnen twee weken nog twee of drie volgen.'

Ze schenen nooit te weten voor wie ze groeven en het scheen hen ook koud te laten wie het leven had gelaten. Ze waren even onveranderlijk als het kerkhof zelf, waar de grafzerken al tientallen jaren praktisch gelijk waren, geen vernieuwingen, geen plastic, alleen stenen met dezelfde vorm als altijd, met dezelfde woorden en gevoelens. De rijkere of schuldiger betreurden kregen marmer, maar alles kleurde grijs op den duur.

'Waarom zeg je dat?' vroeg Logo met zijn vogelachtige nieuwsgierigheid.

'Wat?' De grafdelver was zijn voorspellingen omtrent het plaatselijke sterftecijfer vergeten. 'O, ik weet het niet. De kerst doet ze de das om. Hun familie waarschijnlijk. Donder op, wil je!'

Logo gehoorzaamde, niet omdat hij bevelen eerbiedigde, maar omdat hij het zelf wilde. Zijn laarzen vertrapten de zachte aarde die de grafdelvers hadden verzet en hij liet met voldoening zijn voetafdrukken achter. Kijk eens waar ik ben geweest, zei hij in zichzelf. Kijk eens waar ik ben geweest.

Vaag tevreden zette hij zich aan zijn ronde van die dag. Samen met zijn bezemkar, het lompe oude onding, bleef hij stilstaan bij een ander graf, verscheidene rijen terug, en groette een grafzerk die de dood van ene Angela Jones vier jaar geleden herdacht. Hij had Angela gekend, een aardige vrouw uit Legard Street, aan kanker gestorven, zonde, en ze was pas viernegentig, de vloek van haar familie die naar een andere stad was verhuisd om uit haar buurt te zijn. Logo grinnikte, o, wat voelde hij zich jeugdig vandaag. Vanachter de weg bij de linkeruitgang hoorde hij kinderen naar school gaan, hun gekrijs en gegil kondigde het einde van de kerstvakantie aan. Logo ging op het graf het dichtst bij de uitgang zitten. Hij tastte naar de bijbel in zijn zak, maar haalde hem er niet uit, vastbesloten om te blijven zitten totdat ze allemaal binnen waren. Hij citeerde, uit de vrije hand, zoals hij altijd deed, stukken uit de bijbel die zonder enige logica of reden in zijn hoofd waren blijven hangen. Logo trok geen lering uit de bijbel, hij maakte zichzelf alleen wijs dat het wel zo was, maar de op zichzelf staande verzen waren in zijn hoofd bezonken en geëtst.

'"Ik zal het wild gedierte op u loslaten,"' bromde hij zachtjes, '"dat u van kinderen beroven en uw vee uitroeien zal en uw aantal zo zal verminderen, dat uw wegen verlaten zullen zijn. En het vlees uwer dochters zult gij eten. En het geluid van een opgewaaid blad zal u opjagen, en gij zult vluchten, zoals men vlucht voor het zwaard, en vallen, zonder dat er een vervolger is."'

Toen de zon hoger aan de hemel stond, een moeizame zon die slechts wachtte om tegen het middaguur gratieloos te kunnen verdwijnen, en de klok in de rechtszaal half elf aanwees, verhief John Riley zich, aankomend officier van justitie, een nieuweling in het spel, zijn geringe lengte ging bijna schuil achter de stapel papieren voor hem. Hij had de dagelijkse rol van dronkelappen en oproerkraaiers onder zijn hoede: degenen die de openbare orde in Seven Sisters hadden verstoord, degenen die de vorige nacht hadden ingebroken, en al degenen van wie de behandeling was opgeschort ten behoeve van de voorbereiding van de dossiers en pleidooien voor een hoorzitting in de politierechtbank, danwel de rechtbank voor strafzaken. John ploegde erdoorheen, op en neer springend als de situatie dat vereiste, al doende zelfvertrouwen vergarend. De politierechter was vinnig, alleen de mate van haast die een advocaat maakte, werd beloond met een grimmig knikje en het soort glimlach dat een begrafenisondernemer op een lijk werpt. Ten slotte hadden ze alle twee minuten durende optredens afgehandeld. 'Dronken, edelachtbare, schreeuwen en gillen, vierde overtreding in zes maanden.' 'Heeft u daarop iets te zeggen?' 'Nee, edelachtbare.' 'Tien pond of één dag, neem hem mee. De volgende? Opschieten, Mr. Riley, opschieten.' De griffier van de rechtbank, die rechtstreeks onder God ressorteerde, herschikte de papieren om een pauze aan te kondigen.

'De volgende is de heer Balchin,' zei ze liefjes. John tastte naar het volgende boekwerk. Balchin, die naam deed geen belletje rinkelen, zelfs niet in zijn binnenoor. Zijn handen groeven door de overgebleven vier dossiers, geen Balchin. 'Waar is Balchin?' riep de rechter voor wie vertraging een doodzonde was. Balchin stond voor de beklaagdenbank, een gewiekste zakenman in een overhemd dat glansde onder een gekleed kostuum, waarboven een vlezig gezicht prijkte waar het succes vanaf straalde. 'Rechtszitting in december verdaagd naar heden, bekent geen schuld inzake rijden onder invloed?' zei de griffier op vragende toon. Balchin knikte, bezorgd maar presentabel. Alle ogen waren gericht op de officier, wachtend tot hij van wal zou steken, toen hij opstond met de stabiliteit van de eerdere dronkelappen op de rol.

'Ik blijk er geen dossier van te hebben,' zei hij lamlendig. 'Mag ik om verdaging verzoeken? De getuigen zijn er niet –'

'Daar maak ik bezwaar tegen,' zei de gedaagde kalmpjes.

'En ik ook,' zei de rechter. 'Dit is al de derde keer dat meneer Balchin voorkomt en het OM is nog steeds niet gereed? Hoe vaak moet hij nog terugkomen, meneer Riley? Hmm? Ik verklaar deze zaak niet ontvankelijk. De volgende.'

Terwijl de vlammen hem uitsloegen graaide John naar het volgende dossier en zon op een kans om zijn fout goed te maken. Het was twaalf uur en de dag was opeens nog lang. Mr. Balchin, zakenman, verliet de rechtbank en sloeg zijn ogen in een zwijgend dankgebed op naar de zon. Daarna wandelde hij de hoek om, waar zijn BMW geparkeerd stond, klopte eerbiedig op het glanzende dak en stapte in, teneinde zich weer te wijden aan zijn zaken die volkomen afhankelijk waren van zijn rijbewijs. God was hem goedgezind geweest vandaag. Het was het geld dat van eigenaar gewisseld was, waard geweest.

6

'Zwanger en blij? Fijn...'

De advertentie die Helen en een miljoen anderen dagelijks in de ondergrondse zagen, liet een meisje van tegen de twintig met de proporties van een fotomodel zien, met een gordijn van welverzorgd haar dat over een peinzend gezicht viel. Haar elegante hals was met een enkel parelsnoer getooid. Een keurig gemanicuurde vinger rustte op haar witte tanden in een bedeesd, besluiteloos gebaar, alsof ze probeerde te beslissen welk chocolaatje ze zou kiezen, als een prinses die slechts wordt gekweld door een te moeilijke keuze en een zware nacht die ze liggend op een erwt heeft doorgebracht. 'Zwanger en blij?' vroeg de advertentie. 'Zo niet...' Daaronder stonden het telefoonnummer en adres van een kliniek. Het urinemonster, dat een gat in Helens handtas brandde, had ze bij gebrek aan iets anders overgegoten in een miniatuurwhiskyflesje. Ze wist niet wat haar het meest in verlegenheid bracht.

's Morgens vroeg, met nuchtere maag in de rij op de roltrap staand, passeerde ze het serene gezicht op de affiche en voelde een krachtig verlangen om het eraf te scheuren, maar ze werd naar voren en naar boven gedragen, naar de buitenlucht van Oxford Circus. Ze vertrouwde de zwangerschapstest van de drogist niet en had het niet op artsen begrepen. Bovendien was dit de eerste keer dat ze zo direct op een advertentie reageerde en ook dat irriteerde haar. De misselijkheid was weliswaar na zesendertig uur weggetrokken, maar was vervangen door een soort van grimmige opgetogenheid.

De kou werd gedempt door de mensenmassa die wegzwierde uit de stinkende warmte van de ondergrondse, tussen auto's en bussen doorsijpelend, die nóg meer mensen in de winkels uitstortten. Op een dag als vandaag verliet Helen niet graag de claustrofobische maar vulkanische warmte van de metro.

De vrouwen die ze het meest opmerkte waren degenen met de gladde huidjes, die onderweg waren naar de make-uptoonbanken om beloften te verkopen middels het medium van hun onberispelijke, kunstmatige wangen. Haar eigen gezicht zag vergelijkbaar bleek, maar zij ging vrolijk gekleed in een vuurrood jasje, een strakke zwarte broek, rode schoenen en een vrolijk gestreepte sjaal. Helen West steunde haar eigen elftal.

De gezinsontplanningskliniek bevond zich boven andere zaken in de brede impasse waar de gigantische warenhuizen plaatsmaakten voor de omgeving van Harley Street, met zijn winkels vol medische voorzieningen, tandartsen voor particulier verzekerden en apothekersgroothandels die tussen esoterische restaurants en de hoofdkantoren van de voddenhandel verspreid lagen. De gepantserde ruiten van een ervan flankeerden de onopvallende deur aan de zijkant, die op zijn beurt toegang gaf tot vier trappen die naar boven toe almaar versmalden en op elke etage langs kleine, afgesloten kantoortjes voerden. De lucht werd steeds koeler en spaarzamer en ging, toen ze de laatste bocht nam, eerder over in de antiseptische geur van schoonmaakmiddelen dan in die van medicijnen. Versleten vloerbedekking, een elektrisch kacheltje en een samenraapsel van stoelen in de wachtkamer vertelden de rest. Geen van de andere drie vrouwen, die op deze ongemakkelijke zitplaatsen waren neergestreken en naar de muur keken, vertoonde enige gelijkenis met de prinses op de affiche die hen hierheen had gelokt. Het minst van al Rose Darvey, die op enige afstand, in een toestand van opstandige ellende op haar vlechtje zat te kauwen.

Haar aanblik had ze aan de overkant van de straat al nauwelijks kunnen verdragen, laat staan in een omgeving als deze. De vijandige aard van hun beider verrassing werd zelfs door de twee andere meisjes gevoeld, die zwijgend afwachtten en zich gereedmaakten om een oordeel over hun levens aan te horen. Helen had het gevoel dat ze oud genoeg was om iedereens moeder te kunnen zijn. Rose keek walgend van haar weg, terwijl Helen haar betaling en whiskyflesje aan de receptioniste overhandigde, wier kleurloosheid in tegenspraak was met een van vriendelijkheid overlopende persoonlijkheid en fluisterende, zorgzame stem. Rose wierp een tersluikse blik op het etiket van Helens flesje; de spanning, zorgen, de miljoenen aanmerkingen die door haar hoofd speelden, uitten zich in een enorm geschater dat abrupt omsloeg in een kuch, gevolgd door krachtig gehoest, waardoor ze dankzij haar inspanningen om lucht te krijgen, bijna overeind kwam, voordat ze – nog steeds naar adem snakkend – terugzakte en nog verder onderuit schoof op de gladde zitting. Helen ging op de lege stoel naast haar zitten. Er was geen behoefte aan uitleg, het was allemaal glashelder.

'Sorry,' zei Rose. Ze keek alsof ze in haar zenuwachtige gegiechel zou blijven. 'Ik heb net iets gegeten dat in mijn verkeerde keelgat is geschoten.'

'Gegeten? Dat zou je willen,' mompelde Helen.

Het gehoest van Rose ging over in een nog niet eerder gehoord ge-kef. Dit keer hield ze haar hand voor haar mond en leunde naar voren, terwijl ze het gekuch langzaam onder controle kreeg. Helen klopte haar met een gebalde vuist op haar rug, om het verdwaalde, zorgzame gebaar elke toespeling op intimiteit te ontnemen. En staakte het zodra Rose overeind kwam.

'Als je zo doorgaat, heb je niets anders meer nodig. Dan beval je ter plekke op de vloer. Van een tweeling,' zei Helen behulpzaam. Ineens was de hele situatie onvoorstelbaar grappig. Als ze naast de echtgenote van een minnaar had gezeten, had het niet erger kunnen zijn.

Rose was weer op adem. 'Wat een stunt,' hijgde ze tussen twee ademteugen door. 'Wat een stunt. Een whiskyfles, nou vraag ik je. Nou vraag ik je. Rare Miss West.'

Er gleed een strenge uitdrukking over Helens gezicht. 'Die heb ík niet leeggedronken, dat heeft hij gedaan. Een cadeautje uit Malaga, dat flesje. Wat dacht je dat ik was? Goedkoop?'

Plotseling lagen ze dubbel, ze snotterden en giebelden als school-meisjes in de kerk.

'Mevrouw Darvey!' De receptioniste riep Rose, opeens officieel.

'Tjezus,' mompelde Rose. 'Daar gaat ie dan. Wat moet ik doen?' Ze zag er desolaat uit, als een kind, toen ze overeind kwam en haar jas om zich heen sloeg, treuzelde en een keer diep en pijnlijk ademhaalde.

'Hoor eens...' zei ze, en zweeg.

'Hoor eens,' zei Helen, 'als je klaar bent, wacht je dan even op me? Alsjeblieft?' Rose knikte, haar blik ging in de richting van de matglazen deur naar de andere ruimte, naar de te ontvangen wijsheid, de uitslag van de test, de mogelijke vriendelijkheid en raad. Het leek wel, zei ze later, de deur van een ouderwetse badkamer. Ze ging als een veroor-deelde naar de galg, draaide zich bij de deur om, trok een grimas en wuifde.

Helen wilde huilen, voor hen beiden.

Toen ze met een adviseuse in een hokje zat en naar het geroezemoes van de andere stemmen luisterde, had Helen het gevoel dat de drang om te huilen een feit werd, aangemoedigd door de vrouw die haar zakelijk maar vriendelijk meedeelde dat ze niet zwanger was, dit keer niet, en wat vond ze daarvan? De tijd schreed voort, nietwaar? En als ze deze crisis niet had gewenst, had ze dan nooit een effectiever voor-behoedsmiddel overwogen? Ze meende dat haar min of meer gebrek aan zelfrespect werd verweten, onderwaardering van haar eigen leven, gebrek aan doelbewustheid, constante ambivalentie. Althans, zo vatte ze het op, omdat ze zich de afgelopen twee dagen, met de trefzekerheid van een geweer, dezelfde verwijten had gemaakt. Daarmee vermengd was de opluchting (het leven kon nu tenslotte weer gewoon doorgaan) en een verdriet dat zulke proporties aannam dat het haar sprakeloos maakte, knikkend en glimlachend en zeggend, dank u wel, dank u wel, erg aardig, maar laat me eruit om een paar dingen kapot te smijten en te gillen en tegen iemand aan te praten. Gedurende de vijf gruwelijke minuten van het gesprekje en het overhandigen van de folders en de beste wensen, vergat Helen het bestaan van Rose Darvey, maar dat was tijdelijk, want wat ze het liefste wilde was aan iemand anders denken, wie dan ook.

Met slecht verborgen ongeduld in de foyer wachtend, en een grijns op haar gezicht die een hele kustlijn had kunnen verlichten, greep Rose Helen bij haar arm en duwde haar naar de deur.

'Vooruit, wegwezen. Het stinkt hier.' Rose rende vooroP, zonder iets te zeggen de trap af, daarbij het maximum aan lawaai producerend, totdat ze het trottoir bereikten, waar ze over de drempel sprong, haar armen in de lucht gooide en uitriep: *Yes! Yes, yes, yes!*'

'Betekent dat dat je het bent?' informeerde Helen. Haar eigen reactie vertroebelde haar perceptie van deze voorstelling. Rose bleef staan en lachte luid.

'Zwanger? Natuurlijk niet. Ik had het mis, ik ben het niet, niet, *niet*! Tjee, ik voel me meteen stukken beter. U heeft geen idee hoe ik me voelde, afschuwelijk, ik dacht dat ik dood zou gaan... u heeft geen idee...' Toen hield ze op, keek verontschuldigend naar Helen, nog steeds niet bij machte om haar glimlach te onderdrukken, en in haar blik daagde begrip. 'Wat klets ik nou?' zei ze. 'Natuurlijk weet u het wel. Ik bedoel, anders zou u hier niet zijn. Het spijt me. Alleen had ik me nooit kunnen voorstellen...'

'Dat iemand van mijn leeftijd een seksleven had?' Helen merkte dat ze ineens weer kon lachen. De blijdschap en opluchting van Rose werkten aanstekelijk, haar huidige verlegenheid en overweldigende behoefte om te praten hadden een merkwaardig troostende uitwerking.

'Nee, nee, dat bedoelde ik niet, niet echt...'

'Wel waar. Ga je weer aan het werk, of spijbelen we allebei?' vroeg Helen. 'Ik snak naar een kop koffie en als je niet oppast, vertel ik je mijn levensverhaal. Kom mee.'

'Ik trakteer,' zei Rose grootmoedig, zichzelf gelukwensend.

'Reken maar. Je bent me een excuus schuldig, maar als we een fles wijn kunnen krijgen, heb ik die liever.'

'Ik weet wel waar,' zei Rose, en tikte met een wijs gezicht tegen de zijkant van haar neus. 'Volg Rose maar. Tjee!' gilde ze weer. 'Tjee, ik voel me geweldig!'

Ze dronken geen wijn. Ondanks haar kennis van besloten drinkgelegenheden in West End, waar Rose prat op ging, vergaard via aspirantagenten (Helen hoorde er steeds meer noemen), bleek haar wijsheid wat betreft de beschikbaarheid van alcoholica buiten de normale openingstijden tekort te schieten en er was trouwens ook geen noodzaak voor drank, aangezien ze zich alle twee merkwaardig uitgelaten voelden. Helen belde voor hen beiden naar kantoor om hun afwezigheid, zonder nadere toelichting, te melden. Toen gingen ze winkelen. Hun vertrouwelijke, euforische stemming hield enkele uren stand en hun gesprekken lieten een prettig, vriendschappelijk gevoel en een flinke rekening na.

Ze hadden moeder en dochter kunnen zijn, klein, knap en donker, kwetterend als mussen.

'Heb jij eigenlijk kinderen, Geoff?'

Deze ene keer ergerde het Bailey niet dat zijn voornaam werd afgekort, wat al gedurende zijn hele lange loopbaan vaste prik was. Hij bevond zich niet in de schoolbar, maar in een pub er niet ver vandaan. Links van hem zat Valerie, de rechercheur van West End Central, rechts een vrouw die hier woonde en met haar bevriend was, en tegenover hen beiden zat Ryan, grijnzend als een vos die erin geslaagd was een koppel kippen in een hoek te drijven. Het was het begin van de vrijdagmiddag en de lessen zaten er voor die dag op. 'Speelkwartier,' zei Ryan, zijn chef naar zijn auto leidend. Eerst had Bailey aangenomen dat hij een lift naar Londen kreeg aangeboden, maar er was een omweg ingelast en hij merkte dat hij dat helemaal niet vervelend vond. Het was Valeries gescheiden vriendin die hem naar kinderen vroeg, ze viste voorzichtig naar zijn achtergrond. Gewoonlijk had hij een hekel aan vrijwel alle soorten persoonlijke vragen, maar verzacht door de ambiance van de pub met eiken balken, een reeks plezierige gezichten en het gevoel dat men hem mocht, vond hij het helemaal niet erg.

'Nee. Geen een. Mijn vrouw en ik kregen een kind, maar het stierf toen het nog een zuigeling was. We hebben nooit geweten waarom en we hebben het zelf evenmin overleefd.' Zodra hij het had gezegd, had hij er spijt van. Een dergelijke bekentenis was een uitnodiging voor medelijden, die hij verlangde noch verdiende. Baileys fiasco met zijn jonge vrouw, heel veel jaren geleden, zijn machteloosheid ten opzichte van haar ellende die in waanzin was omgeslagen, zijn onvermogen om haar te houden en te genezen achtervolgden hem nog steeds. En was hem blijven achtervolgen gedurende de verschillende relaties die vooraf waren gegaan aan zijn fragmentarische verhouding met Helen, van wie hij intens hield, hoewel hij haar naam in dit gezelschap niet noemde.

Na zijn eerste glas bier dacht hij aan de optimistische fases in zijn leven als vrijgezel, na het tweede dacht hij aan zijn leeftijd en bestelde een glas whisky, maar het euforische gevoel van vrijheid vervloog niet: het werd sterker. Ja zeker, hij zou dit weekeinde naar huis gaan, maar een beetje vertraging kon geen kwaad. En het volgende weekeinde was er ook nog. De vrouw aan zijn linkerzijde legde haar hand op zijn arm.

'Wat erg,' zei ze, terwijl ze haar hand losjes liet liggen. 'Dat moet vreselijk zijn geweest. Die van mij hebben de meeste tijd bij hun vader gewoond, maar ik ben blij dat ze tenminste nog leven.' Ze haalde haar hand even onmerkbaar weg als ze hem had neergelegd, een aardige vrouw, ze heette Grace. Ryan stond op om nog een rondje te halen. Ze lachten allemaal en boden hem geld aan, een praktisch verbond van gelijkwaardige, volwassen vrienden, die alles van het leven wisten en een gemeenschappelijke taal spraken. Ryan was opgetogen door de passiviteit van zijn chef. Wie weet bekeerden ze hem nog.

De middag verbleekte weer met zijn gebruikelijke gebrek aan luister, tot de school uitging. Logo had zijn bezemkar op het kerkhof geparkeerd, het ding was zo afzichtelijk dat niemand het zou stelen of er zelfs maar mee zou spelen; gevuld met rommel die hij uit afvalcontainers had gehaald, een oude stoel die hij tot aanmaakhout voor Margaret ging verwerken, zijn whisky, zijn bijbel en een paar andere dingen die hij niet aan het zwakke daglicht wilde blootstellen. De poort van de school lag op enige afstand, maar ondanks zichzelf ging hij kijken. En toen, opnieuw zijns ondanks, knoopte hij een praatje aan met een meisje dat hem al eerder was opgevallen, even donker als hijzelf, met ouderwetse vlechten die eindigden in kwastjes, haar dikke springerige haar kon niet helemaal bedwongen worden. Misschien was het een buitenlands kind, zoals de meesten hier, maar desondanks leek ze op zijn dochter. Daardoor reageerde hij te heftig.

Ook al vond hij het beangstigend, toch gaf het Logo meestal een kick als hij werd gearresteerd. Hij wist niets van drugs, maar wel van de whisky die hij in kleine flesjes met zich mee zeulde, met het stille plezier van een succesvolle smokkelaar, en hij wist dat de felle opwinding van een achtervolging een grotere kick gaf dan de drank die door zijn aderen suisde. Voor zijn lengte was hij ongelooflijk sterk, zonder snel te zijn, rennen kon hij nauwelijks, maar hij vond zijn korte, zinloze sprintjes naar de vrijheid geweldig, die onstuimige vreugde bij de eerste confrontatie met de agent, zijn hoofd gebogen als een boeteling, totdat ze hun aandacht lieten verslappen en hij ervandoor ging en slechts een kleine voorsprong nam, want het was immers de bedoeling dat hij na een paar meter werd gegrepen. Logo's lange, onverzorgde haar wapperde voor zijn ogen als hij rende, soms gilde en schreeuwde hij zo, dat zijn achtervolger verstijfd van schrik bleef staan voordat hij de jacht voortzette, en dat alles om het laatste, extatische moment van overgave te voelen.

Zo was het altijd geweest, vijf of vijftien keer, al die talloze keren dat hij was gearresteerd, een paar vriendelijke oude handen op zijn arm of, even prettig, een groentje dat in zijn eentje in een miniatuurwagentje op de plaatselijke lastpost was afgestuurd en die vervuld van zijn eigen belangrijkheid, zijn nieuwe uniform rechttrekkend, uit zijn speelgoedautootje stapte, voordat ze, zonder uitzondering, voor hun toeschouwers, die bijna begonnen te klappen, een paar stappen van hun rituele dans renden. Beiden zouden enigszins verhit raken tijdens de jacht, totdat Logo zijn gezicht in een uitdrukking van doodsangst wist te trekken en zo bleek zag als een man voor het vuurpeloton en ze allemaal naar huis en naar de gevangenis gingen, waar hij zou bijkomen en zijn onschuld zou betuigen om daarna snerend te vragen: waarom hebben jullie mijn vrouw en dochter nooit opgespoord? Zo goed zijn jullie nou, wat hebben jullie ooit voor mij gedaan?

Hij had het kind niet mogen vragen om met hem mee naar het kerkhof te gaan, en ook niet mogen zeggen dat hij iets voor haar in zijn karretje had, en haar evenmin een ritje mogen beloven, maar ze was zo verrukkelijk. Het sluwe brutaaltje rook hem tegen de wind in en zei dat ze eerst naar de snoepjeswinkel wilde, dus deden ze dat en onderweg kwamen ze haar moeder tegen. Het kind krijste alsof hij met zijn handen aan haar had gezeten, hoewel ze daarvóór geen greintje angst had laten blijken, en de moeder, die ook gilde, blokkeerde hem de doorgang in de deuropening van de winkel, terwijl iemand anders de politie belde. Logo was aan het einde van het ritueel beland, en daarin had dit keer geen spoor van vriendelijkheid gezeten, niets van het gebruikelijke minachtende geduld dat de andere gelegenheden een zekere waardigheid had verleend.

Het agentje had Logo na zijn vlucht bij zijn jasje gegrepen en een vuistvol overhemd vastgehouden toen hij hem naar achteren had getrokken. De rafelige boord sneed in zijn keel en hij snakte naar adem, terwijl een arm zijn kin in de lucht rukte. Dat was ruimschoots voldoende om een man te bedwingen die bedwongen wilde worden, maar de jongen dacht er anders over. De druk op zijn keel verhevigde totdat hij sterretjes zag, en toen begon hij echt te worstelen en te trappen. Hij hoorde de bevredigende krak van zijn voet tegen een scheenbeen, stootte zijn puntige ellebogen naar achteren, kronkelde zich als een aal bijna vrij en schreeuwde zodra hij weer op adem was. Hij draaide zich af om zich over te geven, maar de aanblik van het gezicht van de ander bevreesde hem nog meer dan de worsteling. Logo voelde dat zijn ellebogen van achteren tegen zijn lichaam werden gedrukt, zijn nog altijd wild zwaaiende benen werden onder hem uit getrapt en zijn lichaam sloeg tegen de grond, waarbij hij op pijnlijke wijze half op zijn zij landde. Hij gilde weer toen zijn armen op zijn rug werden gedraaid, zijn schouderbladen staken uit als kippenvleugels, hij voelde iets scheuren. De handboeien sloten om zijn gekruiste polsen. Zijn vingers raakten ontwricht in een vertwijfelde poging tot verzet. Er kraakte een radio. Logo jankte. 'Hou op, schoft.' Logo's gejank zwol aan, hij moest publiek hebben. 'Help,' fluisterde hij, maar het enige wat hij voelde was dat zijn haar werd vastgegrepen, zijn half gedraaide hoofd omhoog werd gerukt, losgelaten en in het scherpe grind op straat werd gedrukt.

Door de shock van deze opzettelijke wreedheid sloot hij zijn mond en beschermde zijn tanden tegen de klappen, maar niet tegen de trap tegen zijn keel. Er volgde een verdoving die de voorbode was van echte pijn, en toen hij één oog opendeed, zag hij zijn spuug tussen het vuil in de goot liggen en op enkele centimeters van zijn gezicht de restanten van vochtige sigarettenpakjes uit een omgevallen afvalbak. Hij merkte dat hij op ooghoogte lag met een enorme berg hondenpoep en al zijn eigen vuil, terwijl de half bevroren nattigheid van de weg in zijn botten trok en zijn eigen bloed en urine uit zijn lijf sijpelden.

Ze waren geen heiligen, de jongens in het blauw, ze deden de handboeien altijd te strak om, maar ze waren ook niet onaardig. Gewoonlijk smeten ze hem niet met zijn gezicht naar beneden achter in een busje alsof hij gewelddadig was. Achteraf wist hij dat hij zich de schoppen tegen zijn ribben en die ene die schijnbaar per ongeluk in zijn gezicht terechtkwam niet had verbeeld, evenmin als de voet op zijn nek en het gehoon van de agent die hem had ingerekend. 'Schoft,' zei de stem. Schop. 'Laat mijn ballen met rust, viezerik.' Schop. 'Achter de kleine meisjes aan?' Schop. Er zaten nog twee andere agenten achter in de bus waar hij tussen de banken in lag. In hun stilte voelde hij hun jeugdige afkeuring; hij vermoedde dat zij hem zouden redden als het schoppen nog erger werd, maar eerder niet.

De arrestantenbewaker nam de tijd om te blijven staan en naar een kleine, vroegtijdig verouderde man te staren, nat en smerig, met één dicht oog en bloed dat uit zijn neus en voorhoofd drupte en zich vermengde met het vuil en het snot op zijn gescheurde overhemd; een man die met een alarmerend, reutelend geluid ademhaalde, een klein verwaarloosd schepsel.

'Maak in godsnaam z'n handboeien los.'

'Hij is zeer gewelddadig.'

De brigadier keek met zorgelijke minachting naar het merkwaardig triomfantelijke gezicht van de jonge agent Williams, de afwezigheid van vuil of zelfs maar van vocht op diens nauwelijks gekreukte uniform opmerkend.

'Dat zal best,' zei hij bars. 'Maak ze los. Jij daar!' brulde hij tegen Logo. 'Ga zitten.'

De twee andere agenten hielden zich op de achtergrond, bang om zich ermee te bemoeien en gretig om te vertrekken. Logo slofte langzaam naar de bank tegen de muur en ging moeizaam zitten. Er klonk een woordenwisseling, stemverheffing, hij registreerde het zonder de woorden te verstaan en daarna werd hij eigenaardig zorgzaam in de cel gezet waar hij nu nog zat.

'Mijn bezemkar,' kraste hij. 'Zorg voor mijn bezemkar. Anders ontslaan ze me.'

'Goed. Heb je klachten?' Logo keek de brigadier neutraal aan. 'Nee.'

In ruil daarvoor werd hem een deken en hete, zoete thee gebracht, maar hij zat huilend en ziedend op de bank te wachten tot de dokter zou komen, die hem niet kon genezen.

Het was allemaal haar schuld. Alles. Ze was van meet af aan zijn wraakgodin geweest, de zwartogige engel van wie hij heel veel had gehouden. Zoek haar, breng haar terug, dood haar. Zij had dit op haar geweten, zij had zijn uiterste inspanningen om haar op te sporen gedwarsboomd. De hele wereld dwarsboomde zijn pogingen om haar te vinden. De cel stonk naar urine, niet die van hem.

Vrijdag, rond theetijd, begon Margaret Mellors te geloven dat het leven een wending ten goede had genomen. Gisteren had ze haar gekoesterde brief beantwoord. Al vond ze het vreemd om hem naar het adres te sturen dat achter op de envelop stond – een kantoor dat OM

86

en nog wat heette en haar aan de rekening van het gas deed denken –, daar bleef ze niet bij stilstaan, en dankzij het verrukkelijke vooruitzicht dat ze haar zou zien scheen het lijf er even niet toe te doen. Het schrijven van de brief was moeizaam gegaan en het posten ervan had een speciale expeditie naar het hoofdpostkantoor gevergd, omdat ze zeker wilde stellen dat de brief per expresse zou worden bezorgd. Toen ze dit had volbracht, tegen hoge kosten, en er een speciale plakker op was gedaan, haalde Margaret vrijer adem. Het zou nu gemakkelijker te verdragen zijn, durfde ze zichzelf te bekennen, als er verscheidene uren of zelfs dagen tussen haar ontmoetingen met Logo in zouden verstrijken. Ze had hem die ochtend met zijn vreselijke, rommelende bezemkar horen vertrekken, en hoewel bezoekjes van hem overdag een zeldzaamheid waren, was zijn afwezigheid een opluchting. Hij zou haar hebben kunnen betrappen op het schrijven van de brief, en dat wilde ze absoluut niet. Voor haar geestesoog zweefde nog steeds dat foute beeld van de koffer boven; als ze moediger was, zou ze nogmaals een kijkje moeten nemen, maar nu nog niet, alsjeblieft God, nog niet.

En toen kwam de tweede verrassing: een brief van het ziekenhuis, ingegeven door haar bezoek aan de huisarts. Inderdaad, ze stond nog steeds op de wachtlijst, schreven ze, maar dat duurde niet lang meer, ze kon binnenkort een oproep verwachten, schreven ze. Het nieuws deed haar duizelen, het betekende dat ze binnen enkele weken misschien weer net als andere mensen zou kunnen lopen, zich kon gedragen zoals andere krasse bejaarden zich gedroegen, dat ze zich verder van huis kon wagen. Met de bus naar Mabel in Croydon kon gaan, Mary Cruft in Enfield kon bezoeken, naar het huis van de broer van George in Brighton kon gaan, die onlangs weduwnaar was geworden. 'Help me,' zei Margaret, haar haar opduwend voor de keukenspiegel. 'Help me hier doorheen te komen, er bestaat nog een ander leven, dat heb ik altijd al geweten.'

Er was ook een leven binnenshuis. Ze stak de open haard aan. De opwinding maakte haar zo extravagant, dat ze midden op de dag de haard aanmaakte, zelfs nog voor het donker was. Ze installeerde zich met haar doos op haar knieën om te kijken wie ze over een maand of twee zou gaan opzoeken, aan wie ze het goede nieuws zou vertellen, en ook om uit te zoeken of de genezing van haar heup haar geld zou kosten als ze haar invaliditeitstoeslag verloor die nu goed van pas kwam. Maakt niet uit, er waren altijd kinderen om op te passen en huizen om schoon te maken, als je fit was. Ze was een trui aan het breien, ze breide altijd wel iets, hield haar handen bezig. Even had ze een moment van twijfel toen ze zich afvroeg of de operatie het wel waard was, maar haar vertrouwen in artsen als goden en timmerlieden deed zich weer gelden. Haar enige zorg was dat Logo en op kinderen passen niet samengingen.

Toen kwam de derde verrukkelijke verrassing, die haar geldzorgen voor de toekomst verlichtte. Deze verrassing was niet te vergelijken met de andere van de afgelopen vierentwintig uur, maar het was geen slechte ontwikkeling.

Sylvie de hyperactieve stond voor de deur te jengelen aan de hand van haar vader, die aan alle kanten de indruk maakte dat hij een woeste hond aan de lijn had, terwijl zij op haar beurt keek alsof ze de hand die haar had gevoederd al vaak, heel vaak had gebeten. Sylvie glimlachte pas toen Margaret glimlachte, maar ze deed niet boos. Toen Margaret zei: 'Hallo, wat leuk om je te zien!' keek het kind naar haar naar binnen gedraaide voeten en hief haar vaders pols op om haar natte neus aan af te vegen, terwijl haar mondhoeken opkrulden in een uitdrukking die aan plezier deed denken. Haar vader liet gauw haar hand los.

'Ik geloof dat ik nog een paar smarties heb liggen,' zei Margaret zonder ophef. 'Tenminste, als je vader zegt dat het mag. Tjonge, wat zie je eruit, kleine ondeugd. Wat heb je uitgespookt? Heb je in de vijver gespeeld?' In één opvallend behendige beweging had de kinderhand zich naar de zak van Margarets jasschort verplaatst. Sylvie had geen zin om hier te zijn, maar thuis vond ze het nog vervelender. De vader liet een diepe, sidderende zucht ontsnappen.

'Het is heel brutaal van me om u zomaar te storen mevrouw, maar...' Hij streek met zijn hand langs zijn wenkbrauwen en probeerde te grijnzen. Het scheen onmogelijk om de zorgrimpels uit te wissen en ze had opeens medelijden met zijn jeugdige zorgen. Hij was een knappe man, en je was nooit te oud om dat op te merken.

'Het gaat om mijn schoonmoeder, ziet u. Ze kwam vorige week logeren, en nu is ze ziek geworden. Heel erg ziek. Vorig jaar had ze kanker, we dachten dat ze weer helemaal beter was, maar we moesten haar vandaag naar het ziekenhuis brengen, en ze belden net of we wilden komen. We moeten gaan, er is vanavond een voetbalwedstrijd...'

'Ze gaat dood,' zei het kind achteloos, met een zweem van voldoening.

'Stil jij,' zei Margaret zonder schok of wrok. 'Anders krijg je geen smarties.' Ze wendde haar grote, geruststellende gezicht tot de vader, legde haar hand in het kindernekje, tastend naar die smalle holte onder het verwarde haar, waar haar aanraking het kind tot bedaren kon krijgen. Margaret was opeens doortastend. In de afgelopen vierentwintig uur was ze iemand met meer gewicht geworden.

'Natuurlijk kan ze hier blijven terwijl u naar het ziekenhuis gaat. Ik hoop maar dat uw schoonmoeder opknapt.' Ze wisten allebei dat de wens een frase was, maar de woorden hielpen. 'Probeer om acht uur terug te zijn, als u kunt. Dan komt mijn buurman terug, die is soms nogal vervelend.' Zo, dat was eruit, maar ze had het eraan toegevoegd omdat ze geen keus had. 'Als het niet gaat, is het ook geen ramp. We hebben genoeg te eten. Wilt u een kopje koffie of iets anders?'

De man schudde zijn hoofd. In plaats van iets te zeggen maakte hij een vaag gebaar en verdween in de steeg waarvan hij walgde, zo had hij zijn vrouw laten weten, maar die hij nu niet opmerkte. Hij liet zijn dochter achter, die rechtstreeks naar de messenla liep. Margaret hield haar tegen. Ze tilde de la eruit en zette hem buiten haar bereik boven op het gasstel. 'Dom,' zei Margaret, met een gezag dat het kind niet van haar kende. 'Heel erg dom.'

Het was hetzelfde syndroom als bij vreemden in de trein, een dwaas verlangen om te biechten, dat niet verminderde bij de derde koffiepauze. Er waren in Oxford Street niet veel winkelende mensen, na de feestdagen en de uitverkoop. Ze konden zich onbelemmerd van het ene gigantische warenhuis naar het andere verplaatsen. Ze roken naar de toonbanken met parfum, waarvan ze er allebei een heleboel hadden uitgeprobeerd – maar afgezien van aftershave niets hadden gekocht – als inleiding op het tweede kopje koffie, maar ze kwamen er al aardig in. Helen grapte tegen zichzelf en Rose dat ze twee minnen waren die samen een plus maakten. Rose snapte de kwinkslag niet.

'Vertel op, voor wie is die aftershave? Voor je vader?'

Rose kromp ineen, maar was veerkrachtig genoeg om zich snel te herstellen, omdat het als grapje bedoeld was. Ze begon gewend te raken aan het feit dat Helen van plagen hield, ze vond het wel leuk. Het was beter dan serieus zijn.

'Mijn vader en moeder gingen uit elkaar toen ik nog klein was,' zei ze vlug. 'Mam woont in het noorden, mijn vader is dood. Nee, dit geurtje is voor mijn... vriend.'

Helen roerde in haar koffie. 'Ooo, is dat die jongen met wie ik je laatst zag? Die lange, knappe jongen met dat aardige gezicht? Die grote, forse vent?'

Rose bloosde van plezier. 'Dat klinkt als Michael,' zei ze. 'Ja, dat is hem. De laatste twee weken is er trouwens niemand anders geweest en dat blijft zo.'

'Is hij net zo aardig als hij eruitziet?'

Rose bloosde nog meer. 'Om de waarheid te zeggen, Miss West – '
'Hou op zeg, ik heet Helen.'

'Dat krijg ik niet uit mijn mond, hoor. Ik zal je in het vervolg tante noemen, alleen kom je je tante niet tegen in een abortuskliniek, of wel? Net zomin als een van je bazen, trouwens.' Ze giechelde. Ze vonden het alle twee allemaal onnoemelijk grappig.

'Mijn Michael?' Haast barstend van trots beklemtoonde ze het bezittelijk voornaamwoord. 'Hij is schitterend, gewoon schitterend, echt waar. Ik ben zo blij met hem. Ik kan mijn geluk niet op. Als hij me aanraakt voel ik me helemaal raar worden, maar hij probeert niks, echt niet. Hij doet alsof ik heel bijzonder ben. Hij zegt dat we eerst goeie vrienden moeten zijn en hij wil me overal mee naartoe nemen, van alles laten zien. Me meenemen naar zijn moeder.' Rose schaterlachte verrukt van ongeloof. 'Maar hij weet hoe ik was,' vervolgde Rose, aannemend dat Helen dat ook wist, 'hij trof me tenslotte in de legering aan. Hij zegt dat het hem niet kan schelen met wie ik naar bed ben geweest, als er maar niemand meer bijkomt. Maar dat is nog niet het geval geweest.' Ze keek Helen uitdagend aan. 'En weet je, ik voel dat hij zich inhoudt. Ik weet dat als hij me aanraakt, mijn hand vasthoudt of een arm om me heen slaat, dat hij óók helemaal raar wordt. Dan voel ik hem trillen. Soms, als hij me aankijkt, denk ik dat ik doodga.'

Het klonk zo naïef, dat Helen haar geloofde. Ze snakte naar de intensiteit van de gevoelens van de ander. De hele wereld is verliefd op de verliefde en zij vormde daarop geen uitzondering. Ze hoopte krachtig dat al haar optimisme gerechtvaardigd was. Geen wonder dat de uitslag van de test zo belangrijk was geweest.

'Het klinkt een beetje als de ouderwetse, ware liefde, als je het mij vraagt,' zei ze ernstig. 'Het heeft er alle kenmerken van. Maar wie heeft je in de problemen gebracht? Een van de andere jongens?' Haar honger naar informatie was dwangmatig.

'Ja, de een of de ander.' Rose voelde zich nog steeds een beetje opgelaten en had nog enige reserves. Ze wilde het alleen maar over dingen hebben waar ze ook echt over wilde praten. 'Ik weet niet waarom ik het allemaal heb gedaan. Ik vond het niet eens leuk. Waarom heb ik het gedaan? Jij mag het zeggen. Al die kerels.'

'Ik weet het net zomin als jij. We doen allemaal wel eens rare dingen en het stomste is dat je geen voorbehoedsmiddel hebt gebruikt.'

'Hoor eens,' zei Rose met haar oude agressie, 'jij hebt makkelijk praten. Hoe zit het met jou?'

'Oké, je hebt gelijk, maar ik ben een oude vrouw en ik wist wel waar mijn kerel vandaan kwam. Ik snap niet dat jij het weggaf, terwijl je er een vermogen mee had kunnen verdienen. Misschien ben je wel bang voor het donker, of zoiets. Dat je niet alleen naar huis wil. Zoiets.'

Rose keek haar ontsteld aan. 'Hoe weet je dat? Hoe weet jíj dat?'

'Ik ben het ook,' antwoordde Helen prompt. 'En je hoeft heus niet te betalen voor bescherming. Niet op die manier, in elk geval.'

Rose schoof onbehaaglijk heen en weer. 'Ja, dat weet ik. O, ik hou echt van Michael. Echt. Dat is het enige wat telt. Ik zie nu alles anders. Alles,' voegde ze er fel aan toe. 'Gek, vind je niet?'

Ik was ooit net zo stapelgek op Geoffrey, dacht Helen, en soms nog steeds. Ik hoop maar dat hij vanavond thuiskomt. Rose merkte haar verstrooidheid op.

'Ach... je wilde zeker graag een kind, hè? Ik duik met iedereen het bed in, maar dat ligt bij jou natuurlijk heel anders. Michael weet een hoop van me, hoe ik tekeer ben gegaan, maar hij zou toch ook geen trek hebben gehad in een kind... Maar voor jou ligt het anders, hè?'

Helen aarzelde. 'Ik was net een beetje aan de gedachte gewend geraakt, en toen ze tegen me zeiden: "Nee, je bent niet zwanger," voelde ik me beroofd. Verdrietig, woedend, bestolen, verward. Snap je dat?'

Rose knikte, maar ze snapte het niet echt. 'Hoor eens, het spijt me dat ik gisteren dat geintje maakte over jou en Dinsdale. Ik wist dat het niet waar was.'

'Nee, maar ik kom wel in de verleiding,' zei Helen luchtig. 'Maar wie niet? Je zat er niet zo ver naast.'

Ze verzonken elk in hun eigen gedachten. Rose verheugde zich er zo op om Michael te zien dat het gewoon pijn deed, maar ze zou hem hier niets over vertellen. Ze kon het wel uitschreeuwen. Ze was voor het eerst van haar leven hoopvol gestemd. Vandaag Michael, morgen oma; ze zou al haar schaduwen de baas worden.

Helen was zwaarmoedig. Dat moet de leeftijd zijn, dacht ze, als het optimisme er niet in slaagt te zegevieren over ervaring, en wantrouwen zegeviert over alles.

'Wil je nog koffie?' vroeg ze.

'Wil je nog winkelen?' vroeg Rose verlegen. 'Als je tenminste tijd hebt. Ik wil graag een jack in dezelfde kleur als dat van jou, het is het eerste leuke kledingstuk dat ik je zie dragen. Ik denk dat Michael het mooi vindt.'

'Wist je,' zei Helen, 'dat ik kleding kopen voor mezelf of voor iemand anders een van de allerleukste dingen vind die er bestaan?' Rose grinnikte, gevatter dan ooit.

'Nog leuker dan seks?' wilde ze weten. Helen zweeg even en grijnsde net zo breed.

'Niet altijd.'

7

Redwood wachtte op kantoor tot iedereen weg was. Niemand treuzelde op vrijdagavond en hoewel hij hun die afvalligheid kwalijk nam, was zijn eigen nablijven een verplichting die hij zichzelf had opgelegd en waarvoor hun afwezigheid vereist was. Op vrijdagavond mat Redwood zich stalen zenuwen aan en transformeerde hij in een spion. Hij dwong zichzelf zijn kamer te verlaten om zich bij de spoken te voegen waarin hij evenzeer geloofde als de luie bewaker, hoewel Redwood, als man van de rede, dat geloof niet voor zichzelf mocht erkennen en dus niet kon toestaan dat de angst hem tegenhield. Net als een spook was hij gemachtigd om overal en altijd te komen, maar als hij dat onder kantooruren deed, zou iedereen over wie hij de scepter zwaaide weten hoe vaak hij verdwaalde. En wat betreft zijn huidige uitstapje: zij zouden hem kwalijk nemen wat hij in hun afwezigheid uitvoerde – in hun bureaus snuffelen, in de ladenkasten en dossierkasten kijken, brieven lezen, roosters controleren, hij inspecteerde alle facetten van zijn domein waarvan hij alles had moeten weten, maar waar hij door zijn geremdheid nooit naar vroeg. Alleen híj controleerde hoeveel keer per jaar iemand naar de dokter of de tandarts zei te gaan als reden voor een middag vrij. Hij ging in de bureau-agenda's na wat mensen hadden uitgevoerd op de dagen dat de rechtbank vanaf twaalf uur gesloten was en ze niet voor vijf uur waren teruggekeerd. Gedurende het komende weekeinde zou hij al die informatie analyseren, en uitwerken hoe hij die kon gebruiken zonder zijn bronnen te onthullen, aldus de reputatie behoedend van doelmatige, zij het impopulaire manager die hij bij zijn meerderen had. Hij noemde het een stap vóór blijven. Helen had er een andere benaming voor.

De inhoud van Helens kamer (alle laden kon je zo opentrekken, had ze nooit van dieven gehoord?) boezemde hem weerzin in. Het was een hygiënische, maar volstrekte chaos. Helen West was de enige die hem ooit had betrapt terwijl hij aan het rondneuzen was. Met haar eigen versie van de duimschroef dwong ze hem de belofte af de exercitie nimmer te herhalen, als zij beloofde hem nooit te verraden. Een van hen had woord gehouden, en dat was hij niet geweest.

Er stond een bureaulamp op haar werkblad die hij wel mooi vond, als hij tenminste in het merkwaardige interieur van zijn eigen kamer had gepast. Er lagen drie grappige ansichtkaarten van Dinsdale Cotton, waarop hij haar de hartelijke groeten deed, plus cryptische notities in haar dagboek over afspraakjes. O, ho, ho... Redwood merkte dat hij lachte als een boosaardige kerstman. Toen was hij, zich verlustigend, nog langer blijven dralen om een stuk of wat aantekeningen te lezen, getiteld: 'Bewijsmateriaal', o ja, die lezing. Ze had het over bakstenen en cement, daarna stapte ze over op de plichten van de officier van justitie. Het bewijsmateriaal moest gezift en geëvalueerd worden, stond er, om er zeker van te zijn dat elke steen, hoe afwijkend van formaat ook, boven kwam; om de stenen en het cement met mededogen te bekleden; feiten mocht je nooit verzinnen en evenmin negeren; je moest altijd het voordeel van de twijfel geven, zonder sabotage mogelijk te maken. Allemaal geklets in de ruimte, dacht hij, mooi klinkende onzin, maar het kon van pas komen als hij de volgende keer zijn zegje moest doen. De moeite waard om te kopiëren, en ze had zo'n prettig leesbaar handschrift.

Hij knipte de lamp uit en schuifelde tastend door de kamer, struikelde over dossiers, stootte stommelend zijn schenen en kwam met zijn pols onzacht in aanraking met de scherpe hoek van een dossierkast die ze nooit gebruikte, omdat ze dossiers liever op de vloer legde. Waarom, o waarom hadden ze nog steeds zulk primitief meubilair, vol dodelijke hoeken en giftig metaal? De pijn maakte hem onvoorzichtig. Door de eindeloze gangen strompelend, die slechts verlicht werden door het rode lampje van de goederenlift die hem altijd deed denken aan een etensliftje in een ouderwets restaurant, was hij bij de fotokopieerruimte aangekomen, voordat hij besefte dat die bezet was, baadde in het licht, en hij het klak-klak van de machine hoorde. Het was nu te laat om terug te gaan. Hij kuchte en beende de kamer in, zakelijk. Op het allerlaatst, toen de schemering plaatsmaakte voor verblindend licht, dacht hij eraan de aantekeningen in zijn colbert op te bergen, waar ze te omvangrijk voor zijn binnenzak uitpuilden en precies zo'n bult vormden als een pistool. Redwood was niet geschikt voor steelsheid.

'Ah! Dinsdale! Laat, hè?'

Dinsdale Cotton gaf zijn ondoorgrondelijke patriciërsglimlach ten beste, de trage glimlach van de winnaar, die scheen te zeggen: ik hou van je, ook al was dat niet zo. Hij werkte efficiënt, als iemand die gewend is zich elegant en doelmatig te bewegen. Met zwier haalde hij de documenten van het invoerblad terwijl de machine er kopieën uit bleef klak-klakken, waarna hij zweeg.

'Is het al zo laat?' zei hij joviaal. 'Nee maar, ik ben de tijd vergeten. Ik ben blij dat ik u tref. Ik probeerde Riley te helpen. Een beetje een debacle in de rechtbank vandaag. Ik weet niet precies hoe het kwam. Ik maak een kopie van de computeruitdraai voor volgende week, om zeker te weten dat het ding ons geen streken levert. Hij schijnt op eigen gezag zaken te seponeren. Of anders doet een van de administratieve krachten het. En met welk doel, ik weet het niet.'

'Wat is er gebeurd?' informeerde Redwood omdat hij niets beters wist te zeggen. De papieren bult in zijn colbert voelde hoogst onprettig aan.

'Tja, de computergegevens van een van Rileys zaken waren per abuis veranderd, ze vermeldden dat er de vorige keer geen bewijzen waren geleverd, of dat de zaak was gesloten, ik weet niet welk van de twee. Het dossier was gearchiveerd, dus de arme Riley had geen gegevens, maar de gedaagde stond er levend en wel, in de verwachting veroordeeld te worden. De rechter laat hem gaan en wij staan voor schut. Niemand kon zich eraan storen,' haastte hij zich eraan toe te voegen, 'behalve de gedaagde, die geen klacht zal indienen, en de politie, die het niet weet omdat niemand van hen als getuige was opgeroepen.'

Redwood kromp in elkaar. Alweer een crisis. Alweer een voorbeeld van hoe het kantoor buiten hem om reilde en zeilde. Zijn scheenbeen schrijnde, maar omdat hij de reden niet kon zeggen, zei hij maar niets.

'Waren er geen klachten?' vroeg hij hoopvol.

'O nee. Alleen van Riley.'

'Is dat alles? Geen publiciteit?'

'Nee.'

'Mooi zo,' zei Redwood vurig. 'Mooi zo. Zoek het uit. Doe me volgende week verslag.' Dinsdale knikte, nog steeds glimlachend, alsof Redwood zijn goedkeuring had bij alles wat hij deed. Niet in staat hem aan te kijken omdat hij het gevoel had betrapt te zijn, keek Redwood naar Dinsdales handen. Ze leken op die van hem, klein, vrouwelijk, glad als vrouwenhanden, onhandige, zachte dingetjes, niet geschikt om een golfclub mee vast te houden. Redwood sloop de gang weer op naar Helens kamer en legde de aantekeningen terug op de plek waar hij ze had gevonden.

De arrestantenbewaker vertelde Logo dat hem mishandeling van een politiebeambte in functie ten laste zou worden gelegd, tenzij hij dit zou toegeven en een berisping voor ordeverstoring zou accepteren. Zoals te voorspellen was zei Logo nee tegen het laatste. Hij was weer voldoende bij zinnen om zich te herinneren dat hij evenzeer van het drama van de rechtszalen had genoten als van zijn arrestaties tot nu toe. De brigadier had met enige bezorgdheid naar het dossier van Logo gekeken: daar stond het, alle handgeschreven ter plekke bekende feiten die alleen voor politieogen bestemd waren; de neerslag van een tiental arrestaties, geen veroordelingen, meestal op privé-terrein. De man had de gave om ergens binnen te dringen, hij zei altijd dat hij op zoek was naar zijn dochter of iets dergelijks, en verder viel hij steeds kinderen lastig, zonder ze kwaad te doen, onlangs nog, van langer dan vijf jaar geleden was er niet veel, nooit gewelddadig. Niets om deze beurse plekken en zoveel bloed te verantwoorden. Geen gebroken botten, maar verwondingen, te wijten aan een afranseling, had de afdelingsarts gezegd. Twee paracetamols; net fit genoeg om in hechtenis te nemen. Of de arts nu dronken of nuchter was, je kon hem niets wijsmaken. Hij reinigde Logo's wonden en adviseerde hem de volgende morgen naar de dokter te gaan.

Daarna deelde de brigadier Logo mee dat zijn bezemkar veilig in zijn eigen achtertuin zou worden neergezet, als dat goed was. Dat was beter dan het ding meenemen naar de gemeentewerf zodat iedereen meteen wist dat hij was opgepakt, of niet soms? Dat vond Logo ook. Het enige pleziertje van de brigadier die avond bestond eruit dat hij zich voorstelde hoe de dappere, jonge aspirant Williams de bezemkar door de straten duwde, zoals hem was opgedragen. Het was hoogstwaarschijnlijk de enige straf die de aspirant zou krijgen, maar er waren meer manieren om iemand af te knijpen.

Logo kon van verschillende agenten een lift naar huis krijgen, zo liet de brigadier doorschemeren, maar de gevangene weigerde. De nog geen kilometer lange wandeling zou zijn ziel goed doen, en hij daalde de treden af, het papiertje vastklampend dat hem verordonneerde zich volgende week op borgtocht te melden bij de rechtbank. Toen hij hem zag weglopen vroeg de brigadier zich af of de blauwe plekken dan al zouden zijn weggetrokken, hij achtte dit onwaarschijnlijk, en was niet ontevreden met de gedachte dat hij had gedaan wat hij kon binnen de codes van de gevestigde traditie. Hij hoopte dat een advocaat de hiaten zou opmerken, maar hij betwijfelde het. Meer kon hij niet doen.

Logo liep kouwelijk door de natte straten, zijn kleren waren niet helemaal droog en zijn lichaam was zwak, ziek en pijnlijk. Halverwege zijn huis merkte hij iets op wat hem aan het lachen maakte: het verlichte voetbalstadion en de verstopte straten. Vrijdagavond, een speciale wedstrijd, was het niet? Dus zo'n kloterige agent had tussen de drommen supporters door zijn rammelende, aftandse bezemkar naar zijn huis geduwd. Logo hoopte dat ze hem flink hadden uitgejouwd. Een bescheiden opkomst vanavond, niet de hoeveelheid auto's of lawaai die duidde op een samenkomst van de eerste-divisietroepen met hun oorlogskreten. Het zingen zou minder zijn en hij zou ze thuis nauwelijks horen, in tegenstelling tot de andere dagen waarop hun collectieve gehijg en gesteun de ramen van zijn huis trof als een storm en het geluid van de televisie in wel honderd huiskamers verdronk. Logo probeerde te zingen.

'Vader vol van mededogen,
zie op mijn ellende neer...'

Zijn stem kraakte door de voet op zijn nek en de druk op zijn keel, en hetzelfde bittere zelfmedelijden dat hem had bevangen toen hij in de cel had gewacht, steeg weer in hem op. Hij moest met iemand praten, hij had behoefte aan Margarets zachte geurende boezem, waaraan hij zich kon toevertrouwen; hij moest een plan maken waarbij zij hem zou helpen om haar, zíjn vermiste kind te zoeken. Zijn dochter, haar opsporen en thuisbrengen, voordat de kanker van het verlies alle extremiteiten van zijn leven en ledematen had aangetast. Liefde of haat, dat was om het even.

Door de steeg wankelend zag hij eerst het licht door Margarets deur vallen en daarna zijn bezemkar, die op zijn kop in zijn achtertuin lag met de inhoud eromheen verspreid. Hij pakte de kapotte stoel op en gooide die zwakjes opzij, en toen hij zich vooroverboog om de rest te inspecteren, rook hij de whisky uit de gebroken fles en dacht hij dat zijn hoofd zou barsten. Hij klopte op Margarets deur, hoorde binnen geschuifel, gevolgd door een argwanende stilte. De tweede klop klonk een stuk agressiever. Na een volgende lange pauze zag hij haar silhouet op enige afstand achter het matglas van haar half glazen deur staan.

'Wie is daar?' Haar stem klonk gedempt, gereserveerd. Van vlakbij hoorde hij een rauwe kreet van de voetbalmenigte komen.

'Ik ben het,' zei hij ongeduldig. 'Wie anders? Kom je bij me?'

'Dat gaat niet,' zei ze. 'Er ligt hier een kind te slapen, Logo. Het gaat niet.'

'Nou, laat mij er dan in. Waarom doe je de deur niet open als je tegen me praat?'

'Dat kan ook niet.' Haar stem kreeg een beslistere klank. 'Vanavond niet, een andere keer. Of later op de avond.'

'Laat me erin, oud wijf!' schreeuwde hij opeens. 'Laat me erin! Ik heb je nodig! Ik heb je nodig, ik heb je nodig...' Hij gaf een harde trap tegen de deur en vertrok zijn gezicht toen de pijn door zijn enkel schoot. Ze verhief haar stem.

'Jij bent niet de enige die me nodig heeft. Hou op Logo, doe niet zo raar. Ik zie je later wel.'

Hij trapte nogmaals mokkend tegen de deur met zijn andere voet.

'Ga weg!' riep ze. 'Ga weg!'

De nog niet eerder vertoonde afwijzing overrompelde hem, waardoor hij gehoorzaamde. Hij strompelde naar zijn eigen deur, duwde die open en draaide het licht aan in zijn viezige, koude keuken. Een zure verbittering vrat door zijn beurse plekken. Hij had die vrouw geholpen bij het openbreken van haar open haard, terwijl hij er zelf geen had, hij had aanmaakhout en soms gestolen haardhout meegenomen, ook al had hij dat niet voor zichzelf nodig, dat ouwe wijf. Logo zette de elektrische straalkachel met de twee spiralen aan en wachtte tot deze zijn botten met hun vreugdeloze hitte zouden verwarmen. Hij kroop erbij, kwam in de verleiding om te huilen en zijn tranen sissend te zien verdampen. Ach, alle vrouwen waren verraadsters, ze waren reddeloos. Ze verleidden een man met hun lichaam en troost en lieve woordjes, om uiteindelijk niets meer te geven en alles terug te vorderen, met de overgave van een woekeraar persten ze de laatste druppel rente uit je.

'De mens, uit een vrouw geboren, is kort van dagen en zat van onrust. Als een bloem ontluikt hij en verwelkt, als een schaduw vliedt hij heen en houdt geen stand... Komt ooit een reine uit een onreine? Niet één.' Hij jammerde, de woorden kwamen er als vanzelf uit.

Nog steeds huiverend dook hij de achtertuin weer in en trof in het licht dat door zijn keukendeur scheen zijn bijbel op de grond aan. Die rook ook naar whisky, nog een ontheiliging, maar de vochtige stevigte van het papier bood toch enige troost. Hij had er eigenlijk niet zo'n behoefte aan om in zijn bijbel te lezen, als wel om hem vast te houden en zijn onsamenhangende citaten voor te dragen, die zijn geheugen tot betekenisloze mantrafrases verhaspelde.

Hij ging naar boven en zocht naar de schoolschriften van zijn dochter. Hij zag het handschrift van de oude opstellen, dictees en schoolrepetities, allemaal bewaard bij de ledemaatloze torso van een teddybeer in een la in zijn kamer. Ze had zo weinig achtergelaten. Om het grote licht in de kamer zat geen lampenkap en evenmin om de spot naast zijn bed, die op de onbeweeglijke koffer was gericht. Logo ging liggen,

nog steeds koud, hief zijn handen voor zijn ogen op om de rode striemen te inspecteren die de handboeien hadden achtergelaten, betastte
zijn geschramde en zwaar gekneusde gezicht, en verbaasde zich over
zijn geheel nieuwe, gezwollen contouren. God sta me bij, zelfs met
deze verwondingen wilde Margaret me niet binnenlaten. Er welde een
diep en duister wantrouwen in hem op. Toen keek hij weer naar zijn
handen, zorgvuldiger nu, balde ze tot vuisten en stompte ermee in de
lucht. Daarna haakte hij zijn duimen in elkaar en begon op de tegenoverliggende muur zijn schaduwspelletje te spelen.

Wat moest ze nu doen? Wat deed iemand die wachtte, vooral iemand
die niet gewend was te wachten? Helen ervoer wachten, wanneer ze
wachtte tot de jury terug zou komen met een oordeel of tot een zaak
voor de rechter kwam, als zinloos, gevangen in verwachting, een vacu-
um waarin logica en concentratie werden vervangen door woede of
bezorgdheid. Wachttijd was de enige tijd waarin ze ooit toe kon geven
aan de verveling. Mensen die samen wachtten kwamen nader tot elkaar; mensen die op elkaar wachtten, groeiden met elke minuut die
verstreek uit elkaar.

Helen wachtte op Bailey. Een uiterst bondig bericht op haar antwoordapparaat kondigde zijn komst aan, waar ze trouwens op deze
vrijdagavond ook wel sterk op had gerekend. Een week was tot daaraan
toe, twee weken was te lang. Zij had de afgelopen acht dagen genoten
van haar vrijheid en ze had gewinkeld.

Winkelen ging altijd gepaard met een mengeling van opwinding en
schuldgevoelens, maar was beter dan yoga, bij wijze van totale afleiding. Zij en Rose waren met oprechte spijt uit elkaar gegaan. Het
vriendje van Rose zou haar niet laten wachten, hij zou staan te trappe-
len. Als Helen Bailey ooit aan de leiband had willen laten lopen, dan
zou het nu het moment zijn om deze aan te halen. In plaats daarvan
deed ze een paar huishoudelijke karweitjes, omdat hij wel heel laat was
en zij de zorgen opsloeg als gas in een ballon.

Het geluid van voetstappen drong in haar souterrain door, een luidruchtige, onzekere tred. In de verte scheurde een auto met vrolijk brul-
lende motor weg, niet zijn auto, Helen kende het geluid, en dat was
niet van een taxi. Iemand had hem een lift naar huis gegeven. Misschien die kleine onruststoker, Ryan, die vond dat ze tekortschoot in
haar plichten als vrouw en haar dienovereenkomstig beoordeelde, zo
wist Helen, hoewel hun wederzijdse affectie opwoog tegen hun afkeer.
Bailey klopte hard en beheerst met zijn knokkels op de openslaande
deuren aan de voorkant van haar appartement, hetgeen ze negeerde.

Nuchtere mensen kwamen binnen door de voordeur, nadat ze hadden aangebeld. Hij kon naar de pomp lopen met zijn openslaande deuren. Hij klopte nogmaals aan. Dit keer liet ze zich vermurwen en liet hem binnen.

'Het spijt me dat ik zo laat ben,' straalde hij. 'Of begreep je dat al? We waren halverwege de middag klaar en toen zijn we nog iets gaan drinken, je weet hoe dat gaat.'

Ze wist precies hoe dat ging, ze had het zelf maar al te vaak gedaan. Het was een gevaar dat in hun beider leven op de loer lag, maar desondanks hield ze zich star en ontoegeeflijk in zijn stevige omhelzing. Bailey, die er doorgaans zo onberispelijk uitzag, overigens zonder dat hij daarvoor aftershave en keurige vouwen in zijn broek nodig had, stonk nu een beetje naar rook en bier. Zijn haar was in de war, zijn das zat scheef omdat die was losgemaakt en gauw weer rechtgetrokken en daarna weer losgemaakt, en ze verdiepte zich liever niet in de herkomst van de andere geuren die om hem heen hingen, zoals die van nicotine, parfum, hond. Hij zag eruit als een man die een week had gekampeerd en via een bordeel was teruggekeerd, en toch blij was haar te zien.

'Heb je je sleutel vergeten?' vroeg ze, bij wijze van zuiver neutrale begroeting.

'Tja. Ik ben alles vergeten. Ik had Ryan ook niet naar huis mogen laten rijden. Terug in de schoolbanken! Ik moet eens vaker een cursus doen! Lessen in onverantwoordelijkheid! Ik kan je niet vertellen hoe leuk dat is, in zekere zin tenminste. Alles is gestructureerd, je wordt 's morgens zelfs gewekt, het eten is goed. Geen beslissingen over waar je straks heen moet, zelfs niet na de lessen, want dan neemt Ryan ze voor me. Hoe gaat het met jou? O leuk, je hebt gewinkeld, je hebt iets nieuws aan. Prachtig, heel mooi.'

Helen had zich opgefrist en omgekleed en was twee glazen wijn verwijderd van absolute nuchterheid. Een deel van de winkelbuit bestond uit piepkleine oorringetjes die in haar oren glinsterden, heel erg ingehouden, ze vond het vervelend dat hij ze meteen opmerkte. Rose had ze niet mooi gevonden: 'Grote oorringen moet je dragen, niet die kleine prutsdingetjes,' maar Rose had wel de biefstuk en kant-en-klare salade goedgekeurd, die ze onderweg met uitzonderlijk gemak op een holletje had gekocht voor het avondeten van West-Bailey. 'Zo hou je meer tijd over voor het echte winkelen,' had ze eraan toegevoegd, een onderscheid waar Helen van harte mee kon instemmen.

Helen beantwoordde Baileys omhelzing zonder veel gevoel; ze kwam tot de slotsom dat hij niet echt dronken was, alleen een beetje aangeschoten, wat het verste stadium was dat hij kon bereiken, aangezien de drank zich in zijn botten scheen te nestelen in plaats van in zijn hersens. Het verklaarde de hartelijkheid.

'Wil je iets drinken?' vroeg ze overdreven opgewekt. 'Natuurlijk is er ook eten.'

'O ja, graag. Eerst iets drinken. Daarna gaan we uit eten. Ik neem je niet vaak genoeg mee uit. O, nee toch!' Hij plofte opeens lachend neer, zijn winterjas nog aan.

'Wat is er?'

'Mijn auto staat nog in Bramshill. Dat beperkt me nogal in mijn mogelijkheden.'

'En ik rijd niet,' voegde ze eraan toe, zwaaiend met de wijnfles en hem een glas inschenkend, denkend aan dronken chauffeurs.

'O,' zei hij zonder rancune of begrip. 'Dat geeft niet. Trouwens, nu ik erover nadenk, ik heb niet zo'n honger.'

Helen dacht aan de berg voedsel die op hen stond te wachten en onderdrukte het verlangen om tegen hem te schreeuwen. 'Ik maak tóch iets,' zei ze effen.

'Geweldig,' grijnsde hij.

Ze kon het niet verdragen om met hem in één ruimte te vertoeven, dus ging ze bedrijvig aan de slag om de irritatie te verdrijven, maar toen ze, slechts enkele minuten later, nog steeds in de stemming om te gaan schreeuwen, bij hem terugkwam, had Bailey zijn glas leeg en was hij in diepe rust.

Zijn jas lag als een hond op de vloer aan zijn voeten. Zijn pak was gekreukeld. Helen deed zijn losgeschoven stropdas af, legde een deken over hem heen en trok die netjes tot aan zijn kin op, zodat hij oogde als een baby met een uitzonderlijk grote slab. Met dat beeld in haar hoofd maakte ze de fles soldaat en ging alleen naar bed.

De hand van Rose Darvey in die van Michael was warm. Hij was stil, maar dat vond ze niet erg omdat het een warme stilte was en hij haar hand in zijn jaszak vasthield en zij het heerlijk vond om te kletsen. Ze liepen bij haar flatje vandaan. Voor het eerst was ze door een man die ze aanbad thuis afgehaald om officieel uit eten te gaan. De opluchting na de spanningen van die morgen en de middag die daarop was gevolgd, waren alle twee verschrikkelijk leuk geweest, maar dit was de bekroning. Ze waren laat omdat ze had getreuzeld, deze eerste keer dat ze een vriend door de poorten van de kamers boven had laten gaan. De twee andere meisjes waren opgewonden geweest, ze hadden voor hem geflaneerd en op zijn beurt was hij zijn gewone, gemakkelijke, vriendelijke zelf gebleven, de keuken vullend met zijn grote mannelijke aanwezigheid, terwijl zij achter zijn rug overdreven goedkeurende gebaren naar Rose maakten, hun opgestoken duimen gingen vergezeld van grote, rollende ogen.

'Heb je die test nog laten doen?' siste een van hen toen ze Rose tegenkwam bij de badkamerdeur.

'Ja,' fluisterde Rose terug. 'Mondje dicht. Hij was negatief, vals alarm. Wat vind je van hem?'

De ander legde haar vinger tegen haar lippen als belofte dat ze zou zwijgen. Er lag geen afgunst in het gebaar, alleen vrolijke solidariteit. 'Hij is oké,' zei de vriendin van Rose bedeesd.

Dat was de opmerking van het jaar, dacht Rose naast Michael wandelend. Ze gedroeg zich als een kakelende beroemdheid, koninklijk en welbespraakt.

'Je raadt nooit,' zei ze, 'wat me vandaag is overkomen...' Het lag op het puntje van haar tong om te zeggen hoe de dag was begonnen, maar de voorzichtigheid kreeg de overhand. 'Ik moest naar Oxford Street om iets weg te brengen, en raad eens? Daar kwam ik Miss W. tegen, je weet wel, Helen West, die officier van justitie over wie ik je heb verteld en die ik een verwaande trut noemde, maar dat is ze eigenlijk niet, helemaal niet zelfs. Dus ze trakteert op koffie, zes kopjes koffie en een broodje om precies te zijn, en we zijn met zijn tweeën gaan winkelen, zomaar! We hebben zes uur lang gewinkeld, nou vraag ik je! Het ging vanzelf.'

'Zes uur!' was het enige wat hij kon uitbrengen. 'Zes uur! Vraag me alsjeblieft nooit of ik meega naar West End. Zes uur! Je bent niet goed snik, maar dat wist ik allang.' Hij zei het plagend en kneep in haar warme hand, toen ze bij de auto aankwamen.

Eigenlijk was er maar weinig dat hij kon of wilde zeggen; hij voelde zich iemand uit *My Fair Lady* of *Singin' in the Rain*. Aan het einde van de straat had een groot orkest moeten spelen, waar zij naartoe dansten, zingend en zwaaiend aan de straatlantaarns, zijn helm in de lucht gooiend, dat soort dingen. Een verliefde politieagent. Die gedachte was lachwekkend. Hij had meer lust om te lachen dan om te zingen, en hoewel hij nooit moeite had gehad om zich tegenover Rose te uiten, stond hij nu met zijn mond vol tanden. Michael was stil omdat ze hem in verrukking bracht. Ze had hem bij de deur begroet (het had twee weken geduurd om het adres van haar los te peuteren), blozend onder haar make-up, gekleed in een zwarte legging en een lang jasje van rode wol met een zwarte kraag. Haar haar was glad achterovergekamd en afgezien van dat idiote vlechtje was het effect verbijsterend. Dat zei hij ook meteen en daardoor kleurde ze nog dieper. Ze straalde een zekere vreugde uit, door haar warme lach en de trotse verlegenheid waarmee ze hem aan haar flatgenoten voorstelde. Het besef dat hij verantwoordelijk was voor die vrolijkheid, die snelle maar zekere gedaanteverandering van het treurige ontheemde meisje met het punkkapsel dat hij uit een natte tuin in een natte straat had geplukt, deed hem duizelen. Hij had de hele dag de minuten afgeteld, hij had haar evenmin uit zijn gedachten kunnen bannen als hij nu zijn ogen van haar af kon houden.

Eén ding knaagde aan hem, al was dat maar even, toen hij haar als een prinses mee naar de auto troonde. Haar brandschone slaapkamer, die hem met verlegen trots was getoond, was volgestouwd met traditionele bedrukte katoenen stoffen, poppen, teddyberen, kantjes, speelgoed, en vormde een schril contrast met haar gebruikelijke, strenge, provocerende kleren. Michael had de kamer van een kind gezien en waargenomen.

'Ik stik van de honger,' zei ze enthousiast. 'Waar gaan we heen?'

'O, niet zo ver, in de buurt van Finsbury Park. Het lijkt me logisch dat je honger hebt, na zes uur winkelen.'

'Is het niet te dicht bij het stadion?' vroeg ze scherp.

'Nee, het is wel in de buurt, maar er komen nooit voetbalsupporters, als je dat bedoelt. Die eten alleen hamburgers. Hoezo?'

'O, ik heb een hekel aan voetballen, dat is alles. En er is een wedstrijd, dat weet ik, ik kijk altijd in de krant wanneer er een wedstrijd is. Waar dan ook. Dan weet ik dat ik mijlenver uit de buurt moet blijven.'

'Slim van je,' zei hij bewonderend. 'Je zou eens een surveillance moeten meemaken, als ze beginnen.' Hij kon het niet laten om een beetje op te scheppen. 'Ze gaan helemaal door het lint. Die herrie! Eigenlijk hebben we oordopjes nodig, maar dan horen we niet of ze elkaar slaan. In feite,' zei hij, en liet de eerlijkheid prevaleren, 'is het meestal niet zo erg. Ik vind het niet erg om dienst te hebben als er voetballen is.'

Ze was stil, het was zijn beurt om te praten. En bij de Griek was het donker en vrolijk, halfvol, aangekleed met versleten velours in warme tinten dat je niet van dichtbij moest bekijken, maar dat de ramen half bedekte tegen nieuwsgierige blikken en het geheel een luxueuze uitstraling verleende, zelfs nog vóórdat de obers zich voor elke bezoeker in het stof wentelden. Rose was prettig opgewonden. Ze gingen zitten nadat de tafel drie keer was verschoven en de kandelaar en de bloemen met een klap waren teruggeplaatst, met een efficiëntie die in tegenspraak was met de nederige bediening. Michael hield haar hand vast boven het verstelde roze kleed.

'Ik kom hier wel vaker,' zei hij simpel, wat de uitbarsting van aandacht niet helemaal verklaarde. 'Meestal kom ik hier alleen of met een van de jongens. Ik wilde met je pronken.'

De tranen sprongen haar in de ogen. De ober kwam op een drafje aanzetten met nog een bloem en nog een drankje, maar ze kon alleen maar naar de man kijken die haar kleine hand in zijn grote warme knuist hield. Als dit liefde was, was het geen wonder dat ze die nooit had gekend. Het was haar bijna te veel.

Ik weet niet wat er met me aan de hand is, wilde Michael zeggen. Ik weet het niet, maar ik wil dat het zo blijft.

'Tjonge, dat is duur,' mompelde Rose, op het menu kijkend. 'Nou ja, tamelijk duur. Laten we de kosten maar delen.' De uitdaging was terug in haar stem.

'Nee,' lachte hij. 'Als ik je mee uit eten neem, dan betaal ik ook, begrepen?' Ze deed haar mond open om te protesteren. De jarenlange strijd om te overleven had haar tot iemand gemaakt die niet zomaar iets van een ander kon aannemen.

'Nee, lieverd,' waarschuwde hij. 'Een andere keer. Als je niet zes uur lang nieuwe spullen hebt gekocht. Vooruit, ik weet best dat je voor een hongerloontje werkt.'

'Noem je iedereen lieverd?' vroeg ze uitdagend.

'Nee,' zei hij. 'Alleen oude dametjes. En jou. Omdat ik het zo voel.'

'Waarom?' vroeg ze ernstig, met neergeslagen blik, spelend met haar bloem. 'Waarom voel je dat in vredesnaam zo?'

'Dat weet ik ook niet,' zei hij eenvoudig. 'Ik weet niet of iemand ooit weet waarom dat zo is. Ik weet niet waarom mijn moeder van mijn vader houdt, maar het is wel zo. Je hebt het niet voor het kiezen. Ik niet, tenminste. Het overkomt me, maar het is wel leuk als het je overkomt.'

Verbeeldde hij het zich, of vulden haar ogen zich met tranen, was het van ergernis of verdriet? Toen snoot ze haar neus, nadat ze in haar tasje een al te vaak gebruikte papieren tissue had opgediept. Haar welopgevoedheid was niet tot in haar handtas doorgedrongen. Ze was niet iemand die je kon plagen, concludeerde hij; ze was zo rauw als een gepelde ui en anders dan anderen. Heel anders dan anderen.

'Zo,' zei hij, terugkerend naar het onderwerp dat de altijd effectieve hoofdmoot van hun gespreksstof vormde. 'Hoe was het op je werk. Wanneer heb ik je voor het laatst gezien? Eergisteren? Het lijkt eeuwen geleden. Zullen we de *meze* nemen, een beetje van alles?'

Rose hield ervan om over haar werk te praten. Hij hield van een meisje dat haar werk serieus nam, en dat ze ook iets af wist van zijn werk was extra plezierig.

'Er zit me iets dwars. Kan ik het tegen je zeggen? Beloof je dat je het tegen niemand zegt? Ik had het vandaag al tegen Helen willen zeggen, maar het kwam er niet van. Al het andere wel, trouwens.'

'Vertel maar,' hij maakte een grimas. 'Ik ben een en al oor.'

'Er zit iemand bij ons die met de boeken knoeit. Ik weet alleen niet wie. Niet om geld te verduisteren of zoiets, er wordt alleen met de computer geknoeid, zaken worden gewist. Daardoor weten de mensen niet dat ze bij de rechtbank worden verwacht, en de rechter seponeert de zaak. We hebben er een stuk of tien gehad, maar niemand heeft er tot nu toe iets over gezegd en niemand luistert naar me, het lijkt wel of ik de enige ben die het heeft gemerkt...'

Michael snoof. 'Ik had je toch gezegd,' zei hij, 'dat er in onze ploeg allerlei grappen de ronde doen. Zoals: waarom zou je nog de moeite nemen om naar de rechtbank te gaan? Je wacht gewoon tot het OM de papieren kwijtraakt.'

'Oké, oké,' zei ze defensief, haar hand nog steeds in de zijne. De ober kwam schoorvoetend naderbij, maar Michael stuurde hem gauw weg, de baas, zonder hooghartig te zijn. Om hen heen werden glimlachjes uitgewisseld. Wat was het makkelijk, je hart uit te storten als je hand werd vastgehouden. Misschien kon ze al haar lasten op deze manier van zich afwerpen; ze voelde de vrijheid wenken. 'Daar draait het nu juist om, snap je? Je maakt gewoon een rommeltje van de dossiers en iedereen denkt dat het inderdaad door onzorgvuldigheid en personeelsgebrek komt, of wat dan ook.'

'Terwijl er in werkelijkheid iemand van profiteert en het met opzet doet?'

'O, dat zou ik niet durven beweren,' zei ze gehaast. 'Ik zou niet durven zeggen dat iemand op ons kantoor zoiets zou doen. Het gaat alleen om zaken van rijden onder invloed –'

'Waarom niet?' onderbrak hij haar. 'Hoor eens, wat is een rijbewijs waard? Een paar honderd pond? Een paar duizend, als je in de gevangenis kunt komen. Ettelijke duizenden? En de rest. Het hangt ervan af wie je bent.'

'Ik dacht niet aan geld,' herhaalde ze koppig. 'Ik dacht dat het misschien om pesterij ging. Maar eigenlijk denk ik dat ze mij verdenken, als ze erachter komen.'

'Waarom?' vroeg hij verbaasd, hoewel hij het antwoord al half wist.

'Omdat ik de kopiedossiers in bewaring heb en die zijn ook verdwenen. En omdat ik een buitenbeentje ben, ik kan er niets aan doen.' Hij knikte. Het eten kwam bij beetjes in het ene na het andere schaaltje. Sommige schotels waren gebarsten, maar de inhoud was verrukkelijk. Ze wijdden zich nu alleen nog aan het dilemma welk gerecht ze het eerst zouden nemen, maar pas nadat Michael het laatste woord had gehad.

'Mochten ze jou de schuld geven, dan komen ze er heus wel achter dat het anders is. Je hebt mij nu, we zoeken het samen wel uit. Hoor eens,' zei hij, haar het warme pittabrood aanreikend, 'ik moet volgende week boksen. Kom je kijken?'

Ze schudde met volle mond haar hoofd. 'Alleen als je wint. Ik wil niet zien dat je tot moes geslagen wordt.'

'Beloofd,' zei hij. 'Ik wil ook niet tot moes geslagen worden.'

Op dat moment drukte iemand zijn neus tegen het raam. Een pafferig, rood gezicht met één halfdicht oog dat de kleuren van een tropische zonsondergang had, onder onsmakelijk, vies, dunnend haar. De figuur eronder droeg ondefinieerbare kleren, bruine, zwarte, vochtige begrafeniskleren en daaronder prijkte een met bloed bevlekte, slonzige overhemdkraag. De ogen werden met een hand afgeschermd om beter naar binnen te kunnen turen naar de eters en hun voedsel. Het gezicht verschoof iets om niet tegen de gordijnen aan te kijken en plette toen zijn wang tegen de ruit, waardoor het een lugubere uitdrukking kreeg en de zwelling werd uitvergroot. Rose en Michael zaten aan het hoektafeltje bij het raam, zij zat met haar rug naar de muur toe. Michael keek op, plotseling keek hij recht in de ogen buiten, hij was slechts centimeters verwijderd van dat vreselijke gezicht, dat spookachtig werd beschenen door de lamp die het ingelijste menu buiten verlichtte. De ogen bewogen naar opzij, staarden naar Rose. Eerst schrok Michael, daarna werd hij woedend. In een eerste impuls wilde hij overeind komen en op het raam bonzen, maar zijn verlangen naar rust kreeg de overhand.

'Hé, Rose, liefje,' zei hij bedaard. 'Je schijnt buiten een fan te hebben. Is hij een vriend van je?'

Ze keek op, hij wachtte tot ze zou gaan lachen, maar zag alle kleur uit haar gezicht wegtrekken tot het spierwit zag. Michael had dat wel vaker gezien bij mensen die op het punt staan flauw te vallen, maar zij liet alleen haar vork vallen en verslikte zich. Hij sprong overeind, liep naar haar toe, klopte haar op haar rug en wachtte tot het hoesten ophield. De man buiten had zich niet bewogen. Toen de twee binnen hem een ogenblik aanstaarden, brak er op zijn gezicht, en dat was nog het afschuwelijkste, een brede, platgedrukte grijns door, en naast de grijns verscheen een klauwende hand tegen het glas, die een groetend gebaar maakte, terwijl de ruit besloeg door zijn adem. Michael ging naar buiten.

Hij trok de man bij zijn schouder weg en voelde de wijde stof over een vleesloos schouderblad glijden. Een spook. De man grijnsde nog steeds.

'Wat voer je in je schild, man? Waar ben je mee bezig?' schreeuwde Michael. 'Rot op. Ga naar huis!'

Logo scheen het te overwegen. Hij reikte ergens tot aan Michaels borstkas en hij zou een politieman nog op vijftig meter afstand hebben herkend, zelfs in de mist. De rusteloosheid had hem de deur weer uitgedreven, maar zijn conditie liet niet toe dat hij rende, vocht, smeekte of weer een arrestatie verdroeg. Michael wist bovendien dat hij zich verzoenend hoorde op te stellen.

'Je kunt met dit weer beter thuis zitten, ouwe, in plaats van mensen de stuipen op het lijf te jagen. Vooruit, ga naar huis.' Maar hij kon zich er niet van weerhouden de ander een harde zet te geven, waardoor deze een paar stappen achteruit struikelde en de grijns drie seconden van zijn gezicht werd gevaagd, totdat hij zijn evenwicht hervond.

'Oké, oké,' op een flemerige toon die nog meer tegen de haren in streek dan agressie. 'Ik wou toch net gaan.' Hij draaide zich waardig om en zijn stem kwam terugdrijven. 'Zeg maar tegen haar dat ik d'r weet te vinden. Zeg maar dat ik haar blijf zoeken.'

'Donder op,' mopperde Michael en wachtte tot de man uit het gezicht was verdwenen. Logo, die was het, hij had hem eerder gezien, arme oude gek. Dan was het in orde: als je iemand herkende was het in orde. Hij schudde zich uit als een hond, probeerde zijn boosheid kwijt te raken en ging weer naar binnen.

De stoel in de hoek, waar Rose had gezeten, was leeg. De ober drentelde onzeker, bezorgd, rond met de volgende gang op een grote schaal.

'Wil je die even warmhouden? Waar is ze gebleven?'

De ober haalde zijn schouders op en wees naar achteren. Hij was gewend aan ophef, gekibbel en dames die zich in de wc verschansten na een overmaat aan retsina. Michael beende naar de verste hoek van de zaak, achter de bar. Ze stond tegen de wc-deur en drukte hetzelfde papieren propje als eerst tegen haar mond, alsof die talisman in zijn eentje het trillen kon bedwingen.

'Kom maar, liefje. Het is in orde. Je hoeft niet van streek te zijn. Het is goed. Het is maar een ouwe stumper, hij woont aan de andere kant van het stadion, een onschadelijk oud mannetje.'

Ze schudde haar hoofd. Hij sloeg zijn armen om haar heen en wilde haar naar de tafel terugleiden. Ze verzette zich.

'Vooruit, er is niets gebeurd. Kom, liefje, we zijn nog maar net begonnen.' Ze mompelde iets in het weerzinwekkende vodje.

'Wat zeg je? Ik versta je niet. Zeg dan toch wat er is. Hoor eens, hij houdt ervan om mensen aan het schrikken te maken, dat is alles. Ik kan je heel wat over hem vertellen.'

Ze haalde de papieren zakdoek voor haar gezicht weg en zuchtte diep om het beven onder controle te krijgen.

'Doe alsjeblieft geen moeite.'

Michael voelde een gigantische golf van ergernis in zich opwellen, omdat de zo grondig geplande avond was bedorven.

Bailey werd wakker met een stijve nek. Het haardvuur was uitgebrand en een halve minuut lang vroeg hij zich af waar hij was. In het huis van de vrouw met wie hij een deel van de middag had doorgebracht, niet onschuldig, maar evenmin direct ontrouw? In zijn eigen huis? Hij keek neer op zijn lange, door een deken bedekte gestalte, die stevig, zij het ineffectief, om zijn stijve schouders was ingestopt, zich rond zijn middel had opgehoopt en bij zijn voeten was weggeschopt. Een toegedekt lijk was erin geslaagd zich te bewegen.

Nu hij in het heden terug was, stonden de conclusies hem minder aan dan de verwarring. Hij had het beurtelings warm en koud, zijn handen waren klam, zijn hoofd koud, en ze kende hem na drie jaar toch zeker goed genoeg om te weten hoe ze hem uit een verdoofde toestand kon wekken en naar bed krijgen. Huiverend gooide hij de deken van zich af en inspecteerde zijn verkreukelde pak in het zachte lamplicht dat ze voor hem had laten branden. Zonder twijfel om hem ervan te weerhouden ergens over te struikelen en haar te wekken. Daarna keek hij op zijn horloge, hoewel hij, zoals altijd, ongeveer wist hoe laat het was, net voor middernacht. Er was geen geluid te horen, totdat hij het zachte gerommel van de North London Line hoorde, die vibreerde om hem aan zijn bestaan te herinneren.

Hij had behoefte aan een bed en aan meer slaap, dus kwam hij stijfjes overeind, trok zijn kleren uit en slingerde die over een stoel, liep naakt naar de badkamer en ging onder de douche staan. Een warm lijf vergeef je gemakkelijker dan een koud lijf, bedacht hij, terwijl hij zich zo lawaaierig mogelijk schoonschrobde. Opzettelijk luidruchtig en ongewild onhandig door de vermoeidheid en hoofdpijn, liep hij dingen omver. Zij had schaaltjes en potten in haar badkamer staan, waar hij slechts dichte kasten en zeep had, het was niet moeilijk om zijn aanwezigheid hoorbaar te maken. Gedurende het tandenborstelstadium, dat hij zeer krachtig afwerkte, de spiegel onderspattend, merkte hij een nieuwe borstel naast de wastafel op, dacht daar even over na en besloot dat hij te moe was om over de betekenis van wat dan ook na te denken. Daarna liep hij naar de deur ernaast. Hij glipte naast haar in bed en trok haar zonder enige terughoudendheid dicht tegen zich aan.

'We zijn niet bepaald goed bezig, hè?' zei hij. 'Ik heb je gemist. Het spijt me dat ik dat niet tegen je heb gezegd.'

'Ik ook. Ik heb jou ook gemist.'

Stilte. 'Zeg eens,' zei ze, nu iets duidelijker, 'als we uit elkaar gaan, denk je dat we dan goede vrienden kunnen blijven?'

Stilte.

'Nee,' zei hij. 'Kunnen we niet gewoon minnaars zijn?'

8

Margaret nam in gedachten de gebeurtenissen van de vorige avond door, bij wijze van tijdspassering en om de busrit, die vanaf het einde van de straat helemaal doorliep naar Oxford Street, sneller te laten verlopen. Misschien herinnerde Eenie zich deze route nog, dacht Margaret.

Pas lang nadat Logo had aangeklopt, hadden Sylvie's vader en moeder het kind de vorige avond opgehaald. Het gezicht van de moeder was behuild geweest: oma lag in het ziekenhuis op sterven, zei ze, en Margaret wist weer dat niets zo erg was als de dood van een ouder. Zelfs niet het overlijden van een echtgenoot. Misschien dat de ontvoering of verdwijning van een kind erger was dan een dode. Ook al had ze een zuiver geweten voor zover het Sylvie's veiligheid betrof, Margaret kon geen triomf voelen over haar bijdrage daaraan. Haar schuldgevoel dreigde permanent te worden en het baarde haar zorgen dat ze tegen Logo had geschreeuwd. Schreeuwen deed je niet, dat was haar stijl niet. Evenmin als de gewoonte om dingen voor anderen te verbergen, hoewel dat een van de duidelijkste taken in het leven was. Dus was ze naar hem toe gehobbeld nadat Sylvie was opgehaald.

Er brandde geen licht in zijn huis en ze zag geen teken van leven. Margaret wist dat ze de deur kon openduwen, maar sinds ze die koffer had zien staan, was er iets in haar veranderd. Niet Logo maar de spoken schrikten haar af, dus ging ze weer naar huis, zich afvragend of ze er ooit in zou slagen de liefde die ze altijd voor hem had gevoeld, terug te krijgen. Ze zou gewoon moeten wachten tot die vanzelf terugkwam.

Het was niet eens eenzaam zonder hem, haar dag was te druk geweest, vol van de belofte aan wat ze nu deed. Debenhams, Oxford Street. De koffiehoek, om half vijf, zaterdag, als de grootste drukte over was. Ze was vannacht opgestaan om nog een keer naar de brief in de messenla te kijken om te controleren of ze de tijd wel goed had onthouden. Had ze de koffer maar nooit gezien, was er maar een manier om te praten zonder beloftes te verbreken.

Debenhams was veranderd sinds Margaret er voor het eerst was gekomen om breiwol en verstandige schoenen te kopen. Het huidige stelsel van afgeladen roltrappen dat langs de volgepakte verdiepingen omhoogschoot deed haar duizelen, hoewel ze blij was dat het geen vaste trappen waren. Zich met één hand aan de leuning vastklampend, goochelend met haar stok en handtas, had ze het gevoel dat ze door een katapult de ruimte in werd gelanceerd en met geen mogelijkheid weer beneden kon komen. Ze raakte in paniek. Hoe moest ze de wegloopster na vier jaar herkennen? Een jonge vrouw kon in vier jaar totaal van uiterlijk veranderen, maar ze maande zichzelf tot kalmte en slaagde erin iets waardiger van de laatste roltrap af te stappen dan bij de voorgaande twee. Ze hoefde alleen nog maar ergens te gaan zitten wachten tot ze werd herkend. Ze wist dat zij zelf helemaal niet was veranderd.

'Hallo, oma.'

Daar was ze, een prachtig jong wezen. Ach, hoe oud zou ze nu zijn? Natuurlijk wist Margaret haar geboortedatum: haar negentiende verjaardag was precies één maand geleden geweest. Nog steeds die gave huid onder een overmaat aan make-up, waarom gebruiken meisjes die toch terwijl ze helemaal niets nodig hebben? Raar haar, niet meer de lange donkere krullen die zo weelderig op haar schouders hadden gedanst, wat zonde. Zo dun als een riet, haar rok te kort: naast Margaret stond een mengeling van een schoonheid en een wild diertje; ze boog zich over Margaret heen, half verlangend, half uitdagend.

'Ik sta niet zo gemakkelijk op,' zei Margaret. 'Geef me een zoen. O, Eenie, lieverdje!'

Terwijl de een zich onhandig vooroverboog en de ander haar dunne armen ophief, belemmerd door de te warme winterjas, omhelsden ze elkaar. 'Ach oma, oma, waar was u toch?' vroeg Rose met haar gezicht in de hals van de oude vrouw, het zoetgeurende poeder opsnuivend dat zoveel troost, warmte en ordelijkheid opriep. Ze mocht niet huilen, er was geen tijd om te huilen hoewel haar behoefte groot was; bovendien maakte oma's hulpeloosheid haar nog steeds om een duistere reden kwaad.

'Ik zal even thee halen.'

'Ik trakteer,' zei Margaret. 'Haal jij het maar, ik betaal.'

'Misschien raak ik er nog wel eens aan gewend,' zei Rose onheilspellend met een zwakke glimlach. Ze stoof weg, terwijl Margaret haar enkels bewonderde, onthutst door het korte haar en het vlechtje. Ach gut, waarom konden jongeren nooit gewoon zichzelf zijn, en waarom dacht ze daar nú aan? Niet vitten, Margaret, niet vitten omdat ze er precies zo uitziet als alle anderen, als een vreemde. Maar dat was ze, een vreemde.

'Thee in een cafetaria smaakt toch altijd anders.' Tot haar afgrijzen merkte Margaret dat ze mopperde toen Rose, na te hebben voorgedrongen in het rijtje wachtenden, terugkeerde. 'Maar het is heerlijk, schat. Hier heb je geld.' Rose opende haar mond om te protesteren, haalde haar schouders op en nam het geld aan. Nu ergerde Margaret zich. Vier jaar zonder een teken van leven en het kind haalde haar schouders op. Laat maar. Ze was van de kaart door alle emoties, duizelig van vreugde, en had liever geen kritiek gehad, maar het was niet anders.

'Eenie, je ziet er geweldig uit, heus. Ik maakte me zo ongerust na je brief, eigenlijk maak ik me al vier jaar enorme zorgen, nu ik er bij stilsta. Waarom? vroeg ik me af. Waarom? Heeft dat kind dan nooit van me gehouden? Ben ik zo slecht voor je geweest? Wat heb ik verkeerd gedaan, Eenie, wat heb ik gedaan? Geen woord van jou of je moeder –'

'O, u ook niet?' merkte Rose tamelijk bitter op. 'Dat zijn er dan twee. Ik baal van haar. Ze heeft me gedumpt. En ik heb u wel geschreven. Ten minste twee keer.'

Margaret had moeite om haar te volgen. 'Waar heeft ze je gedumpt, lieverd?'

'Dat heb ik u toch geschreven. Bij een nicht in het noorden. Iemand die pa niet kende. We zouden samen gaan, maar we gingen van Legard Street naar een hotelletje en daarna zette ze me alleen op de trein. Ze zei dat pa haar zeker zou vinden, maar mij misschien niet en dat het daarom beter was zo. Ze kon het gewoon niet opbrengen om naar het noorden te gaan en een baantje te zoeken, dat was alles. Ik wist dat ze naar hem zou teruggaan of er anders tussenuit zou knijpen met een vent die ze had leren kennen. En dat heeft ze gedaan, of niet soms? Is ze er niet tussenuit geknepen? Haar nicht zei dat ze nooit meer thuis was geweest. Ik neem aan dat u mij daarom ook nooit hebt geschreven.'

Verdorie, wat gebeurde er? Waarom deden ze zo vinnig tegen elkaar? In haar verwarring, haar hoofd tolde van allerlei brieven, zag Margaret de koffer ziekmakend duidelijk voor zich. O ja, mam was wel degelijk naar huis teruggegaan en, inderdaad, Logo nam soms de post voor haar mee.

'Dus mam heeft jou niet meer geschreven? Nooit meer?'

'Nooit, maar ze hield niet van schrijven en ze had ook gezegd dat ze misschien niet zou schrijven. Toen ben ik bij die nicht weggelopen, een raar, gestoord mens. En ik kreeg een baantje op een kostschool, tegen kost en inwoning, maar ja, ik heb altijd van leren gehouden. Ik heb daar mijn middelbareschooldiploma gehaald en kreeg nog geld toe ook! Ze waren goed voor me, het was een nonnenschool, ze hebben me gered.'

Ja, Eenie had altijd van leren gehouden. Margaret herinnerde zich het grappige, vaak in zichzelf gekeerde kleine meisje, dat al die buitenschoolse lessen had geaccepteerd die zij had gegeven aan het kind waarvan de ouders geen idee hadden hoe dolgraag het leerde. Al moest ze wel stevig worden aangepakt.

'Ach, waarom ben je niet teruggekomen, schat? De politie heeft jullie alle twee gezocht. Je vader heeft het er een poosje bij laten zitten, maar daarna heeft hij jullie als vermist opgegeven.'

Rose keek haar met volslagen onbegrip aan, haar ogen donker van woede over deze naïeve partijdigheid, en door de plotselinge bitterheid vergat ze alle hoop die ze voor deze ontmoeting had gevoeld. Na al die tijd vitte oma nog steeds op haar.

'U weet het niet, hè?' hoonde ze. 'U weet echt van niets. Natuurlijk wist hij waar mam was! Ze had altijd grapjes gemaakt over waar ze heen zou gaan als ze bij hem wegliep, naar dat hotelletje waar je niet hoeft te betalen... natuurlijk zou hij haar vinden als hij dat wilde, alleen geloof ik dat hij lichamelijk niet helemaal in orde was, ach laat maar. Hoe dan ook, blijkbaar wilde hij haar niet vinden. Hij was op mij uit. En ik dacht dat ik hem had vermoord.'

Margaret kon haar weer niet volgen.

'Je hebt hem ook bijna vermoord,' zei ze streng. 'Hij maakt iedereen horendol met zijn geklets over jou, met zijn gevraag naar jou. Het heeft hem vreemd gemaakt. Je moet hem helpen, Eenie, verlos hem van zijn ellende voordat hij echt gek wordt. Ga een keertje langs. Hij blijft tenslotte je vader.'

'Allemachtig! U heeft geen flauw idee.' Rose nam een flinke slok thee, schudde haar hoofd en vervolgde, meer in zichzelf pratend, zodat Margaret, verdoofd door verbijstering, moeite had om haar te verstaan: 'Ik ben wel twintig keer verhuisd. Ik weet ook niet waarom ik zo dicht bij huis ben gaan wonen. Ik weet niet wat dat is, ik vind het overal vreselijk, maar er is iets... iets wat je terugtrekt naar het bekende.' Ze keek Margaret uitdagend aan. 'Ik verlangde naar mijn moeder. Ik hoopte dat ik mijn moeder zou tegenkomen. Ik verlang elke dag naar mijn moeder. Ik verlangde naar haar.'

'Heb je me daarom na al die tijd geschreven?' vroeg Margaret kleintjes. 'Omdat je behoefte had aan iemand? Aan je moeder? Niet aan mij?'

Het egoïsme van het meisje irriteerde haar; al hield ze door dik en dun van haar, ze voelde zich gekwetst, in de war, onbemind. Tegenover jongeren praatte je nooit over jezelf, je luisterde alleen, omdat ze dat van je verwachtten, alsof jij niets te zeggen had. De ontmoeting leek helemaal niet op het mistige draaiboek dat ze wel tien keer in haar hoofd had afgespeeld: tranen, uitbundige omhelzingen en het ophalen van herinneringen. Het enige wat ze wilde was deze merkwaardige, prikkelbare volwassene strelen en zelf omarmd worden; zich haar kinderlijke liefde en de kloof van verlies en herinneringen daartussenin weer voor de geest roepen. Maar in plaats van zich te herinneren hoe het schoolmeisje Eenie was geweest, liet ze toe dat er een verwijtende ondertoon in haar stem doorklonk.

'Je hebt zijn hart gebroken, Eenie. Eerst je moeder en nu jij. En jullie hebben alle twee mijn hart gebroken. De enige die je hebt is je vader. Hij houdt van je en ik ook.'

Het woord 'houden van' scheen Rose razend te maken.

'Ik heet geen Eenie meer. Heeft pa u verteld wat ik met hem heb gedaan? Vast wel. U heeft het altijd voor hem opgenomen. Ik durf te wedden dat hij het u in tranen heeft verteld, daar is hij altijd goed in geweest. Waarom denkt u dat mam en ik zijn weggelopen? Waarom? Stom oud mens!'

'Sst,' zei Margaret met het schaamrood op de kaken vanwege het rumoer. 'Doe eens zachtjes. Ze horen je.'

'Het kan me niks schelen of ze me horen. Iedereen kan doodvallen. O, verdomme.'

Margaret huilde. Grote, soepachtige tranen trokken riviertjes over haar gepoederde wangen en vielen op het formica tafelblad. Hoofden draaiden zich om. Rose keek boos terug, stak twee vingers in de lucht en leunde toen over de tafel heen.

'Hoor eens, oma, ik bedoelde het niet zo, het spijt me, ik ben gauw aangebrand, dat weet u. Het spijt me, verdorie, nou begin ik ook al.' Ze grabbelde naar een zakdoek, maar het papieren vodje was eindelijk ter ziele, dus gebruikte ze het stijve, niet-meegevende papieren servet. Dat deed haar aan iets denken. 'Niet huilen, oma, ik zal het weer goedmaken. Kijk, ik heb een cadeautje voor u meegebracht.'

'Vier jaar,' mompelde Margaret. 'Vier jaar, en je schreeuwt tegen me.' Met bevende handen pakte ze een papieren draagtas aan en maakte die onhandig open. Talkpoeder in een mooie verpakking, de lekkerste soort, haar lievelingsmerk, vrij prijzig en bewaard voor hoogtijdagen en uitjes. Een verwennerij die ze altijd voor haar verjaardag vroeg en die ze al twintig jaar lang spaarzaam gebruikte.

'Je weet het nog,' zei ze beverig.

'Ik weet alles nog, denk maar niet dat ik iets vergeten ben. Lukt het nu om weer naar huis te gaan?'

Ze keken elkaar hongerig aan. De andere tafeltjes hadden hun gesprekken hervat. De ruzie was afgedaan als gekibbel over een verjaarscadeau.

'Naar huis? Hoezo? Je gaat toch nog niet! Dat kan niet, ik moet je nog zoveel vertellen, alsjeblieft, schat, alsjeblieft... ik maak me zorgen, Eenie, ik ben bang –'

'Niet nu, oma. Meer kan ik niet verdragen. We moeten dit met kleine beetjes tegelijk doen, weet u, en nu moet ik weg.' Het gepoederde gezicht vertrok weer.

'Oma, alstublieft. Ik weet wat. Volgende week, zelfde plaats, om zes uur. Goed?'

'Waarom kom je niet naar mij toe?' Margaret jammerde zacht. 'Ik wacht namelijk op een nieuwe heup, ik ben niet meer zo vlot ter been –'

'Ik kom niet in de buurt van mijn vader, oma. Dat doe ik niet. Vraag me niet waarom, want u wilt het antwoord niet weten. En u mag niets tegen hem zeggen, anders praat ik nooit meer tegen u. Beloofd? U heeft nog nooit een belofte verbroken.'

'Beloofd.'

'Mooi, kom maar. Ik breng u naar de bus.'

Margaret Mellors was verlamd door de kordaatheid van dit alles. Ze zeilden de katapult af de straat op, zonder nog een woord te wisselen. Ze klampte zich beurtelings vast aan haar handtas, de draagtas met het talkpoeder, haar wandelstok en de arm van Rose, terwijl de mensen langs hen heen drongen op weg naar de uitgang. Margaret herhaalde onafgebroken dat het haar speet. De bus verscheen gewillig en onkarakteristiek zodra ze zich in de adembenemende kou buiten begaven. Ze wankelde, merkte dat ze aan boord werd geholpen, hield de reling vast en was niet in staat om te zwaaien met haar handen vol, en dat zou ze zich achteraf blijven herinneren. Rose die haar lachend uitzwaaide totdat de mensenmassa zich om haar heen sloot, en zij, die niet terug had gezwaaid of gelachen. En dat ze er niets van begrepen had.

Agent Michael Michael, nr. 711749, meldde zich zo schoon als een pasgewassen varken voor zijn late dienst. Dit was geen weerspiegeling van het feit dat het vrijdagavondje uit volgens plan was verlopen, of dat hij zich wentelde in welbehagen. Het betekende eenvoudig dat hij meer tijd had gehad dan hij wellicht zou hebben gehad als alle wensen de avond ervoor in vervulling waren gegaan. Hij had zijn meisje naar haar flat gebracht in plaats van naar de zijne, om één uur, wat betekende dat hij de volgende morgen naar de training in de sportzaal was gegaan en daarnaast nog tijd over had gehad voor zijn huishoudelijke beslommeringen en dergelijke. Zijn moeder zou trots zijn op wat hij vrijdag in een uurtje had gedaan, maar misschien niet op de gedachten die door zijn hoofd hadden gespeeld. Wacht tot je een geschikt meisje vindt, jongen, voordat je haar binnenlaat. Wacht tot je de liefde vindt en grijp die dan, had zijn moeder gezegd. Nou, hij had niet gewacht, in maagdelijke zin, maar hij was zich ook niet bepaald te buiten gegaan aan wilde vrouwen en whisky. Sparen en boksen hadden hem voor veel behoed, en hij meende dat hij in Rose de ware liefde had gevonden, een ontredderde prachtmeid met een slechte reputatie, die hem door het lot was toebedeeld. Maar hij besefte nu pas hoe broos en gecompliceerd een liefde in de dop kon zijn. Geen wonder dat ma had gezegd: wachten. Ze probeerde alleen zijn overleving te verzekeren.

Zijn moeder was een wilde geweest, dus zijn vader, die bij de politie zat, had, nauwelijks minder wild, zijn toevlucht genomen tot heimelijke bewondering. Het had haar er niet van weerhouden geweldig te zijn, het onderwerp van afgunst van andere mannen, evenals van andere zoons, en daardoor dacht Michael het verschil te weten tussen wat er echt was aan een meisje en wat show was, maar dat nam niet weg dat hij zich afvroeg waarom het allemaal zo moeilijk was.

De late dienst op zaterdagmiddag had niets te doen, stil en gemelijk. Geen voetbal, geen grote gebeurtenissen voor de politie, geen omvangrijke verkeersopstoppingen, in feite viel er helemaal niets te lachen. Zelfs winkeldieven lieten zich door de kou afschrikken, hoewel er vast wel ergens iemand iets stal of thuis de boel op stelten zette na het zaterdagse borreluurtje rond het middageten en dankzij het door de koude opgelegde huiselijke samenzijn. Voor de verandering was er voldoende tijd voor een vriendschappelijke babbel in de door hun drieën bemande surveillancewagen. Gelegenheid voor een praatje of voor een plagerij, wat zich ook maar het eerst aandiende. Sinds gisteren deden er voortdurend geruchten de ronde over Williams en Logo. Aangezien ze hem op het appèl bijna hadden zien huilen, moest Williams zijn best doen om zijn imago op te krikken. Hij probeerde het zo goed mogelijk.

'Heb je gisteren dat gevecht gezien?' informeerde Williams in het kleedlokaal. 'Zag je hoe die vent in de derde ronde op zijn donder kreeg? Bam!' Hij maakte schijnbewegingen naar de deur van zijn kleedkast. 'Bam! En toen ging hij neer! Maar hij was niet echt uitgeschakeld, snap je? Dus hij staat op en die andere vent slaat hem zo tussen zijn ogen, en toen ging hij echt neer...' Williams danste om de open deur heen en trok een gekreukeld jasje uit de kast. Er viel een stilte in het lokaal, de stilte van mannen die ervan balen dat ze in het weekeinde moeten werken, tegenover een jongen die zo nodig iets moet bewijzen. Michael slenterde naar Williams kast. 'Mag ik een paar handschoenen van je lenen, Paul? Ik heb de mijne thuis laten liggen.'

Het was een excuus om in de kast te kijken. Williams was te naïef om te reageren, totdat hij merkte hoe nadrukkelijk Michael zijn kast inspecteerde. Toen sloeg hij de deur dicht. 'Sorry, ik heb geen handschoenen.' Hij liep weg, luid neuriënd, maar pas nadat Michael een venijnig ogend paar handboeien had zien liggen, een lang dolkmes en twee gummiknuppels, één meer dan toegestaan en twee meer dan híj bij zich had. Plus een hoop troep. Michael schudde zijn hoofd en liep door. Plotseling voelde hij een walgend soort medelijden voor de angstige Williams. Gisteravond had Logo hém nog halfdood laten schrikken. Hij wilde dat hij meer begrip had opgebracht, minder scherp tegen de man had gedaan waar Rose bij was. Liefde was even broos als rook, maar zijn uniform was tenminste duurzaam.

Toen Williams naar het appèl paradeerde en met zijn schouders naar achteren opzichtig in de houding stond, naar links en rechts grijnzend alsof hij zich daarmee van acceptatie verzekerde, dacht de brigadier bij zichzelf dat hij een vervelende kwal was die een hoge dunk van zichzelf had. Williams keek naar Michael om zijn visie bevestigd te zien, maar Michael weigerde terug te kijken.

'Wilde je iets zeggen, Michael?'

'Nee, chef.'

'Willen jullie dan even stil blijven staan?' De irritatie, gericht tegen één man, trof hen allen. Michael voelde een vluchtige bitterheid opkomen jegens alle mores die hem omgaf. Hij zou Williams de kans moeten geven zijn illegale waren te lozen, voordat hij een inspectie van de kleedkasten zou voorstellen. De hele rataplan, hoewel hij geen enkel respect voor die stommeling had.

Hun geduld raakte op terwijl de auto van hoek naar hoek scheurde. Het zou een middag vol grapjes kunnen zijn geweest nu de grijze lucht door de ruiten knipoogde en ze gevrijwaard waren van elke stilte afdwingende, ingewanden samenknijpende paniek. Ze waren met Singh, een bedaarde agent met twee jaar ervaring die wel van een grapje hield, Michael, met meer dan vijf jaar op de klok, die onbedaarlijk kon lachen, en Williams die op de een of andere manier de atmosfeer bedierf en met plagen begon.

'Vrij jij nog steeds met die meid, Mick?'

Michael vond het vreselijk om Mick genoemd te worden. Mick was de bijnaam voor een Ierse vandaal uit een achterbuurt.

'Welk meisje bedoel je, Will?'

'Ooo, moet je hem horen! Wie was er het eerst bij, afgezien van het halve korps? Wie heb je meegenomen om achter haar adres te komen?' Dat had Michael vaak betreurd. 'Heeft ze je al binnengelaten, als je begrijpt wat ik bedoel? Jij doet je mond niet open, hè? Je gaat je gang maar.'

Met hoge snelheid schoten ze de hoek om, Michael reed alsof de auto gestolen was, zodat Williams omviel op de achterbank. Hij kwam overeind, boog zich voorover en tikte de stevige Singh op zijn schouder.

'Heb je het al gehoord? Onze Mick vrijt met de grootste sloerie aller tijden. Hij heeft graag een vrouwtje met een beetje ervaring, snap je wel? Om goed raak te kunnen schieten!'

Uit de radio kraakte een betekenisloos bericht, een korte onderbreking. Michaels rug was breder dan die van de meesten, maar hij kookte van woede. Het trof een gevoelige snaar, omdat hij had bedacht dat hij misschien eerder in zijn korte, vurige en tot dusverre celibataire relatie met Rose had moeten bedenken dat zij een even kwellende lading kon hebben als een anoniem pakje dat na een bommelding tussen een mensenmassa op een station was achtergelaten. Al die angst gisteravond, al dat gepraat over gevolgd worden. Al die moeilijkheden die hem te wachten stonden, al die vermoede maar ongeziene klippen, zijn schaamte omdat hij zich afvroeg of ze het wel waard was en of hij wel de moed had om het hoofd te bieden aan een meisje dat half engel, half puinhoop was.

'Vooruit, Mick, zeg op. Hoe is ze?'

'Dat zou jij moeten weten,' zei hij rustig. En trapte keihard op de rem. 'Maar ik durf erom te wedden dat je het niet weet. Dat is dan mijn voorrecht.' Op hetzelfde moment dat hij de open deur van een leegstaand, vervallen huis ontdekte in een straat met meer van dat soort panden, had Michael een besluit genomen en dat pepte hem enorm op, zoals vlak voor een gevecht. Natuurlijk durfde hij het. Natuurlijk zou hij vanavond weer naar Rose gaan. Natuurlijk zou hij wachten, hoe lang het ook zou duren, om in haar binnenste door te dringen en de dingen beter te maken. Zoals zijn vader met zijn moeder. En als het niet werkte, jammer, maar dan had hij het in elk geval geprobeerd.

'Will, stap eens uit om te kijken wat er mis is met dat pandje. Zo zag het er gisteren nog niet uit. Het lijkt wel of er is ingebroken. Vooruit, stap uit en ga kijken.'

'En jullie dan?'

'Stap nou maar uit. Ik keer de auto vast.' Williams stapte fluitend uit en slenterde naar de kapotte deur. Michael scheurde de straat uit.

'Lozen we hem?' vroeg Singh hoopvol. Michael grinnikte. Het opgewekte gevoel dat sinds zijn beslissing bezit van hem had genomen, werkte aanstekelijk.

'Zoals ik al zei, ik keer de wagen. Langzaam.'

Toen ze terugkwamen stond Williams zakelijk voor het huis.

'Moeten we contact opnemen met de eigenaar? Er is niemand.'

Michael gluurde de donkere vestibule in van een oud rijtjeshuis. Een huisje van de gemeente, dat allang op renovatie wachtte. 'Heb je binnen gekeken?' vroeg hij. 'Krakers? Heeft er iemand leidingen of schoorsteenmantels gejat?' Op het moment dat hij dit vroeg wist hij dat de vraag zinloos was, omdat Williams niet meer dan enkele passen in het huis zou hebben gezet, uit angst voor het donkere trapgat en eventuele lieden die zich er ophielden, en omdat de stomme idioot, ondanks de uitrusting in zijn kledingkast, geen zaklantaarn bij zich had. Michael haalde zijn eigen zaklantaarn van zijn riem en beende het huis in zonder op een antwoord te wachten. Singh volgde. Williams kwam als laatste.

'Er is hier niemand,' zei hij slapjes. 'Dat weet ik zeker.'

De insluipers waren allang weg. Het stof dwarrelde voor Michaels ogen op in het zwakke licht dat door een smerig raam boven aan de trap viel. De trapleuningen waren weggehaald, er resteerden her en der treden met flarden vloerbedekking. Hij scheen met zijn zaklantaarn in de lege woonkamer; rechts was de lelijke, twintig jaar oude schoorsteenmantel nog intact. In de keuken achter zou een granieten aanrecht kunnen zijn ontvreemd, bedacht hij, hij kende de indeling van de huizen in deze achterbuurt als zijn broekzak. Geen granieten aanrechtblad, en evenmin koperen leidingen, wel een geur van katten en muizen. Alles wat hergebruikt kon worden was verdwenen. Michael keerde op zijn schreden terug en ging naar boven, zijn voeten behoedzaam op de treden plaatsend die onder zijn gewicht kraakten. Een of andere paal belemmerde hem de toegang tot de badkamerdeur en hij duwde het ding opzij, zich voorstellend dat hij het getik van de houtworm kon horen. Wacht maar tot hij Rose hierover vertelde. Rose, zou hij zeggen, ik heb ons droomhuis gevonden... en ze zouden erom lachen. Hij scheen met zijn lantaarn in de ruimte waar het daglicht werd buitengesloten door gordijnen die voor een klein raam waren dichtgetrokken, het bad was verdwenen, de wastafel hing er nog. Heus, schat, zou hij zeggen, een juweeltje van een huis. Michael hurkte ijverig neer om te kijken of de sloop recent was geschied, speurend naar tekens in het stof, zoals voetstappen in de woestijn, en toen stortte de kamer met een dreun in, boven op hem.

Iets ter grootte van een treinstel raakte Michael tegen zijn slaap, waardoor hij op de grond viel en het pleisterwerk in scherpe en stompe brokstukken op hem neerregende, terwijl hij niets méér registreerde dan een vage verrassing en geen pijn. En toen hoorde hij verdoofd, maar bij bewustzijn, voetstappen de trap opkomen, geschreeuw en gevloek, en zag hij zijn zaklamp, die uit zijn hand was gegleden, een zinloze lichtstraal in een hoek werpen. Nog meer lawaai, harder; daarna een stilte vol beelden en een rode gloed achter zijn oogleden.

Glashelder dacht hij: nu mis ik het boksen volgende week, het kampioenschap, is dat een opluchting of niet? Nu mis ik Rose morgenavond.

'Ik wilde dat ik wist waar Rose Darvey woonde,' zei Helen tegen Geoffrey Bailey, staande in de deuropening van zijn keuken, vluchtig de functionele aard van alles wat ze zag bewonderend, inclusief hemzelf. De vijandelijkheden waren niet hervat, maar de ochtendslaap was verstoord, toegegeven, laat in de morgen, door een telefoontje voor Helen. Bailey had opgenomen: een man met een idiote naam, Dinsdale of zoiets. 'Hij klinkt hartstochtelijk,' zei hij zuur, naar haar blos kijkend terwijl hij haar de hoorn overhandigde, een heel lichte blos weliswaar, maar toch een blos op het bleke, onopgemaakte gezicht dat Dinsdale nooit zag. 'Is hij zijn tandenborstel vergeten?' mimiekte Bailey toen ze hem haar rug toekeerde en de hoorn tegen haar schouder drukte. Ze negeerde hem. 'Nee,' zei ze. 'Het spijt me, ik ben het hele weekeinde bezet,' zonder te specificeren waarmee. 'Dat zou leuk zijn geweest,' zei ze tegen de stem aan de telefoon, die Bailey na-aapte. Zou ik wellicht even kunnen spreken met...? *Aerdig*, heel *aerdig*. Op Bramshill praatte niemand zo. Hij vroeg zich af hoeveel van het gesprek voor hem was bedoeld en hoeveel voor de man die klaarblijkelijk haar onverdeelde aandacht verlangde. Ze had het nog nooit over een zekere Dinsdale gehad, wat op zichzelf al verdacht was, omdat ze eindeloos kon leuteren over iedereen die zij kenden, vooral als ze in de nesten zaten. Misschien vormde Dinsdale zelf het probleem. Bailey maande zichzelf dat hij moest onthouden dat Helen geen spelletjes speelde, maar per slot was hij politieman en wist hij dat echt voorspelbaar gedrag niet bestond. Het telefoontje kwam niet meer ter sprake. Een van Baileys taken, zowel publiek als privé, was het handhaven en koesteren van de vrede.

Er was enig banaal gedoe geweest over naar mijn flat komen, de nagalm van een liedje dat hij zich herinnerde en zij niet, maar ze was vandaag gemakkelijk te plezieren. De wapenstilstand die stabiel scheen, was bijna verbroken toen ze zijn bagage in haar auto opzij had geschoven en een paar van haar dossiers ernaast had gelegd, en leek iets brozer te worden toen hij erop stond naar de supermarkt en de stomerij te gaan, en was bijna verscheurd door de onheilspellende stilte die haar rijgedrag bij hem opriep. Maar hij had stalen zenuwen; hij had wel naast slechtere chauffeurs gezeten en zij wíst tenminste dat ze slecht reed. 's Middags gingen ze weer naar bed. Om het huis in te wijden, zei hij. 's Avonds nam hij het koken op zich. Zij las een aantal van haar verdomde dossiers, om de zondag minder deprimerend te maken, zei ze, en na een poosje kwam ze in de opening van de keukendeur staan.

'Rose Darvey? O, dat meisje van kantoor over wie je hebt verteld.' Hij vergat nooit een naam of een anekdote. 'Waarom wil je haar adres? Ze zal het je niet in dank afnemen als je haar op zaterdagavond belt.'

'Het is gewoon een gevoel. Ten eerste weet ik dat ze eenzaam zal zijn. Tenzij haar geliefde Michael bij haar is, natuurlijk, maar van hem koestert ze zulke gigantische verwachtingen, dat hij misschien niet de heilige Christoffel zal blijken te zijn. Ik krijg geen hoogte van haar. Ze is vrouw en kind tegelijk, heel gesloten. Door de wol geverfd en kinderlijk. Geen ouders. Ik moest gewoon aan haar denken.'

'Je zei ten eerste. En ten tweede?'

Ze keek wezenloos, gebiologeerd door zijn activiteiten.

'De tweede reden dat je haar wilde spreken?'

'O, dat. Ik heb de juiste dossiers niet. Of er is iets misgegaan. Ik zag in mijn agenda voor maandag een verdaging staan, bij dezelfde rechtbank, ik wilde hem nog een keer laten voorkomen omdat ik die rotzak wil grijpen.' Ze stoof naar voren en pakte een olijf van het aanrechtblad van de schone keuken.

'Ho, ho,' zei hij, haar met een gemeen ogend mes verdrijvend.

'Maar het zit er niet bij. Ik vertelde toch dat we vrijdag samen hebben gespijbeld, maar daarna ben ik teruggegaan om mijn papieren op te halen. Dat dossier staat niet op de rol en ik heb het ook niet bij me.'

'Laat zitten. Morgen is vroeg genoeg. We kunnen naar dat verdomde kantoor gaan om het te controleren. Maak die wijn eens open als je wilt. Misschien is de gedaagde wel dood.'

'Ha, ha,' zei ze. 'Vette kans. Dronken chauffeurs sterven niet, was dat maar zo. Wat ben je in vredesnaam aan het maken?'

Het bevredigende geluid van een losschietende wijnkurk klonk. 'Ooo,' zei Helen, toen ze haar blik over het opengeslagen kookboek liet glijden. De bladzijde was reeds besmeurd met de voorbereidingen. Bailey kon goed koken. Iets wat je leert als je de recepten volgt en de moeite neemt om alle ingrediënten te kopen, zonder er iets anders voor in de plaats te nemen om jezelf honderd meter lopen te besparen.

'Eén kip van circa twee kilo, twee grote paprika's, één chorizoworst-je, honderd gram basmatirijst, zongedroogde tomaten in olie, witte wijn, knoflook, vijfenzeventig gram ontpitte zwarte olijven, sorry, er is nog maar vijfentwintig gram over,' voegde ze er met volle mond aan toe, 'cayennepeper, drieduizend andere ingrediënten. Is dat alles, meen je dat? Hoe zit het met de gootsteen? Een vleermuizenoor en een pad-denoog? Wat moet je doen, afgezien van braden en hakken en sauteren en doormekaar husselen en wachten tot sint-juttemis?'

'Opeten,' zei hij, 'over een uurtje. En doe niet zo badinerend over huishoudelijke zaken. Vooral niet wanneer het koken betreft.'

Ze bleef staan met een fles wijn in haar ene en een olijfpit in haar andere hand en knikte.

'Ja, ik geloof dat ik inderdaad badinerend doe. Ik bedoel het niet zo, maar ik doe het wel. Dat moet irritant zijn. Terwijl ik weet dat ik de kip liever gebraden heb, zou ik als je het aan mij overliet, waarschijn-lijk eerst de olijven verorberen en daarna de kip op brood eten.'

'Je geeft je beoordelingsfouten altijd toe,' zei hij, de klep van de oven opentrekkend, 'om je vrij te pleiten en een excuus te hebben om precies zo door te gaan als eerst. Een beetje zoals een katholiek te biecht gaat. Hoe lang moet de kip braden volgens het recept? Als je jezelf tot lezen kunt bewegen.'

'Geoffrey,' zei ze, nog steeds tegen de deurlijst geleund. Alle ge-sprekken verliepen uitstekend, totdat een van beiden ging zitten, lo-pend waren ze beter. 'Weet je nog dat ik over mijn dagje winkelen met Rose Darvey vertelde? We liepen elkaar per ongeluk tegen het lijf in een geboorteregelingskliniek.' De ovendeur sloeg met een smak achter het magnifieke gevogelte dicht. 'En?' zei Bailey op gelijkmatige toon, bedrijvig.

'En niets.'

Met zijn rug naar haar toegekeerd veegde hij zijn handen zorgvuldig aan een theedoek af, alvorens zich om te draaien. Zijn stem scheen ergens vanuit de gootsteen te komen, en ze hoorde hem op een afstand, die werd veroorzaakt door haar goed onderdrukte doffe ellende, haar teleurstelling en worsteling om niet te huilen, die hun stempel op de hele week hadden gedrukt.

'Ik moet morgenavond terug naar cursus. Volgens mij hebben we nog vierentwintig uur.'

'Zo lang nog?' zei Helen, die het liefst in huilen zou uitbarsten en hoopte dat hij dat zou merken. 'Echt zo lang nog?'

Het lopen ging Margaret nog moeilijker af dan anders. Het was alsof de pijn van haar emoties zich naar haar benen had verplaatst en haar trager maakte. Toen ze naar huis liep, na door de bus te zijn uitgebraakt, was het slechts de ingewortelde kracht van de beleefde betrokkenheid die haar bij Sylvie's huis deed stilstaan om naar de oma te informeren. Het gevoel van mislukking werd nog versterkt door de aanwezigheid van een haar onbekende jonge vrouw, die Sylvie in de keuken probeerde te laten eten. Sylvie krijste en schopte. 'Ik wil met Mags mee!' gilde ze, maar dat schonk haar geen bevrediging, ze zei het zuiver voor de show. De ouders waren weg. De oude dame was overleden, fluisterde de vrouw, er was een hoop te doen. Margaret bood haar hulp en condoleances aan, en trok zich terug.

Geen spoor van Logo, maar ze wist dat hij er was. Ze wilde dat hij op haar deur klopte, maar toch ook weer niet. Ze moest er niet aan denken om hem voor te moeten liegen, maar ze snakte naar gezelschap, naar een praatje. De afspraak met Eenie had de belofte aan een oplossing van haar eenzaamheid ingehouden, maar had die uiteindelijk alleen maar bevestigd. Margaret deed haar deur stevig op slot. Later meende ze het gerommel van zijn bezemkar in de steeg te horen, maar of hij nu thuiskwam of wegging, ze wist het niet. Tegen die tijd was ze al gehuld in haar warmste nachtpon en het rijkelijk opgebrachte, luxueuze talkpoeder. Meer kon ze niet doen om zichzelf te troosten.

Logo zat in zijn slaapkamer en speelde zijn schaduwspel. Zijn spiegelbeeld, dat een pafferig, paars gezicht liet zien, vertelde hem dat hij ziek was; zijn taaie gestel zei hem van niet. Hij wist niet wat hij moest geloven. Hij kon nog steeds niet zingen, maar hij kon wel een soort van triomfantelijk gekras en gejank voortbrengen.

Hij had haar gezien en was weggejaagd als een vos bij de kippen. Hij had zijn kind Eenie gezien, fantasievol vernoemd naar de Ena Harkness-roos die zijn vrouw een keer, zoals gebruikelijk zonder succes, in de achtertuin had gepoot. Ze hadden haar gewoon Rose moeten noemen. 'Eenie' was algauw Enid geworden op school. Het was een lelijke naam, maar op de een of andere manier had ze hem gehouden, terwijl ze zelf steeds mooier werd. Een lenige, soepele kleine meid met een kontje als een perzik en de lange benen van een veulen en een prachtige bos haar. Op momenten dat haar moeder haar haren kamde en het kind een ogenblik gebiologeerd door de aanraking stilstond, had Logo ademloos toegekeken, totdat de betovering werd verbroken doordat ze zich ongedurig onder haar moeders handen uit wrong. Hij had gekeken naar het lichaampje dat zich kronkelend en sierlijk loswurmde: genoeg, mammie, ik heb lang genoeg stilgestaan. En toen mammie steeds vaker uit begon te gaan, omdat ze genoeg kreeg van het kind en het kind van haar, speelden Logo en zijn dochtertje samen. Schaduwspel, terwijl zij gilde en kraaide van plezier.

Eerst alleen maar het schaduwspel. En daarna volgden steeds minder verrukte kreetjes, totdat ze helemaal stil was.

9

De bewaker liet Bailey op zondagmiddag in Helens kantoor binnen op het vluchtige vertoon van zijn politiepas en Helen knikte hij door bij het zien van een plastic kaartje dat kennelijk de juiste kleur had. 'Je had hem net zo goed je buskaart kunnen tonen,' zei Bailey, vol bewondering maar ontzet. 'Het is hier even veilig als op een voetbalveld.'

'Of in een gekkenhuis.'

'Nee, veel erger.'

'Zeg maar niets,' zei Helen. 'Iedereen denkt dat het hier veilig is. Dat komt door die hekken.'

Geen dossier, en geen computerregistratie van een dossier, nadat Bailey de weg op het scherm had gevonden. Geen teken van kopiedossiers in het keurige handschrift van Rose. Helen keek in het opengeslagen boek waarin van iedereen het adres en telefoonnummer stond. Dat van Rose was doorgestreept. 'Ze is wel een beetje terughoudend, hè?' merkte Bailey mild op. Helen ging meteen in de verdediging.

'Nou en? Daar heeft ze misschien een goede reden voor, het arme kind. Misschien heeft ze geen telefoon.'

'Alle tieners hebben telefoon. Ze leven via de telefoon.'

Helen luisterde niet. 'Nu moet ik nog een keer om verdaging vragen. Tenzij de rechtbank de datum heeft veranderd, maar dat verklaart nog steeds niet waarom alles hier verdwenen is. Ik zou in de kelder kunnen kijken, maar ik weet niet waar ik moet zoeken, al die papieren...'

'Je zei dat dit maar één van de vierentwintig uren in beslag zou nemen,' wees Bailey haar in alle redelijkheid terecht. 'Tot dusverre heeft het tweeënhalf uur gekost. Vooruit, jullie verliezen constant zaken. Daar moet je onderhand aan gewend zijn.'

'Nee.'

In haar stem klonk een scherpte waaraan hij een hekel had. 'Op een eerlijke manier voor de rechtbank verliezen is iets heel anders dan verliezen door nalatigheid. Laten we naar huis gaan. Naar jou of naar mij?'

'Naar mij. Ryan haalt me straks op.'

Ze grijnsde verontschuldigend. 'Mooi zo, dan kunnen we dus iets drinken. Met een biefstuk erbij, voor de verandering.'

Niet perfect, maar functionerend als team. Dit keer wilde ze niet dat hij wegging. En hij ook niet. Geen van beiden zei het.

En op maandag deden de kordaatheid en het ongeduld weer opgeld. Omdat Helen West talloze malen overredender was dan haar jongere collega John Riley, slaagde ze erin de zaak van de chauffeur onder invloed zonder dossier twee weken te verdagen. Aan de boze uitdrukking op het gezicht van de gedaagde toen hij de beklaagdenbank verliet, was ze wel gewend en ze had er misschien zelfs sympathie voor kunnen opbrengen, als hij daarvóór tenminste niet zo ongelooflijk zelfvoldaan had gekeken. Er klopte iets niet, er zat een luchtje aan, dat werd opgesnoven maar niet vergeten, weggestopt tijdens de daaropvolgende consternatie. Twee dieven, vier inbrekers en één verkrachter die ter rechtszitting moesten verschijnen, een groepje voetbalvandalen wegens ongeregeldheden, vijf plaatselijke vechtjassen die onder toezicht werden geplaatst, drie woordenwisselingen tussen de aanklager en de griffier, één met de rechter, maar niet één met de verdediging, en Helen stond buiten, in galop terug naar kantoor. De trap op rennend met haar kleurige jas fladderend over begrafeniszwart, onbewust elegant en bewust ongeduldig met alles en iedereen. Op een goede dag kon Helen West bergen verzetten. Op een slechte dag blies ze tunnels op met zichzelf erin.

Van Rose geen teken van leven. Ze is ziek thuis, zei iemand, ze had hoestend opgebeld. Helen schonk er geen aandacht aan en hoopte alleen dat Rose niet echt ziek was, maar een heerlijke tijd met Michael had. Haar eigen arbeidsethiek had onlangs een deuk opgelopen, ze ging niet iemand met zo'n mager salaris op haar gemoed werken. Er was ook een flinke afleiding. Een mededeling op elk bureau. Alle officieren moest om vier uur vanmiddag bij Redwood op kantoor komen. Helen ging op zoek naar Dinsdale, louter voor de uitwerking die zijn glimlach op haar had.

'Paniekaanvallen,' zei hij lui met zijn eigen gefotokopieerde mededeling wuivend. 'Die heeft hij nu eenmaal op maandag.'

'Waar gaat dit over? Hij heeft een hekel aan vergaderen.'

'Wie niet? Het gaat over ontbrekende zaken. Zoiets in elk geval. Heb je gehoord van het debacle van de arme Riley, vorige week? Nee, vast niet, jij was er vrijdag niet.' Hij zei het neutraal, maar bezorgde haar desondanks het gevoel een dissident te zijn die zijn familie in de steek had gelaten. 'Ik heb het hem vrijdagavond gemeld, wat hij trouwens van harte negeerde, maar er is herrie over geschopt. Niet door het OM of de politie, haast ik eraan toe te voegen. Alleen door de advocaat die was ingehuurd om de dronken chauffeur van Riley bij te staan, maar die door zijn cliënt voor de laatste hoorzitting aan de kant was gezet, omdat het volgens de cliënt, en nu citeer ik, "allemaal geregeld was". De advocaat was woedend over het verlies van zijn honorarium. Hij wil weten of het inderdaad "geregeld" was. Hij golft bij dezelfde club als Redwood. Daar gaat het allemaal over.'

'Over rijden met een slok op?'

'Nee, over een chique golfclub.'

'Waar gaat deze vergadering dan over? Over een uitbreiding van het aantal holes?'

'Zoiets,' mompelde Dinsdale, terwijl ze in de richting van Redwoods kamer slenterden. 'Sorry voor dat telefoontje van het weekeinde, trouwens. Ik neem aan dat je partner terug was.'

Dinsdale kreeg haar altijd aan het blozen. Evenals het noemen van Baileys naam.

'Jammer,' zei ze luchtig. 'Een andere keer, als je harem je tenminste laat gaan.'

De deur van Redwoods kamer stond open, de vergadering was al begonnen. Dit is mijn leven, dacht Helen, mocht ik ooit vooruit willen komen. Succes zal af te meten zijn aan mijn status wegens het goed functioneren op vergaderingen, het volgen van cursussen, het om de tuin leiden van benoemingscommissies. Het heeft, evenals Redwoods promotie, niets te maken met de vraag of je een goed jurist bent of je verstand weet te gebruiken. Het heeft er niets mee te maken of je je uitslooft voor het recht, dagen op je knieën doorbrengt met het verzamelen van dossiers. Ze keek de kamer rond naar de anderen, op zoek naar een spiegel voor haar frustraties van alledag. Het stel waterspuwers zag er gedwee en verwachtingsvol uit. Het optimisme straalde van hun gezichtjes af, behalve van dat van Dinsdale, die de serene blik had van de respectvolle, altijd geamuseerde, altijd afstandelijke cynicus. Redwood keek alsof hij op het punt stond een heksenjacht te ontketenen. Normaal dus.

'Het is mij ter ore gekomen,' begon hij gewichtig, 'dat er dossiers zoekraken op dit kantoor.'

Deze openingszin werd begroet met hilariteit, sommigen lachten luid, anderen gesmoord. Zoekgeraakte dossiers, verloren zaken en oorzaken, en voor schut gaan was niet bepaald nieuws. Het had misschien grappig kunnen zijn als hij er niet zo onheilspellend bij had gekeken. Het lachen stierf weg. Wat ben jij een minkukel, dacht Helen, die zelf het hardst had geschaterd. Redwood hief zijn hand op als een dominee die iets in zijn preek wil onderstrepen, wat zowel een zegenend als een vervloekend gebaar kon zijn.

'Wees stil. Gedragen jullie je ook zo bij de rechtbank?'

Het is langgeleden dat jij bij de rechtbank bent geweest, baas, we lachen ons suf.

'Er heeft iemand met de computer zitten stoeien...' Opnieuw gesmoord gelach. Het klonk onzedelijk.

'...en er belangrijke gegevens uitgehaald,' vervolgde hij. 'Er schijnen ongeveer tien zaken verwijderd te zijn, met boze opzet.'

'Het bewijs?' Dinsdales rustige en belangstellende stem. 'Wijst het bewijsmateriaal in de richting van een schuldige?'

Redwood wierp hem een betekenisvolle blik van man tot man toe.

'Ja, meneer Cotton, daar hebben we ons een goede voorstelling van kunnen maken, zuiver uit voorlopig onderzoek, haast ik eraan toe te voegen. Er is vandaag één persoon absent, de enige vandaag. Vanzelfsprekend is het administratieve personeel niet op deze vergadering aanwezig, zij krijgen hun eigen vergadering, en ik denk dat we weten wie het is... De reden, afgezien van een soort van wraak, moet nog worden uitgezocht. Het is duidelijk dat we het niet aan de mensen kunnen vragen die zijn vrijgepleit en we willen de politie er niet bij halen, omdat die in deze omstandigheden slechts is gemachtigd tot het inzamelen van vrijwillige reacties...'

'Toch moet je het proberen. Ook al is het volkomen vertrouwelijk, je moet het proberen. Ik wil wel een poging wagen, als u wilt.' De stem van Helen. Riley knikte. Hij dacht aan zijn eigen dronken chauffeur van vorige week, de zelfingenomenheid van de man. Helen dacht aan die van haar van die ochtend. Omkoping en corruptie? Een vergissing? Redwood denkt dat hij weet wie het is. Zij wist in een flits hoe deze vergadering zou verlopen.

'Ik heb jullie bijeengeroepen,' zei Redwood, 'om te praten over alternatieve methoden om dossiers bij te houden. Er zijn nieuwe formulieren in voorbereiding, die elke week bij mij worden ingeleverd. Met je agenda erop.'

Helen herinnerde zich dat ze hem op een late vrijdagavond in bureaus had zien snuffelen. Ze merkte dat ze opstond.

'U denkt blijkbaar dat Rose de schuldige is?'

'...Zij is vandaag absent en vrijdag was ze er ook niet, ze weigert haar adres door te geven... kan met het apparaat omgaan, brengt veel tijd in de kelder door...' Redwood bracht het als een litanie.

'En behoort tot de laagstbetaalden en degenen die het gemakkelijkst zijn te ontslaan, dus dat komt goed uit, nietwaar?' schreeuwde Helen. De anderen schoven opgelaten op hun stoelen heen en weer. Redwood schreeuwde terug.

'Zij is de enige die tot laat doorwerkt. De enige die – '

'Een gedragsprobleem heeft? Klopt.' Haar stem was een octaaf gezakt: Redwood voelde kortstondige opluchting. Toen steeg hij weer, niet zo hoog als eerst, maar hij steeg wel. 'Hoe zit het met haar notitieboeken?'

'Welke notitieboeken?'

'Weet u dat niet? Die behoren tot het soort dingen die u vrijdag 's avonds verzamelt als u aan het opruimen bent.' Dat was een duidelijke hint. Redwood was zo verstandig er het zwijgen toe te doen. 'Hoe het ook zij,' vervolgde Helen, 'iedereen kan hier zomaar binnenwandelen. Gisteren liep mijn vriend hier nog naar binnen, net als ik, gewoon door met een plastic pasje te zwaaien, iedereen weet hoe eenvoudig dat is, behalve u. En Rose heeft het niet gedaan. Mocht er al een persoon in het spel zijn.'

Helen ging zitten om zich op te laden. Ze was nog niet klaar. Dinsdale keek ongemakkelijk. 'Hou je kalm,' mompelde hij in haar oor. De nabijheid van zijn schouder was verontrustend publiek. 'Hoezo kalm?' siste ze, terugdeinzend voor zijn voorbehoud. Het enige wat ze nu opmerkte waren zijn volmaakte handen waardoor ze niet tegengehouden wenste te worden.

In de kamer, met zijn tocht en vensters tot op de vloer, was van alles te zien en te horen. De wind buiten, die allerlei voorwerpen binnen liet rammelen, het gedempte gegons van ontstelde conversatie, Helens rode wangen, Redwoods plotselinge, publieke bleekheid. Dus dat waren het, die notitieboekjes in de onderste la links, vlak naast zijn voeten. Hij kon er geen kant mee op. Hij had ze vrijdagavond op zijn rondgang vergaard, zonder enig benul van hun belang.

'Goed,' zei Helen verzoenend maar dreigend. 'Geen vergadering met het administratief personeel, geen tegels lichten zonder bewijzen, oké? En als er echt de indruk bestaat van kwade praktijken, kan de politie ons net zo ondervragen als de anderen. En geen extra formulieren om de slechte beveiliging goed te praten, oké? We verdrinken nu al in het papier.'

'Hartelijk dank,' zei Redwood ijzig. 'Tenzij er nog andere opmerkingen zijn, stel ik voor dat we deze vergadering over een dag of twee voortzetten...'

Er waren andere opmerkingen. Er was een koor van klachten, aantekeningen werden vergeleken, er werd een stem van vertrouwen aan de stekelige Rose Darvey gegeven, die hen allen met dezelfde botheid behandelde en haar werk voor hen goed deed.

Dinsdale was stil, ogenschijnlijk amuseerde hij zich kostelijk. Helen merkte dat ze geïrriteerd was, het enige wat hij deed was achteroverleunen met een elegante hand aan zijn zijden stropdas. Gewoontegetrouw kwam er niets uit de vergadering: geen algemeen plan, geen conclusies, niets, behalve een verdaging van een week en de belofte dat ze hun mond zouden houden. En Redwood ging akkoord met het voorstel dat Helen West Rose Darvey tot de volgende vergadering onder haar hoede zou nemen.

'Die man,' zei ze, weglopend met Dinsdale, 'moet een bordje op zijn deur hangen waarop hij je verzoekt aan te kloppen, zodat hij de tijd heeft om in een kast te duiken voor het geval je hem vraagt een beslissing te nemen.'

'Kun jij het beter?' vroeg Dinsdale luchtig.

'Nee, waarschijnlijk niet,' zei Helen opgewekt. 'Maar wel anders.'

Een dergelijke opgewektheid was meestal een reactie op woede. Het maakte Bailey altijd intens wantrouwig.

Helen betrad achteloos de kamer van het administratieve personeel. Ze voelden zich slecht op hun gemak en verwachtten het ergste, maar haar grijnzende verschijning stelde hen gerust.

'Weet iemand van jullie het adres van Rose? Ik wilde haar een bloemetje sturen.'

Een van hen slaakte een kreetje van verbazing; bloemen voor Rose, na wat ze had gezegd, maar nee, ze wisten het niet. Ze wisten wel ongeveer van elkaar waar ze woonden, maar straatnamen en nummers, nee. Helen belde vanuit haar kamer met het politiebureau waar agent Michael was gestationeerd, hij zou toch wel weten waar Rose woonde, maar Michael, zo werd haar verteld, was eveneens ziek thuis. De dienstdoende agent reageerde behoedzaam, maar enig verbaal geweld en het benadrukken van het spoedeisende karakter onthulden meer. Een ongeval, het Whittington-ziekenhuis. Michael had pech dat hij geen bezoek wilde: als hij zich niet om Rose kon bekommeren, moest zij het doen.

Op afdeling c lag Michael Michael te zweten. Tjonge, wat heb jij veel geluk gehad, zeiden ze, als je niet zo'n goede conditie had gehad, was die balk je dood geworden. Maar je hebt alleen een barstje in die grote kop van je, ha, ha, plus een tronie die het momenteel goed zou doen op een boevenfoto, en een gebroken arm. Nee, je kunt nog niet naar huis, nog niet. De manische opgewektheid van de artsen maakte hem neerslachtig. Hij had niet het gevoel dat hij geluk had gehad, hij voelde zich ongelooflijk dom. Bloemen van zijn vader en moeder in Catford, fruit, eten en verboden alcohol van zijn maten, een waterval van kaarten tot nu toe, allemaal met primitieve boodschappen, wenken en opvallend veel aandacht van de weinige verpleegsters, een bijna blind makende hoofdpijn en pijn in zijn hart van de spanning. Wat zou Rose denken? Wat had ze gedacht? Hij had moeilijk aan die vervloekte Williams, Singh, of een van de anderen die hij goed genoeg kende, kunnen vragen bij Rose langs te gaan, bij haar aan te kloppen om een boodschap over te brengen. Geconfronteerd met zo iemand zou ze denken dat ze opnieuw in de prijzen viel bij de legering.

Michael haalde een ziekenverzorgster over om haar op haar werk te bellen. Ze was er niet, zei de ziekenverzorgster verontschuldigend, omdat ze geen hulp kon bieden bij de romance. Toen hem werd verteld dat er iemand voor hem was, bonkte zijn hart tegen zijn ribben, maar daarna zakte zijn blijdschap.

De vrouw was slank, donker en slim, een zakelijk ogende onbekende met een aardig gezicht, maar het was niet Rose Darvey.

'Maak je niet ongerust,' zei Helen hem een bosje witte narcissen overhandigend. 'Ik kom niet voor de gezelligheid.'

Toen ze vertrok, voelde hij zich beter.

Rose Darveys gedachten hadden zesendertig uur lang over de wanden heen en weer gekropen. Zaterdagavond laat, toen de teleurstelling dodelijk was geweest en ze ziek was van de sigaretten waar haar lichaam van walgde maar haar ellende naar snakte, had ze bij haar slaapkamerraam gezeten toen ze een surveillancewagen door de straat hoorde patrouilleren. Tegen die tijd had haar verbitterde gekwetstheid z'n hoogtepunt bereikt en was alle logica ontstegen. Ach, laat toch, had ze eerder tegen zichzelf gezegd, hij heeft het maar half beloofd, meer niet, en werd er geen greintje door getroost. Toen deed het geluid van een automotor haar naar het lichtknopje rennen om haar slaapkamer in duisternis te hullen. Als hij het was, zou ze zich niet thuis houden, hem een lesje leren, ongerust maken; wat verbeeldde hij zich wel, die Michael? In haar binnenste wist ze best, ook al ging ze weer bij het raam staan kijken, dat ze het nooit vol zou houden. Dat ze, mocht hij uit de auto komen en aanbellen, het raam open zou gooien en hem zou roepen, of naar de voordeur zou hollen, welke impuls ook maar het eerste in haar opkwam, maar ze kon hem niet laten gaan. De andere meisjes, met hun nieuwe vriendelijkheid, zeiden dat Michael een lot uit de loterij was. 'O ja?' Ze haalde haar schouders op.

Ze gingen uit en zij bleef thuis, ze kon het niet verdragen de deur uit te gaan, voor het geval ze hem misliep, en wachtte in stilte met haar stijgende woede en ellende. Oma was vergeten, afgezien van een hevig schuldgevoel over het feit dat ze een puinhoop had gemaakt van die reünie, waar ze heel lang naar had uitgekeken, maar wat had ze anders verwacht? Ze maakte altijd overal een puinhoop van, van alles. Ze had oma met spoed naar huis gestuurd om hier te kunnen wachten op niets anders dan deze kwellende pijn, waardoor ze het gevoel had dat ze een proefdier was dat met een spijker door haar hoofd aan de muur was vastgeketend, opgesloten in haar kamer, ten einde raad, ijsberend, rillend.

Op zondag herstelde ze zich, na heftige monologues intérieurs was ze zowaar in een soort van slaap weggezakt. Even dacht ze aan alle mogelijke redenen waarom hij de avond ervoor niet was komen opdagen. Geen van alle waren ze nadere inspectie waard.

'Is hij nog gekomen? Dat stuk, bedoel ik?'

'Nee. Hij heeft gebeld,' loog ze. 'Hij moest een extra dienst draaien, zei hij. Waarschijnlijk een voetbalwedstrijd.'

'Wat? Bij het stadion? Die hebben gisteren niet gespeeld. Dat dacht ik niet tenminste –'

'Wat weet jij daar nu van?'

Zingend maakte ze opnieuw haar kamer schoon, voorwendend dat ze haar niet doorhadden en dat ze in dit opportunistische huishoudentje niet een steeds grotere rariteit aan het worden was. Ze toog naar een slijter met haar veelvuldig misbruikte creditkaart om bier voor de meisjes te kopen en voldoende sterke drank voor zichzelf om totale anesthesie te bewerkstelligen. Op zondag gingen ze naar huis, naar hun moeder: ingewikkelde reizen naar Crystal Palace en Neasden waarnaast een tocht naar de Goelag eenvoudig leek, zoals zij het beschreven. Ze zouden mopperend over gezeur en treinen terugkeren, terwijl zij stierf van jaloezie.

Op zondag, vroeg in de avond, ging de telefoon. Ze schoot erheen.

'Hallo Rose, schatje, ben jij het? Hoe gaat het?'

'Met wie spreek ik?'

'Met Paul. Paul Williams. Je herinnert me toch nog wel? Agent Paul Williams. Heb je zin om iets te gaan drinken?'

'Wie wilde u spreken?' Ze trok haar hooghartigste gezicht en probeerde te klinken als Dinsdale Cotton. De weerzinwekkende stem aan de andere kant zweeg even.

'Doe niet zo flauw, Rose. Ik weet dat jij het bent.' Hij wist het van de agenda die hij uit Michaels jaszak had gehaald toen ze het adres van zijn familie zochten. 'Gaan we samen iets drinken? Vind jij de zondag niet saai?'

'Niet zó saai,' zei Rose.

De kamer zwom voor haar ogen toen ze de hoorn op het toestel aan de keukenmuur kwakte. Hufter. Stomme hufter met een pik als een ondermaatse banaan. En Michael kon ook naar de hel lopen. Ze flikten het allemaal. Ze lieten je allemaal van hand tot hand gaan. Open en bloot, zodat je grote papa je gemakkelijk kon vinden, met je gespreide benen op een presenteerblaadje. Doe je broekje eens uit, Rose.

Zondagnacht, een zware hoest. Glazig naar een televisiefilm gekeken, bier, martini. Maandagmorgen besloten dat ze zich niet met dit gezicht aan de buitenwereld kon vertonen, dat ze niet de hele dag moppen kon tappen en zich groot kon houden. Gaan liggen, weer opgestaan, rondgelopen, minder door Michael geteisterd dan door alle vuile was van haar slonzige leventje en de zelfverachting die daarmee gepaard ging. Schaduwspel, afleiding toen de schemering inviel en zich condens op het raam vormde en ze niets te doen had, de telefoon zweeg en ze het gevoel had dat ze dood was. Schaduwspel, in haar eentje op bed liggend met haar tweede bekerglas vol, haar rug ongemakkelijk tegen al haar teddyberen en poppen rustend, haar vingers die egels op de tegenoverliggende muur projecteerden. Daarna een konijntje met wiebelende oren. Daarna een huis met een dak dat je binnenstebuiten kon draaien door je handen voor de lichtbundel om te keren. Hier is de kerk, hier is de torenspits, maak hem open en je ziet de mensen.

'Nee, ik vond het konijntje leuker,' hoorde ze zichzelf zenuwachtig zeggen. 'Doe het konijntje maar. Of de springende kangoeroe, het maakt niet uit.'

'Maakt het je niet uit?' Papa's stem. 'Maakt het je niet uit? Hier, voel dit eens.'

'Niet doen papa, alsjeblieft, niet doen, niet doen, niet doen. Ik vind het niet leuk, niet doen, oma vindt het niet leuk.'

'Oma vindt het best, kleine meisjes moeten voor hun papa zorgen...'

'Niet doen, papa, alsjeblieft niet doen. Ik ga gillen, papa.'

'Nee toch zeker? Wat is er? Het is mijn kleine lolly maar.'

'Ik wil niet, papa. Ik ga gillen.'

'Nee hoor, dat doe je niet. Wie zou je moeten horen? Stop 'm in je mond. Dat kan geen kwaad...'

'Ik kan het niet.'

'Jawel. Nee, stop 'm in dat andere holletje. Je wilt toch dat papa van je houdt? Straks zal ik een konijntje voor je maken.' Dat geluid van zijn hijgende ademhaling als ze op zijn bed lagen, zij kleverig, huilend.

En steeds weer en weer. Het schaduwspel duurde twee jaar: pijn en schraalheid en jeuk en huilen en nooit iets zeggen, voor het geval ze hem kwijt zou raken. Alleen zij en papa tegen de rest van de wereld. Toen een pauze van twee volle jaren, waarin ze haar wantrouwen niet helemaal kwijtraakte. Daarna opnieuw, met ander geweld toen ze bijna veertien was, nog steeds een kind, maar oud genoeg om te weten en te vechten. Stak naar hem met het keukenmes. Probeerde papa's lolly eraf te snijden omdat ze het niet meer kon verdragen, het maakte haar niet uit of ze levend of dood was, kerfde een lus in zijn maag. Bloed overal op het linoleum in de keuken, een hatende blik op zijn gezicht. Mam die thuiskwam.

Papa zei dat ze hem had verleid, zij was de duivel. Geen wonder dat niemand van haar kon houden. Ze zouden haar willen stenigen, had hij geroepen, zoals ze in de bijbel deden. Buiten de stadsmuren. Haar stenigen tot ze dood was en haar daar laten liggen.

Rose werd zwetend wakker. Als je door je vader was verkracht, mocht je dat telkens opnieuw beleven.

Een regen van steentjes raakte haar slaapkamerraam. Kleine steentjes die de ruit ranselden. Rose was helemaal opgegaan in de schaduwen die haar handen op de tegenoverliggende muur wierpen, ze keek ernaar als iemand die op een voorteken wachtte. Ze zwaaide haar voeten van het bed, terwijl een volgende steentjesregen de vorige alweer volgde. Een verontrustend geluid, waarvoor ze eigenlijk op de vlucht had moeten slaan, maar het was zo'n nieuwe, gebiedende roep om aandacht dat de hoop oplaaide en weer doofde toen ze iemand haar naam hoorde roepen. Het geroep kwam uit de straat ver onder haar. De stem klonk alsof hij uit dezelfde duistere diepten kwam als de droom, oma's stem, die haar een uitbrander gaf dat ze beter haar best moest doen.

Beneden in de straat wachtte Helen op een reactie. Ze had gemikt op het enige raam waar licht doorheen viel en nu leunde ze tegen de voordeur. Toen die met een ruk openging, viel ze om en beiden uitten een verwensing.

'Wel verdomme...? Wat doe jij hier, sta jij mijn ramen in te gooien? Godsamme, kom binnen. Doe je naast het recht nu ook nog aan liefdadigheid of zo? Kom binnen.'

Zodra de verdediging scheuren aan de fundamenten vertoonde, was het eenvoudig om die verder af te breken, als je de basis maar intact liet. Rose liet Helen binnen omdat ze elkaar bij een geboorteregelingskliniek tegen het lijf waren gelopen en ze alle twee van winkelen hielden. Er werd thee gezet. De keuken was smetteloos schoon, tijdens deze twee stuurloze dagen had Rose's bescheiden overmaat aan energie een huishoudelijke wending genomen. Helen trok de koelkast open om melk voor de thee te pakken en trof vier blikjes bier aan, suikervrije cola, jam, halvarine, kortom, al het eten dat karakteristiek was voor drie meisjes die lijnden of feestten.

'Vertel eens, Rose. Wat is er aan de hand?'

Het kind haalde haar schouders op. Ze was ongelooflijk opgelucht om een ander gezicht te zien, maar probeerde dat niet te laten merken.

'Als je ziek bent... je ziet er niet koortsig uit, maar zal ik iemand voor je laten komen? Of heb je genoeg aan mij?'

'Nee, zo ziek ben ik niet. Ik hoest alleen flink. Nee, zoals ik je al eerder heb gezegd, ik heb niemand om te bellen. Geen moeder, geen vader. Bedankt.'

'Goed, als je niet doodziek bent, wil je misschien straks je jas aantrekken en je geliefde bezoeken. Hij ligt zich te verbijten, maar we wachten een halfuurtje en dan rij ik je erheen. Zijn vader en moeder kwamen net aan toen ik wegging, en hij is een beetje gammel. Hebben we het over dezelfde vent? Michael?'

'Wie? O, hij.'

'Hij ligt in het ziekenhuis, dommerd. Bedrijfsongeval, zaterdag; er is iets op zijn hoofd gevallen, maar zijn hoofdpijn schijnt deels te wijten aan zorgen om jou.'

'Zorgen!' barstte Rose uit. 'Hij maakt mijn telefoonnummer bekend en zegt tegen al zijn maten waar ze me kunnen vinden! En hij zou zich zorgen maken om mij!'

Helen dacht erover na. Dat zich verschuilen van Rose had iets pathologisch; dat had Michael ook al gesuggereerd en het was trouwens overduidelijk. Zoals de waard is kent hij zijn gasten, dacht Helen. Zij had zelf ook haar geheimen, maar niet in deze mate.

'Hij heeft niemand je telefoonnummer gegeven, tenminste niet voor zover hij weet. Misschien heeft hij in zijn slaap gepraat, hij was namelijk bewusteloos, snap je? Mannen hebben belangrijke dingen nooit onder controle. En anderzijds hebben de jongens zijn zakken misschien doorgespit. Hij heeft in elk geval tegen me gezegd dat hij niemand naar je toe kon sturen met een boodschap, omdat jij dan zou denken dat hij jou weer "in de afgrond duwde". Zegt dat je iets?'

Wel degelijk. Rose onderging een geleidelijke gedaantewisseling, van bleek naar knalrood, van verfomfaaid oud vrouwtje naar prachtige jonge vrouw, totdat ze ten slotte glimlachte. Niets op deze hele wijde wereld, dacht Helen, is zo sterk als een mooi meisje, zo krachtig; het was maar goed dat er zo weinigen waren die dat begrepen. Even plotseling als ze had geglimlacht, zakte Rose weer in elkaar. Niet terug naar het niveau van eerst, maar ergens halverwege.

'Ik durf te wedden dat hij me eigenlijk niet wil zien. Hij vindt me vast een wrak.'

Helen vatte dit met opzet letterlijk op.

'Als ik er net zo goddelijk uitzag als ik ziek thuis was met een gebroken hart als jij, zou ik ter plekke de tango dansen.'

'Nee, niet zó'n wrak. Een geestelijk wrak.'

'Hoor eens, kun je niet iets specifieker zijn? Al is het maar een heel klein beetje. Je hoeft niet boos te worden. Bijvoorbeeld waarom je zo stiekem doet over je adres?'

Rose verstrengelde haar handen en duwde ze binnenstebuiten. Dit is de kerk, dit is de torenspits... Ze keek ernaar, rare handen, en ging erop zitten, ze vestigde haar ogen op de rook die opsteeg van de in de steek gelaten sigaret.

'Het komt door mijn vader. Het is allemaal zijn schuld, nee, de mijne, in zekere zin. Hij blijft me zoeken.' De rest spuide ze in één adem, alsof ze zojuist een braakmiddel had ingenomen. 'Zie je, voordat ik met mijn moeder van huis wegging, heb ik hem aangevallen. Met een mes, om precies te zijn. Een groot keukenmes. We hadden het van oma te leen...' voegde Rose er onlogisch aan toe, terwijl haar stem wegstierf, wat ze maskeerde door voorover te schieten en een onbehaaglijk trekje van haar sigaret te nemen.

'O ja?' zei Helen op conversatietoon. 'Waar had hij dat aan verdiend? Hij moet iets hebben uitgespookt.'

Rose zweeg.

'Ik heb ooit iemand gebeten,' bracht Helen te berde. 'In zijn arm, niet in zijn ballen of zo, maar het was beslist geen geknabbel. Ik was net een rottweiler. Ik geloof dat het heel erg bloedde, maar hij probeerde me tenslotte te vermoorden. Ik heb me vaak afgevraagd of hij zou hebben doorgezet. Waarschijnlijk niet.'

Rose sperde haar ogen open.

'Zo heb ik dit opgelopen,' vervolgde Helen, achteloos, gebarend naar het smalle litteken dat over de hele breedte van haar voorhoofd liep. 'Dus ik vind dat hij mij meer geschaad heeft dan ik hem. Ik haat die jongen. Voor niets zou ik hem niet hebben gebeten, maar het was het beste wat ik had kunnen doen.'

'Waarom?' wilde Rose ongelovig weten.

'Daardoor besefte ik achteraf dat ik geen willoos slachtoffer was. Ik was niet bepaald moedig, maar evenmin hulpeloos. Het is zoiets wat voorkomt dat je je verstand verliest.'

De tannine in de thee was even bitter als de herinnering. De keukentafel was gehuld in stilzwijgen.

'Ik dacht nog wel dat officieren zo'n beschermd leventje leidden,' zei Rose een beetje plagerig.

'Beschermd? O zeker. Doorgaans is dat ook zo. Maar goed, wat had jouw vader gedaan?'

Er waren grenzen aan het vertrouwen van Rose. Het was genoeg geweest.

'Goed dan, als je maar weet dat ik aan jouw kant sta.' Helen zette haar mok neer en grijnsde van oor tot oor. 'Ik bedoel maar, we kunnen beter vrienden zijn. Waarschijnlijk zijn we de enige vrouwen die we kennen die anderen neersteken of bijten.'

Rose proestte het uit en drukte haar sigaret met een boos, fel gebaar uit. Ze zei pas iets nadat ze de peuk in een schoteltje had platgedrukt en het uitdoven met kennelijke fascinatie had gevolgd.

'Mijn vader zoekt me omdat hij het me betaald wil zetten. Hij schrijft me. Hij schrijft me als hij me vindt. Tot dusverre is hij steeds achter mijn adres gekomen, omdat iemand zijn mond voorbijpraat of wat dan ook. Het leek me op een bepaalde manier veiliger om dichterbij te gaan wonen, Londen is zo groot. En tot nu toe werkt het. Ik werk in een groot kantoorgebouw. Ik vind het er heerlijk, het is er veilig, je kunt er verdwalen. Maar verder ben ik overal bang in het donker, en mijn vader wil me terug hebben en het me betaald zetten. Ik kan niet meer tegen hem op. Ik kan het niet meer.'

Tegelijk met de laatste trillende rook uit de sigaret waren de bekentenissen, samen met de thee, op. Helen had het gevoel dat ze slechts aan het oppervlak had gekrabd, maar van verder praten kon geen sprake zijn als ze niets hadden om vast te houden: thee, eten, wat dan ook. Geen spel zonder keu, geen gesprek zonder rekwisiet, iets om met je handen te doen.

Een laatste poging toen ze opstond en de mokken op het brandschone aanrecht zette.

'Heb je iets tegen Michael gezegd?'

De tweede mok botste tegen de eerste; ze stonden nu alle twee, wat het eenvoudiger maakte.

'Nee. Ik heb het vrijdag min of meer geprobeerd, toen ik dacht dat ik mijn vader zag – ik zie hem overal, mijn vader, maar toen dacht ik: ik ben nog maar net begonnen met Michael, dat kan ik niet maken. Ik kan nu toch niet over messen beginnen? Hij kan er niets aan doen.

Als politieman zijnde en zo.'

'Ach, ik weet het niet. Ik zou zeggen, haal diep adem en waag de sprong in het diepe. Mijn auto staat voor.'

Eenmaal buiten dacht Rose: wat een lelijke, aftandse ouwe kar is dat, met een verbogen bumper, deuken en een centimetersdikke laag winters vuil van de vorst dat modder is geworden. Iemand had op de motorkap geschreven: 'Ook leverbaar in rood.' Toen Rose dit zag, viel er opnieuw een beeld dat ze zich van de levenswijze van officieren van justitie had gemaakt, aan duigen op het plaveisel.

'O, ik had je nog iets willen zeggen,' zei Helen luchtig, knoeiend met haar autosleutels, waarmee ze als een boksbeugel op het portier ramde. 'Het gerucht gaat dat er iemand dossiers van kantoor steelt. Waarschijnlijk is het loos alarm, maar in het kader van Redwoods jacht op efficiëntie moeten sommige mensen stuivertje wisselen totdat ze er wat meer over te weten zijn gekomen. Daarom ga je vanaf nu met mij mee naar de rechtbank, of je het leuk vindt of niet. Goed?' Het portier klapte open met het geluid van iemand die gaapt.

'Weet je,' zei Rose, geboeid naar de troep in de auto kijkend, 'ik wist niet dat Michael zaterdag moest werken. Ik dacht dat hij een vrije dag had.'

'Luister,' zei Helen, over de weg slingerend, 'ik zal je iets belangrijks vertellen. Als je wat met een politieman wilt, zorg dan dat je zijn rooster kent. Je moet weten wanneer hij werkt. Anders heb je helemaal geen greep op hem.'

Rose vond dat Helen op een ondeugend aapje leek, met zo'n brede grijns.

O Heer, laat ons niet bang zijn voor het donker.

10

De regen op maandag, dinsdag en woensdagmorgen werd voortgedreven door een beukende wind, die elk zicht benam. De twee dagen verstreken in een strijd tegen de elementen. Het treinpersoneel staakte. Logo lag tot halverwege de week op bed, passief nadenkend over de vraag welke half schone kleren hij vandaag aan zou trekken. Het oppervlak van de lakens waarop hij lag herinnerde hem aan de vervuiling van zijn lijf, aangezien zijn in korrelige sokken gestoken voeten op een korrelig stuk laken lagen. In de tijd dat Mrs. Logo nog haar slordige scepter over het huishouden zwaaide, was hij nooit zo nalatig geweest, maar met de verdwijning van de vrouwen had de vervuiling toegeslagen en op de een of andere manier was hij de afgelopen drie weken nog viezer geworden. De bijbel, waar hij in bladerde om iets met zijn koude handen te doen en ook om naar passages te zoeken die zijn ziel kalmeerden, was symptomatisch voor de verandering. De pagina's waren zo gerimpeld als het oppervlak van een vijver en stonken nog steeds naar whisky.

Deuteronomium, hoofdstuk tweeëntwintig, vers drieëntwintig. 'Wanneer een man een meisje dat nog maagd is... in de stad ontmoet en gemeenschap met haar heeft, dan zult gij hen beiden naar de poort van die stad brengen en hen stenigen, zodat zij sterven: het meisje omdat zij in de stad *niet* om hulp geroepen heeft...'

Hij bladerde naar voren door de golvende bladzijden, sommige kleefden aan elkaar, zodat hij maar één kant kon lezen en niet de daaropvolgende verzen, wat hem wel goed uitkwam. Hij wilde woorden, niet de betekenis. Leviticus, hoofdstuk achttien. 'Gij zult de schaamte van uw vader, dat is de schaamte van uw moeder, niet ontbloten; het is uw moeder... De schaamte van uw zuster, de dochter van uw vader of de dochter van uw moeder, of van de dochter van uw dochter, zelfs haar schaamte zult gij niet ontbloten, want uw schaamte zijn zij...'

De dochter van een man werd niet genoemd, niet met name althans. Misschien stond dat op de keerzijde van de pagina. Logo lachte en liet zijn tenen in zijn sokken dansen. Daarna weer terug naar Deuteronomium. 'Wanneer een man een meisje ontmoet dat nog maagd is en niet ondertrouwd, haar aangrijpt en gemeenschap met haar heeft, en zij worden betrapt – dan zal de man, die bij haar gelegen heeft, aan den vader van het meisje vijftig zilverlingen geven.'

Hij giechelde. *Als* ze werden betrapt... zoveel was het waard. Logo zwaaide zijn benen uit bed en probeerde te zingen. De schade aan zijn stembanden verhinderde niet dat hij geluid voortbracht, maar er heerste wel een tijdelijke schaarste aan muziek uit die bron. Onder het scheren keek hij met grimmige tevredenheid naar zijn gezicht in de spiegel en glimlachte ernaar. Hij kon de rechters vanmorgen het beste de linkerhelft van zijn gezicht toekeren; het vertoonde alle kleuren van de regenboog, van ziekelijk geel tot felblauw, één oog zat boosaardig halfdicht.

' "En ik zal mijn aangezicht tegen u keren, en die u haten, zullen over u heersen, en gij zult vluchten, zonder dat iemand u vervolgt," ' mompelde hij tegen de spiegel, waarop tandpastaspatten, zeep en haren zijn spiegelbeeld vrijwel aan het zicht onttrokken en de smoezeligheid van een eens wit overhemd verdoezelden. Hij schoor zich gedeeltelijk, hier en daar liet hij baardstoppels zitten om het effect te verhogen.

Gisteren was er een graf op het kerkhof gedolven. Vraag niet voor wie de klok had geluid. De grafdelvers hadden Logo weggewuifd, maar hij bleef in de buurt talmen, kijkend naar de mist, terwijl zij hem negeerden maar toestonden dat hij meeluisterde. Een van hen zei dat de overleden vrouw in Legard Street had gewoond. Dit detail bleef in Logo's hoofd hangen, toen hij naar hun brede ruggen wuifde en dat andere graf passeerde dat hij herkennend groette. En het bleef in zijn gedachten toen hij zijn dagvaarding pakte, in stilte het huis verliet en de bus naar de rechtbank nam. Hij wilde niets meer met Margaret te maken hebben sinds ze tegen hem had geschreeuwd: ze was overgelopen naar de vijand.

De wachtruimte van de rechtbank was vol, maar dat was altijd het geval. Onder de bordjes 'verboden te roken' hing een rookgordijn, de vloer zat vol putjes, de plastic stoelen vol ruggen in houdingen die onverschilligheid of bezorgdheid verrieden. Velen zaten er met hun gezin, mismoedig onder de druk van hun naasten en dierbaren, in wier aanwezigheid het zo moeilijk was om de waarheid te zeggen, vanwege de indruk die dat op hen zou maken. Logo was een oudgediende, hij nam met één geamuseerde blik het gevit en de gegeneerdheid in zich op, de eenzaamheid en de bluf. Hij bleef altijd staan; geen enkele andere houding stelde hem in staat de menselijke stroom van ellende, angst, gejubel, grootspraak en zieke grappen te observeren, en hij deed zijn uiterste best om elke insinuatie vanuit zijn verheven hangplek te registreren. De mensen voelden zich niet op hun gemak bij iemand die weigerde te gaan zitten.

Vanuit zijn ooghoek zag hij Helen West, verborgen achter papieren, een armvol dossiers meetorsend die ze met haar gebogen heup ondersteunde, zich wiegend voortbewegend als een elegant maar kapseizend schip, wat hem deed denken aan een moeder wier kind te groot was geworden om te dragen. Toen hij haar zag, dacht hij eraan oogcontact te vermijden; zijn hoofd schoot omlaag tot op taillehoogte en hij begon de vingers van zijn ene hand nauwkeurig te inspecteren, terwijl hij met zijn andere hand zijn gezicht bedekte. Opkijkend door zijn gespreide vingers, bleef hij haar gadeslaan terwijl zij stilhield bij de deur naar zaal drie en haar last herschikte, en ook al wist hij dat hem vandaag geen gerechtelijk onderzoek te wachten stond en het alleen de vaststelling van de datum voor een volgende rechtszitting betrof, en al wist hij, voor deze ene keer, dat hij niet schuldig was aan de verzonnen tenlastelegging, hij was onverklaarbaar bang. De laatste keer dat hij haar had gezien, was ze angstig op de vlucht geslagen, had ze haar voertuig als een botsauto op de kermis bestuurd, en nu had ze ogen als smeltend ijs. Hij hield zijn eigen blik naar beneden gericht, drukte zich mokkend tegen de muur en wachtte tot zijn naam zou worden gebruld.

Na een uur wachten, waarin hij fluisterend de bijbelpassages reciteerde die in zijn hoofd opkwamen, plus de lofzangen die hij kende maar niet kon zingen, riep de dikke gerechtsbode hem, gehuld in een toga die tot op de grond reikte. Hij glimlachte naar haar, maar ze stoof weg en liet de zwaaideur tegen hem en zijn blauwe plekken aan terugklappen toen hij haar in de strijd volgde.

De verlichting in de rechtszaal was schel; in de beklaagdenbank plaatsnemen was alsof je een toneel betrad waarvan de voetlichten je verblindden. Alle aanwezigen, griffier, rechters, officieren, ritselden met papieren, het leek een eeuwigheid maar duurde slechts enkele seconden, besefte hij achteraf, seconden die elk een uur schenen te duren. Hij kon geen rol aannemen, dit keer; hij kon niet eens om zich heen kijken om de zwakke plek in zijn publiek vast te stellen, inschatten wanneer hij het beste in gezang kon uitbarsten. Achter hem bevond zich de publieksgalerij, gevuld met leeglopers die tuk waren op een verzetje, nieuwsgierige getuigen, mensen die schuilden voor de kou, gezinnen. Niemand kwam hier speciaal voor hem, dat deden ze nooit, totdat hij hen ging vermaken, maar opeens had hij daar geen energie voor, geen neiging om de heilige malloot uit te hangen. Toen merkte hij dat Helen Wests smeltende ogen op hem rustten, hij zag de schrik, de vervliegende angst, en toen het vreselijke medelijden. Ze keek naar zijn verkleuringen, deze vrouw die hij drie rechtszaken lang had verafschuwd: ze keek naar hem zonder angst of schrik, maar met die verschrikkelijke, verzwakkende bezorgdheid die het ergste was van alles. De griffier gaapte en sprak.

'Tenlastelegging: mishandeling van een politieman in functie, 31 januari.' Er volgde een gemompelde formule. 'Bent u hieraan schuldig of onschuldig?'

'Onschuldig,' kraste hij.

De griffier bladerde door haar agenda, een groot boekwerk, en hield dat zo dichtbij dat de bladzijden tegen haar gezicht kietelden. 'Verdaagd naar 14 februari,' zei ze. 'Op borgtocht? Valentijnsdag,' ze loosde een duidelijk hoorbare zucht.

Logo's ogen, die hij het afgelopen uur had afgeschermd, begonnen weer te functioneren. Als eerste, maar niet als laatste, zag hij Helen West. 'Wacht eens even,' zei ze. 'Kunnen we deze even bekijken? Hij wordt aangeklaagd wegens mishandeling van een politieman in functie, hoe lang geleden, vier dagen? Nee, vijf. Ik wil graag iets horen over zijn verwondingen.' Ze draaide zich duidelijk gealarmeerd om naar het meisje dat achter haar zat. Logo kon het horen, de magistraten niet.

'Dit klopt niet,' zei ze, een vel papier in de richting van het meisje schuivend. 'In deze verklaring worden geen verwondingen genoemd. Kun je me het rapport van zijn inbewaringstelling geven? Ik moet weten hoe hij aan dat gezicht komt.' Helen wendde zich weer tot de griffier. 'Mogen we nog enkele vragen stellen? Misschien kan meneer Logo de dienstdoende advocaat raadplegen.'

'Wilt u daarachter plaatsnemen, meneer Logo?'

Hij kwam tegelijk met het meisje achter Helen West in beweging. Een hoekig kind met glad achterovergekamd haar, dat hij vanuit zijn uitzichtspunt al had gezien, voordat ze met de snelheid van een bange kat de rechtszaal uit rende. Logo herkende haar onmiddellijk. Hij stak zijn hand naar haar uit toen ze langsholde; ze streken bijna langs elkaar heen, zo dichtbij als een schaduw, in elkaars gezicht ademend. Stil ging hij achter de beklaagdenbank zitten, keek naar de afgesleten plekken in het hout en was vervuld van een uitzinnig gejubel. God was goed voor hem, wat was verloren was teruggevonden. Op vrijdagavond; gezien door een raam, een duizelingwekkend visioen van schoonheid gadegeslagen door het beest dat aan het glas klauwde. Nu gezien, gevoeld, geroken, door de hand van God tot op centimeters binnen zijn bereik gebracht. Logo was niet meer kwaad over zijn beurse plekken, stoorde zich niet meer aan die medelijdende blik van Helen West, de blik die hem beroofde van alle kracht die hij nodig had om haar opnieuw bang te maken. Logo had zojuist zijn dochter gezien, haar stokkende adem gehoord en haar zien wegrennen. Enid, vernoemd naar de roos, deed zijn dunne bloed stromen en zijn hart bonzen, dezelfde hunkering knaagde aan zijn kruis, dezelfde woede, dezelfde haat. Zijn dochter. Onvast bleef hij zitten, slap van vreugde.

Het rechtbanktafereel brak in fragmenten. Tien minuten, alstublieft. Voetstappen passeerden hem in de richting van de beide deuren, de ene leidde naar de cellen beneden, de andere naar de wachtruimte, voorgegaan door de bode met haar dikke kont, een mensenmenigte op zoek naar koffie, sigaretten, cliënten. Logo bleef waar hij was en droomde. Geleidelijk aan drongen de geluiden van een op gedempte toon gevoerd gesprek vanachter de celdeur door en penetreerden zijn dagdromen.

'Waarom uitstellen? Je zei dat de dienstdoende agent geen verwondingen had... ik weet dat deze man niet gewelddadig is, dat is hij nooit geweest... en hij ziet eruit als een boksbal, dus wie heeft wie mishandeld? Er wordt niet eens gezegd dat hij is gevallen. Nee, ik ga geen zaak voeren die we niet kunnen winnen. Goed, prima.'

Voetstappen die weer binnenkwamen. De lichte geur van parfum. De koele stem van Helen West.

'Meneer Logo?'

Alsof zij niet wist wie hij was.

'We zullen aanvoeren dat er geen bewijs is, dit keer.'

'Heel vriendelijk van u,' mompelde hij, de ironie ging verloren in zijn gekras. 'Ik ben er het slechtst afgekomen, dat kan ik u verzekeren.'

'Ja,' zei ze bedaard. 'Dat geloof ik ook. Wilt u een advocaat spreken?'

'Nee.' Nederig. 'Maar kunt u me misschien iets vertellen?'

Ze bleef staan, wilde hem graag een plezier doen.

'Dat meisje dat achter u zat, werkt zij bij u?'

'Ja,' zei Helen verbaasd. 'Op ons kantoor. Hoezo?'

'Zomaar.'

Ze kwam niet dicht bij hem, merkte hij op. Zijn ongewassen haren of zijn lijkkleurige gezicht schrokken haar af, maar hij kon het medelijden ruiken, zoals hij ook haar frisheid kon ruiken, en alleen het medelijden stonk. Hij hield zijn hoofd gebogen: de voetstappen verwijderden zich en hij hoorde het geritsel van papier, het gemurmel van de airconditioning en de mensen die terugkwamen. Iedereen, behalve

Eenie. Zijn zaak werd niet ontvankelijk verklaard, Logo draalde niet in de hal met de lege koffiebekers, overlopend van sigarettenpeuken. Dat had geen zin. Hier zou hij haar nooit vinden.

Buiten in de mist zou hij haar vinden. Mij komt de wraak toe, spreekt de Here. Ben je schuldig of niet, mijn kind? Ja, jij bent de schuldige.

'Rose! Wat is er met je gebeurd? Waarom ben je niet teruggekomen voor de rest van de rol? Hoe dacht je op deze manier iets te leren?'

Helen West was razend, maar aangezien ze zich ook ergerde aan het feit dat haar zenuwen haar de baas werden zodra ze twijfelde aan haar eigen impulsieve wijsheid, miste de boosheid kracht. Vooral boosheid tegenover personen hield niet lang stand, en mokken hield ze evenmin lang vol. Nou en? Rose was op een boodschap uitgestuurd, ze had haar aangekeken alsof ze gek was om juist die opdracht te geven, was de rechtbank uit gelopen, had het nodige gedaan door de verantwoordelijke politieman in ijltempo te pakken te krijgen, en was toen verdwenen. Was dat erg? Nee, niet echt. Daarvóór had ze vlijtig geholpen, geïnteresseerd en nijver, een weelde, al was ze vanmorgen een beetje hyperactief. Wat Helen op dit moment echter het meest dwarszat, was niet zozeer dat Rose van half twaalf tot één uur verdwenen was geweest, maar haar eigen reageren en afreageren op Logo. Hoe kon ze hem ooit kwaadaardig hebben gevonden? Bij het zien van dat toegetakelde gezicht was ze tegen alle verwachtingen in bezweken voor het kankergezwel van het medelijden, waarvan ze dacht dat ze het kwijt was. Al die keren, wetend dat hij niet deugde en er hevig naar had verlangd om hem te pakken te krijgen, alleen maar om bij het eerste spoor van bloed de handdoek te gooien. Hij zou de hele weg naar huis lopen grijnzen en zingen en zij zou problemen krijgen. Rose deed ontwijkend, ze staarde naar de muur, haar huid zag bleker dan de afbladderende verf.

'Waarom ben je niet teruggekomen?' vroeg Helen weer, een stuk minder ijzig. 'Ben je soms een bekende tegengekomen?' Rose en zij hadden het goed kunnen vinden samen, een beetje plagen mocht wel.

'Ik voelde me niet lekker,' mompelde Rose, nog steeds witter dan papier. 'Helemaal niet lekker.' Helen was meteen bezorgd.

'Ach Rose, idioot, wat moet ik met je beginnen? Waarom heb je dat niet gezegd?'

'Het gaat wel weer,' zei Rose met een schouderophaal, maar zonder de vertrouwde lompheid. Ze zag er klein, zwak en verslagen uit, een uiterlijk dat Helen niet aanstond en niet goedkeurde. Haar boosheid was eindelijk omgeslagen in verwondering.

'Hoe komt het dat je ziek bent? Het is toch niet... Je hebt niet goed uitgeziekt, je hoest nog steeds, je maakt jezelf ziek door je verkoudheid te onderdrukken en niet te eten. Wil je naar huis?'

Het klonk beslist en dat hielp. Rose vermande zich. Nee, het gaf geen pas om zich in de wc te verstoppen en ook niet om nu naar huis te gaan, of waarheen dan ook; ze kon maar beter bij de meute blijven.

'Het gaat alweer een stuk beter. Het spijt me. De volgende keer stuur ik je wel een bericht per postduif.' Dat klonk meer zoals de gewone Rose. Helen grinnikte.

Rose vervolgde: 'Wat is er gebeurd met, met...' ze wuifde slapjes alsof ze zich de naam niet kon herinneren, 'met hem? Logo?'

'Mijn zwarte schaap? O, ik weet het niet. Ik geloof dat ik zoals gewoonlijk het verkeerde heb gedaan, ik heb aangevoerd dat er geen bewijs was. En dat na al die tijd. Maar er kleeft iets heel verdachts aan een verklaring waarin geen melding wordt gemaakt van letsel, zeker als het een vent betreft die niet gewelddadig is.' Rose begon hevig te hoesten.

'Gaat het?' Er volgde een knikje en de kleur was van wit in roze veranderd, een blos van opluchting verspreidde zich. Helen beschouwde dat als een gezond teken en als een vrijbrief om haar hart te luchten.

'Wat vind jij ervan? Weet je wel dat ik dat lofzangen galmende onderkruipsel wel kan vermoorden, elke keer als ik hem tegenkom? Maar vandaag... Vandaag, ik wist gewoon dat het fout zat. Hij beschuldigde niemand, dat deed hij niet en dat kon hij niet. Hij is gewoon een zielenpoot. En weet je, hij wilde weten waar jij werkte. Alweer een fan erbij. Ik snap niet hoe je het volhoudt.'

Rose keek tussen twee hoesten in op, de roze teint grensde nu aan ziekelijk purper. 'En dat heb je hem zeker verteld?'

Helen had geen reden om te liegen, maar desondanks kwam het er vanzelf uit.

'Nee, natuurlijk niet. Wat hem betreft ben je een nichtje van de griffier.' Rose ontspande zich en Helen werd vervuld van een even plotselinge als ongediagnosticeerde schaamte.

'Wat jij nodig hebt,' zei ze, voor haar uit lopend, 'is eten.'

Bailey's lapmiddel, dacht ze. Misschien weet hij iets wat ik niet weet.

Margaret was zenuwachtig. Eerst maakte ze zich zorgen en daarna werd ze zenuwachtig, een proces dat inhield dat alles langer duurde en vertraagde tot een onproductieve slakkengang. Ze liep bijvoorbeeld een kamer in om iets te zoeken, een pen of een breiwerkje, vergat op de drempel waarvoor ze was gekomen, zag iets wat nodig afgestoft moest worden, ging terug om de stofdoek te halen en vergat halverwege de terugweg waarvoor ze naar de kast liep. Ze kon zich niet langer dan dertig seconden concentreren, ongeacht waarop, ze eindigde altijd met iets in haar handen, waar ze dan verbaasd naar keek: haar gevoel voor prioriteiten lag aan diggelen. Die toestand herhaalde zich tijdens een honderdtal betekenisloze boodschapjes en eindeloos gedreutel van kamer naar kamer, totdat het hele huis een zinloze, uitputtende ijsbaan was geworden. Moest ze een kijkje bij Logo nemen? Haar bondgenoot, vriend, aangenomen zoon, die ze verraadde? Of moest ze de bloemen die ze voor Sylvie's grootmoeder had gekocht, gaan brengen? Of zou ze haar kleren voor haar afspraak met Eenie morgen vast persen? Zou dat helpen? Ze verbeuzelde de hele dag, totdat de vermoeidheid duidelijkheid schiep. Breng de bloemen naar Sylvie's huis. Pers daarna je kleren. Doe onderweg naar buiten of naar binnen een briefje op Logo's deur om te vragen of hij alsjeblieft thee of iets dergelijks bij je komt drinken. Beperk vandaag je boodschappen tot de dure winkel op de hoek, eenvoudig omdat die het dichtstbij is, ook al bloosde ze van schaamte, elke keer dat ze daar whisky kocht. En, o ja, maak de haard aan. Zorg dat hij zich welkom voelt, maak het goed. Ze had hem in geen dagen gezien.

Eenmaal op een rijtje gezet, werden de taken simpeler. In een uurtje was alles gepiept. De bloemen werden met een gemompeld bedankje op de stoep aangepakt, maar gelukkig zonder de uitnodiging om binnen te komen, ook al was Sylvie aan het krijsen. Margaret kreeg haar halve flesje whisky overhandigd door een vrouw die erbij glimlachte alsof ze limonade uitdeelde, en thuis brandde het haardvuur levendig ondanks de mist die op de regen was gevolgd. Het briefje dat nog op Logo's deur was geprikt, zag er vriendelijk uit. Het was vijf uur 's middags en de dag was nog jong. Margaret voelde zich opeens op haar gemak. Wat moest, dat moest, met Eenie, met Logo, met de hele wereld, die nu werd verzacht door de mist die haar mee terugnam naar een veiliger kindertijd. Mist en gele smog in Londen, dat veilige gevoel als je bij je eigen huisdeur aankwam, die je dichtsloeg, en waar thee en een praatje wachtten. Een veel ergere mist dan deze vriendelijke nevel die niemand thuishield maar een vriendelijke gloed rond de straatlantaarns bewerkstelligde en haar deed verbeelden dat achter elk verlicht raam een gelukkig, lachend gezin schuilging. Opeens voelde ze zich rustig, fantastisch, heerlijk rustig.

Ik heb me overgegeven, dacht Margaret, aan de incidentele zoetheid van het leven. Ik ben dol op deze kamer, maar hoe ik hem vandaag schoon heb weten te maken, zal ik nooit weten. Wat een drukte, wat een ergernis, en waarom? Omdat ik tegen Logo heb gelogen, alsof dat erg is, leugens zijn even noodzakelijk als ademhalen, ze zijn er om ons geestelijk gezond te houden. Vanwege een merkwaardig soort verdriet om Sylvie's grootmoeder, hoewel ik haar niet heb gekend, omdat er om haar wordt gerouwd en dat bij mij niet zo zal zijn. Margaret ging bij het vuur zitten en grinnikte. Nee, maar ik ben nog niet dood. Geef me mijn nieuwe heup en ik zal lopen, en nee, maak jezelf niets wijs, dat heeft je niet tegengehouden, Margaret, het komt door je eigen domme wil en omdat je een lafaard bent en niet zo raar over straat wilde zwalken, maar als je lekker ruikt en er zowel schoon als opgewekt uitziet, dan is de rest niet belangrijk.

Na die overpeinzing ging Margaret zich wassen en verkleden. Ze kon nooit andere kleren aantrekken zonder zich eerst te wassen. Ze gebruikte Eenie's dure talkpoeder over haar hele lichaam. Het leven diende om geleefd te worden. Ze breide dat de vonken eraf vlogen terwijl ze op haar gemak voor het vuur zat; de rust gaf haar vingers energie, die met ineffectieve snelheid het soort truien breiden dat ze, zo wist ze, niet graag zou dragen. Die gedachte deed haar schudden van het lachen, maar desondanks breide ze door. Je bent nog steeds een idioot, Margaret, al ben je oud. Morgen zouden Eenie en zij echt praten, misschien. Alles had zijn tijd nodig. Ze zou Logo trotseren, mocht hij zich verwaardigen te komen, ach, hemel, ze hield nog steeds van hen allebei en de liefde overwon alles, mits je niet op een beloning uit was. Toen hij inderdaad op de deur klopte, was ze niet eens verbaasd, laat staan geschrokken, en dat was nog vóór de whisky.

'O, ben jij het?' was het enige wat ze zei, toen ze de deur opendeed en naar haar stoel terugliep. Die ertegenover, oud en versleten met een uitbundig nieuw kussen, verwelkomde hem alsof hij níét meer dagen absent was geweest dan vele jaren het geval was geweest. Hij zag er verschrikkelijk uit: zijn uiterlijk schokte haar, maar daar zou ze niets over zeggen, nog niet tenminste.

'Waar heb je uitgehangen?' zei ze op haar gebruikelijke vitterige, brommerige manier. 'Ik dacht dat je dood was.'

Hij keek naar de whiskyfles en de twee glanzende glazen die klaarstonden op een kanten kleedje.

'Dood?' vroeg hij. 'Als het aan jou had gelegen had ik inderdaad net zo goed dood kunnen zijn.'

'Toe nou,' zei ze verzoenend, 'dram niet zo door. Je wilt net zomin dat ik op alle uren van de dag bij jou aanklop, als andersom, als je bezoek hebt. Maar als je hulp nodig had, had je het alleen maar hoeven vragen. Schenk eens in, wil je? Sta niet zo zuur te kijken.'

Hij grijnsde. Net zoals zijzelf, merkte ze, had hij een beetje zijn best gedaan. Het overhemd was schoner, de schoenen waren langs de achterkant van zijn broekspijpen gehaald, waar ontwapenende strepen vuil te zien waren. Zijn gezicht zag er angstaanjagend uit, als een hand die tussen de mangel is gekomen, maar hij had nog steeds ogen en hij had nog steeds tanden. Omdat ze met stervenden had geleefd, had Margaret wel ergere dingen gezien en ze kende Logo's reactie op elk soort medelijden waar hij niet persoonlijk om had gevraagd.

'Ben je onder de bus gekomen?' vroeg ze, toen ze allebei met hun gezicht naar het vuur en een enorme bel in de hand zaten.

'Nee, onder de trein. Wat dacht je?'

Ze grinnikten zachtjes. 'Ik hoop dat die andere vent er erger aan toe is,' zei Margaret nonchalant.

'O ja, dat is ze zeker,' zei Logo, opzettelijk ruw de nadruk leggend op 'ze', waarna hij een flinke teug nam. Margaret verblikte of verbloosde niet. In plaats daarvan nam ze de aangeboden sigaret aan. Ze dacht na over lotion voor de beurse plekken, ging in gedachten na wat ze in huis had en berekende op welk moment ze het te voorschijn zou halen. Die blauwe plekken waren wel zorgelijk, maar niet dodelijk. Ze zou de artsen erover kunnen vertellen, misschien dat ze dan luisterden. Ze kon zeggen dat hij met zijn hoofd tegen de muur bonkte. Echte verwondingen begrepen ze, andere niet.

'Is dat vreselijke kind hier weer geweest?'

'Ze is niet vreselijk. Ze heeft alleen ouders die te veel hun best doen. Je zou trouwens met haar te doen moeten hebben. Haar oma kwam op bezoek, maar ze werd ziek en ging dood. Afschuwelijk voor ze, vind je niet?'

'Nee, niet echt. Mensen moeten sterven. Anders is er geen werk voor de grafdelvers.' Hij lachte luidruchtig. Margaret voelde zich niet op haar gemak, maar ging verder met haar breiwerkje en nipte van de whisky, die hij achterover goot. Met een halve fles kwam hij in deze stemming niet ver, maar hij lachte tenminste.

'Raad eens wie ik vandaag zag?' Logo's stem klonk vreemd schor, viel haar op, maar toch luid. 'Raad eens wie ik zag?'

'God,' zei ze, sneller breiend.

'O, veel beter dan God, veel beter. Meer een godin. Misschien ook wel de duivel. Dat is soms moeilijk te zeggen. Soms blijken dingen die er onschuldig uitzien het tegendeel, weet je. Soms moet iets heel moois vernietigd worden vanwege al het kwaad dat het kan aanrichten. Afgemaakt, in het vuur verbrand. Gestenigd buiten de stadsmuren en dan verbrand.' Hij mompelde, Margaret voelde zich steeds onbehaaglijker maar handhaafde met bewonderenswaardige kalmte haar vernisje van rust, naar haar breiwerk turend voor inspiratie.

'Waar heb je het over? Wie heb je gezien?'

'Eenie.' Hij keek haar sluw aan. 'Je weet wel, Eenie.'

Dit keer reikte ze naar haar whiskyglas en nam een even grote slok als hij. 'Het is niet waar,' zei ze.

'Nee,' antwoordde hij. 'Het is niet waar. Ik dacht het alleen maar. Ik voelde haar aanwezigheid heel dichtbij, dat is alles. Je hebt zeker niks te eten?'

Margaret ontspande zich. 'Jij en je dromen,' zei ze effen. 'Er moet nog ergens brood en kaas zijn. Pak het zelf maar. Ik ben een trui voor je aan het breien. Als je gegeten hebt, kun je de wol voor me ophouden.'

Een golf van lawaai overspoelde het huis, het geloei van de voetbalmenigte die ze had zien samendrommen toen ze thuiskwam. Zelfs geen ergernis, geen opmerking meer waard na al die jaren, een onbelangrijker gebeurtenis dan een onweersbui en minder beangstigend dan noodweer. Eenie klaagde er altijd over, maar Eenie was een moeilijk kind geweest. Margaret herinnerde zich dat Eenie strengen wol voor haar ophield, die zij tot een bol wond, totdat het kind er genoeg van kreeg, waarna ze ruilden. Ze had best wol kunnen kopen in keurige, kant-en-klare knotten, maar de goedkope wol van de markt werd nog steeds in deze vorm verkocht, in strengen die aan elkaar geknoopt moesten worden. Haar tas zat vol met wol van tientallen jaren geleden, uitgetrokken truien, gewassen en bewaard: ze herinnerde zich de spaarzamere tijden van weleer nog. Al die karweitjes hadden een kalmerende uitwerking, ze zorgden voor continuïteit. Misschien zou het opwinden van de wol Logo ook kalmeren. Ze zuchtte en tastte in haar diepe tas naar de volgende, troostende streng koningsblauw, terwijl Logo zwijgend naar kaas zocht. Er klonk een ratelend geluid toen hij een mes zocht. Ach, laat hem maar, ze was moe, doodmoe, ze deed haar ogen even dicht en liet nog een bulderende golf van de toeschouwers over zich heen spoelen. Als je goed luisterde maakte het vuur meer geluid dan de rest van de wereld: het praatte tegen je, het hield je gezelschap. Misschien had ze alleen maar een kat nodig.

'Ik denk dat ik er maar eentje neem,' zei ze hardop.

'O,' zei hij, terwijl hij in de stoel tegenover haar ging zitten en de nieuwe streng wol oppakte die in haar schoot was gevallen. Hij bleef deze met zijn ene hand vasthouden, terwijl hij in zijn andere een brok kaas hield, dat hij in de vorm van een keurig vierkant had gesneden.

'Ik denk dat ik een kat neem.'

Hij keek haar aan met een uitdrukking waaruit droefheid en walging sprak, de blik waarmee zij naar een gewonde stadsduif had kunnen kijken, een zielig, vleugellam, schadelijk dier.

'Help je even met de wol?'

'Dat gaat niet. Die haalt mijn polsen open, ze zijn helemaal rauw. Kijk maar.' Hij hield ze op.

'Wat is er mis mee? Ik zie alleen maar vuilstrepen.'

Met een bliksemsnelle beweging sprong hij op haar af en propte het blok kaas in haar mond, die ze opende om iets te gaan zeggen. Een half ons massieve, kleverige, zeepachtige cheddar werd met kracht tussen haar kaken gedrukt. Margaret sputterde, probeerde het uit te spugen, maar hij hield haar bij haar haren vast en legde zijn hand over haar mond. Ze probeerde te kauwen en te slikken, maaide met haar armen, begroef haar nagels in zijn pols, haar ogen puilden uit en haar gezicht verschoot van kleur, totdat hij medelijden toonde en een stap naar achteren deed. Margaret hoestte, spuwde de kaas uit, bleef hoesten, zocht houvast aan de stoelleuningen, keek verwilderd om zich heen en probeerde overeind te komen. Logo klopte haar op haar rug, stevig, maar vriendelijk. Daarna hurkte hij aan haar voeten neer, pakte de wolstreng op die hij had laten vallen en liet die door zijn vingers glijden.

'Een trui voor mij, oma? Wie heeft je daarom gevraagd? Ik niet. Ik vraag je helemaal niets, niet nu. Je hebt de hele tijd geweten waar ze was, hè? De hele tijd.'

'Wie?' Ze fluisterde, masseerde haar keel, probeerde rustig te klinken en klonk net zo schor als hij. 'Logo, doe niet zo vervelend. Ga weg. Ik ben te oud voor dit soort vreselijke spelletjes, niet doen.' Haar blik bewoog zich langs hem heen in de richting van de keuken en de messenla, die openstond. Er lagen twee briefjes op de grond. Het restant van de kaas stond boven op het aanrechtblad, het stuk dat zij had uitgespuwd lag aan haar voeten op de vloer. O lieve God, waarom had ze hem zelf iets te eten laten pakken en toegestaan dat hij in de messenla keek? Brieven die alleen voor haar ogen bedoeld waren en hij had ze gezien. Logo stond op en trapte de kaas met zijn hak in de vloerbedekking.

'Vals oud kreng. Je wist waar die twee heen gingen, waarschijnlijk heb je ze erbij geholpen, en je hebt niets tegen me gezegd. Hoeveel brieven heeft Eenie je geschreven? Waarin ze je op de hoogte hield, mij achter mijn rug om uitlachte? Terwijl je al die tijd deed alsof je met me te doen had... lachte je me uit.'

'Eén brief, Logo, echt waar. Eentje maar. Eén in vier jaar, ik zweer het.'

'Wat zeg je? Zweer je het? Laat me niet lachen. Jij hebt de hele tijd geweten waar ze zat, de hele tijd. Ik durf te wedden dat zij hier was vorige week vrijdag, toen je tegen me schreeuwde dat ik weg moest gaan. Zeg op, opoe, waar woont ze? Zeg 't dan, zeg 't dan, zeg 't dan,' fleemde hij, haar enkel knedend in een komisch bedoeld, smekend gebaar. Even had Margaret de hoop dat ze de situatie weer onder controle kon krijgen, maar meteen daarop besefte ze dat het haar niet zou lukken. Ach, wat een verraad, nu had ze hen allemaal verraden: Logo, zijn vrouw, Eenie. Ze had voor geen van hen geheimen gehad. De koningsblauwe wol was over haar voeten gedrapeerd.

'Ik had het natuurlijk kunnen weten. Sinds jij vorige week met dat kind bij mij binnen bent geweest. En naar boven bent gegaan.' Hij sprak treurig en wond de wol om haar opgezette enkels.

'Waarom is dat zo belangrijk? Mijn hemel, hou op, hou op, idioot, dat blauwe oog is je naar je hoofd gestegen. Schenk liever nog wat in, vooruit. Hou op met dat vervelende gedoe.'

Het leek haar het beste om hem als een kind te behandelen, te klinken als de goedhartige brombeer die haar tweede natuur was geworden, maar ergens in de diepten van haar snel kloppende hart wist Margaret dat het te laat was. 'Ik heb in totaal één brief van Eenie gekregen,' zei ze klaaglijk. 'En wat maakt het uit dat ik in je huis ben geweest? O, ik snap het al.'

Het visioen van de koffer boven aan de trap kwam haar weer voor de geest, tezamen met de herinnering aan haar nervositeit tegenover hem sinds ze die had gezien, haar gebrek aan vriendelijkheid de afgelopen dagen, en dit alles had hun wederzijdse achterdocht aangewakkerd. 'Zeg eens,' zei ze zo neutraal als ze kon, 'is ze ooit teruggekomen? Eenie's moeder? Of is ze echt zomaar van de aardbodem weggevaagd? Vast niet, hè?'

De wol was nu om haar enkels gewonden en in een dikke knoop gelegd. Hij was altijd handig met stukjes touw geweest, handig met zijn handen, maar lui, hij hield meer van spelen dan van presteren, in tegenstelling tot zijn dochter. Ze wist dat als ze nu zou opstaan, ze zou vallen en ze voelde zich slap alleen al bij de gedachte. Logo zuchtte.

'O ja, ze kwam terug. Ik heb haar naar huis gehaald, een paar dagen later, jij was er niet, dat weet ik. Maar ze wilde niet zeggen waar Eenie was. En ik werd kwaad, zie je, heel erg kwaad.'

'Waarom wilde ze niet tegen je zeggen waar Eenie was?'

'Om me uit haar klauwen te redden. Te redden uit de klauwen van die kleine verleidster die al mijn goedheid had opgevreten en me dwong met haar naar bed te gaan. Ze gaf me de appel en liet me die opeten. Ze dwong me haar te neuken. Ze dwong me naar de duivel te gaan, helemaal in haar eentje. Waar woont ze, Margaret?'

'Nee, nee, arm kind, arm kind. O nee, dat arme kind.' Margaret huilde, er sijpelden tranen uit haar uitpuilende ogen.

'Waar woont ze?' drong hij aan.

'Ik weet het niet, ik weet het niet.' Ze deinsde voor hem terug.

'Hoe ziet ze eruit? Zwart haar, glad naar achteren gekamd, met een vlechtje in haar nek?'

Margaret gilde. 'Wat heb je met haar gedaan, Logo? Wat heb je met haar moeder gedaan?'

Hij schudde bedroefd zijn hoofd. 'Alleen dit maar. Helemaal geen bloed. Alleen dit maar.'

Een grote overwinningskreet vibreerde van het voetbalveld door de straat. Hij kon de stampende voeten horen en voelen, de inleiding op het aangolvende gezang. Het overstemde het begin van haar gegil. Zijn handen lagen om haar keel, de duimen groeven zich in onder haar kin. Margaret werd al slapper en hijgde, ze worstelde, tevergeefs, in haar ene hand klemde ze een breipen, waarmee ze hem in zijn maag stak, hij jankte maar bleef vasthouden. Haar gezicht zag paars, er ontsnapten vreemde dierlijke geluiden uit haar keel terwijl ze zich steeds opnieuw verzette. Het scheen eindeloos te duren, het ging af en aan. Na elke volgende golf van zwakte verzamelde ze meer kracht om zich te verzetten. Toen zakte ze in elkaar. Hij liet zijn greep langzaam verslappen, een list vermoedend. Toen dook hij snel in haar breitas, trok er nog een streng wol uit, wikkelde die bijna eerbiedig om haar hals en draaide hem achter in haar nek met zijn vuist rond. Zijn handen gleden over de wol, die warm en vettig aanvoelde: hij merkte dat hij hevig trilde. Logo pakte de pook naast de haard, stak die in de wol en draaide die almaar strakker als een tourniquet. Om het bloeden te stelpen, dacht hij onzinnig. Ten slotte maakte ze helemaal geen geluid meer.

Logo stond op en dronk nog wat whisky. Geleidelijk aan trok het trillen weg. Hij raapte de brieven op van de vloer, las ze nog een keer en gooide ze in het vuur. Hij mat in gedachten Margarets lichaam, gniffelde kort en tikte tegen zijn neus. Als je ziek en zwak was en je had hechtingen in je maag, was het veel moeilijker, maar hij zou niet weer dezelfde fout maken als de laatste keer, toen hij de ledematen had laten verstijven. Misschien zou hij zijn tocht even moeten uitstellen, de wedstrijd zou onderhand afgelopen zijn, nog een halfuur om de buurt schoon te vegen, daar waren ze tegenwoordig erg goed in, en daarna kon hij met zijn last over straat.

Hij trok haar bij haar enkels van de stoel en sleepte haar bij haar oksels naar de keukendeur. Ze was even groot als een vogel, haar blouse kroop omhoog en liet zachte, witte huid zien die over de vloer schuurde. Buiten stond haar zegekar, liggend op zijn kant. Eerst pakte hij de botte kant van zijn bijl en vermorzelde op deskundige wijze haar ellebogen en knieën: hij had hier lang en diep over nagedacht. Daarna duwde hij haar in de bezemkar, nog steeds warm, nog steeds plooibaar, maar het was moeilijk. Ten slotte, met een flinke hijs, slaagde hij er bij de derde poging in om de bezemkar overeind te zetten. Dit alles kostte enige tijd. Intussen passeerden roepende en gillende mensenmassa's het einde van de steeg. Dat vatte hij op als een aanmoediging.

Logo bedekte haar hoofd met een stuk zwart plastic en stak een schop tussen haar ribben. Hij rolde het karretje de straat op, die hij langs de winkeltjes op de hoek tot aan de hoofdweg volgde. Het was niet de route die hij gewoonlijk naar zijn werk nam, maar hij had tot nu toe de ervaring dat, hoe opvallender hij zich bewoog, hoe minder hij opviel. Een volle honderd meter langs de hoofdweg, voordat hij afsloeg, eerst links, daarna rechts, het kerkhof op, fluitend. Het vermogen om te fluiten kwam na een aandoening altijd veel eerder terug dan het vermogen om te zingen.

Logo vond het graf terug dat ze vanmorgen voor de vrouw uit Legard Street hadden gedolven. Hij pakte de schop uit de kar, liet Margaret liggen waar ze lag en sprong de kuil in. De voetstappen van de grafdelvers stonden overal. Hij had een zaklamp meegenomen, maar die had hij niet nodig: het graf lag aan de rand van het kerkhof, zodat de straatlantaarns genoeg licht gaven, en trouwens, zo precies hoefde hij niet te zijn. Hij had voldoende begrafenissen meegemaakt om de achteloosheid van stadse uitvaarten op grijze dagen zoals die van morgen te kennen, niemand zou ook maar enig spoor van zijn aanwezigheid vanavond opmerken. Ze werden hier begraven zonder enig besef van plaats. Margaret zou het hier naar haar zin hebben. In het graf groef hij alsof de duivel hem op de hielen zat. Zachte, Noord-Londense klei, koud maar vorstvrij, gemakkelijk te spitten. Niemand ging zo laat op de avond kijken waar de geluiden op een kerkhof vandaan kwamen. Zelfs de zwervers, het menselijke wrakhout dat uit de pubs kwam, en de vrijende paartjes gingen naar huis bij het geringste teken van leven op deze plek, dronken of gedrogeerd, ze zagen snel spoken. Graven op een kerkhof was slechts een consequent genegeerd teken van de dood.

Ik wil niet dood, dacht Logo, maar de gedachte was niet onaantrekkelijk nadat hij zo'n dertig centimeter had afgegraven, handig maar verwoed, zwetend in zijn zwarte kleren. Hij rook naar poeder, niet naar aarde, een ziekmakende geur van talkpoeder kleefde aan hem als een nevel; zijn revers waren wit, alleen al van het verslepen van haar lichaam. Nog meer poeder steeg op als een dunne nevel, als aanvulling op de mist, toen hij haar als een gigantische hobbezak uit de bezemkar het gat in sleurde, waar ze met een doffe bons in terechtkwam.

Toen bewoog ze, ze kreunde, bewoog en bleef stilliggen. Logo had de whisky meegenomen, hij nam een teug en keek nog een keer. Margaret was zo gedienstig. Bevrijd van de lap plastic lag ze erbij als een opgediende kip. Hij sprong op haar ruggengraat en vulde met zijn handen de ondiepe holte boven haar met aarde. Ze was nog steeds warm, zelfs de aarde was niet koud; haar aanwezigheid maakte die lauw. Dus het was niet zonder spijt dat hij haar bedekte en het graf in orde bracht. Eigenlijk was het wel zuinig om er twee tegelijk te begraven; dat zouden ze vaker moeten doen. Voor hem zou er geen familiegraf zijn. Zij zouden allemaal buiten de stadsmuren liggen.

Hij borg zijn schop weer in de bezemkar en rolde die naar de verste uitgang. Onderweg begroette hij het graf dat hij die morgen ook al gedag had gezegd. Per slot was het niet de eerste keer dat hij deze tocht met eenzelfde last had gemaakt. Eerst zijn vrouw, toen Margaret, allebei verraadsters. Zijn vrouw was zwaarder geweest, meende hij zich te herinneren. Of misschien was ze alleen stijver en onhandelbaarder geweest en hij zwakker, vanwege zijn hechtingen en boosheid. Logo raakte zijn neus aan. Hij stonk naar talkpoeder, dat kreeg hij er nooit meer af; het was niet passend voor een graf.

II

Ziekenzalen hadden iets eigenaardigs. Misschien kwam het door de nonchalante sfeer, alsof degenen die in bed lagen helemaal niets te duchten hadden. Het deed Rose denken aan de wachtruimte van de politierechtbank, waar iedereen er eveneens bij zat alsof er niets op stapel stond en er ook nooit meer iets gebeuren zou. Een ziekenhuis was allesomvattend, op woensdagavond wenste Rose ineens dat ze tot de kleine gemeenschap van zielen behoorde die de omgangsvormen van deze omgeving kenden en van de betrekkelijke veiligheid genoten. Patiënten moesten hun best doen voor hun bezoekers, hen plezieren op een manier die thuis niet verplicht was, maar Michael was verrukt om Rose te zien. Ze bekeek hem met andere ogen, een beetje jaloers. Hij was net een man die hof hield in zijn veilige koninkrijk, omgeven door presentjes. Door deze huldeblijken voor een man die heel geliefd was bij zijn vrienden en familie voelde ze zich klein en onaanzienlijk, iemand die niet meetelde.

'Mijn vader en moeder,' legde hij schaapachtig uit. 'Die sturen me steeds van alles. Ik wou dat ze ermee ophielden. Morgen mag ik naar huis en dit zou ik nog niet in een maand op kunnen.'

'Dan zul je het moeten achterlaten. Voor de anderen.' Rose kon het oma horen zeggen.

Losjes hield ze zijn hand vast. Omdat zijn andere arm vleugellam in een mitella zat, beroerde ze slechts heel licht zijn vingers, zodat hij zich meteen kon bevrijden, mocht hij zich willen krabben, een gebaar willen maken of gewoon het contact verbreken. Ze deden allebei een beetje onwennig; zij was gespannen, angstig, maar vastbesloten om zijn optimistische stemming niet te bederven. Er was zoveel dat ze hem wilde vertellen, maar dat was allemaal niet geschikt voor de oren van een zieke, de knapste man op de zaal, die er zo massief en veilig uitzag dat ze het liefst op zijn schoot zou kruipen om daar altijd te blijven, ook al zou niemand geloven dat hij de hare was.

'Hoe gaat het op kantoor? Staat het nog overeind?' Hij wilde niet uitsluitend over zichzelf praten.

'Ik ben er nauwelijks geweest, maar ik neem aan van wel. Je weet in welke staat het verkeert. Elke dag brokkelt het verder af. Ze hebben waarschuwingen tegen IRA-bommen opgehangen.'

'Toch niet weer? Ik snap niet waarom ze de moeite nemen om biljetten op te hangen. Elke willekeurige zwerver loopt zo dat gebouw binnen.'

'Nou, dat denk ik niet,' zei Rose geschrokken. Ze verdedigde het mausoleum, ze had altijd gedacht dat het onneembaar was als een fort. Dat was juist een van de vele redenen waarom het haar aanstond, ze beschouwde het als de enige ondoordringbare plek die ze kende, omdat niemand ooit zou proberen er binnen te komen. Bovendien wilde Michael eigenlijk helemaal niet over haar werk praten, laat staan over het gebouw waarin ze het verrichtte.

'Brigadier Jones was er vandaag. En Smithy en die schoft van een Williams kwamen schuilen voor de kou. Ik heb gezegd dat hij op moest rotten.'

Deze lijn wilde ze evenmin volgen.

'Ze komen alleen maar voor de chocolaatjes,' zei ze.

'Weet je, ik dacht precies hetzelfde.' Hij deed het met een schouderophalen af, maar ze zag best dat hij was gevleid door de hoeveelheid bezoekers en het een beetje betreurde dat deze periode van verwennerij ten einde liep. Rose begreep het wel. Zijn positie in dit bed maakte hem tamelijk onkwetsbaar.

'Hoe laat morgen?'

'O, in de ochtend, denk ik.' Nu voelde hij zich minder prettig, hij was zich ervan bewust dat hij haar in de steek liet. 'Pa en ma willen dat ik een dag of twee bij ze kom. En dat is waarschijnlijk wel zo verstandig. Want ik ben bang dat ik er nog niet veel van bak. En dan heeft mijn moeder ook eens de kans om me te betuttelen.'

Hij was apetrots dat hij liefhebbende ouders had, maar schaamde zich ook een beetje voor hen, met hun koor van soep brouwende en beterschap wensende familieleden die hem vanaf de zijlijn hun liefde toezongen. Maar Rose wilde van geen schuldgevoel weten.

'Precies wat je nodig hebt. Dan hoef ik tenminste niet te komen met schalen spaghetti à la bolognese die zo koud is dat ik hem voor je in blokjes kan snijden.' Ze giechelden allebei.

'Een paar daagjes, en het is maar in Catford. Je kunt me komen opzoeken en met iedereen kennismaken. Zaterdag? Ik heb het adres en telefoonnummer voor je opgeschreven. Toe Rose, zeg dat je komt.' Ze schudde haar hoofd, heimelijk opgetogen, maar doodsbang bij het vooruitzicht.

'Jawel, doe maar. En daarna,' hij hield haar hand heel stevig vast zonder enig teken dat hij wilde ontsnappen en keek haar indringend aan met ogen die in staat leken haar botten te smelten, 'daarna kom je bij mij. Met je koffer, als je wilt. Ik hou van je, Rose. Ik zou het wel van de daken willen schreeuwen.'

'Sst,' zei ze. 'Sst, straks hoort iemand je.'

'Ik ga me niet inhouden,' zei hij. 'Vergeet het maar.'

Op weg naar de uitgang, door drie dubbele, antiseptische poly-theendeuren, was ze slap van vergankelijk geluk, vóórdat de donkere wereld achter de dichtklappende buitendeuren de pret bedierf. Naast hem op de ziekenzaal kon ze, ergens achter die hardnekkige mist, wel een toekomst zien twinkelen, maar het probleem was: hoe overleefde ze de tijd voordat de toekomst begon? In de broeikaswarmte was Rose er op de een of andere manier in geslaagd het gekuch, dat nu uit wraak terugkeerde, te onderdrukken. Met het geluid van haar gehoest ver-dween de vreugde van haar illusie. Michael kon het niet helpen. Ze zou helemaal in haar eentje een veilige plek moeten vinden. Logo was overal, niemand kon hem opsluiten. Rose keek links en rechts voordat ze overstak. Aan de overkant was een taxistandplaats. Taxi's waren een luxe die ze zich niet kon veroorloven, maar er was geen sprake van dat ze alleen naar huis ging. De meisjes zouden allebei thuis zijn, de woensdagavond was bestemd voor klagen en haren wassen. Ze zou tot morgenochtend veilig zijn, tenzij de bel ging.

Papa lag op de loer bij elke hoek. Hij had haar gezien.

De donderdag daagde met een melkachtige zachtheid. De mist zakte tegen de souterrainramen van Helens appartement, terwijl het daglicht zich in haar dromen drong. Slechts de mist tuurde door de tralies die de ruiten bedekten, en hoewel ze het vervelend vond dat deze ijzeren zekerheid nodig was, had ze zonder deze maatregel niet alleen kunnen slapen. Het was een traag januarilicht, gepaard met een mist die haar aan de zee en aan verre oorden deed denken.

Donderdag. Voor de zorgelozen was het een dag vol beloftes, nu de tweede helft van de week was aangebroken, maar Helen behoorde zel-den tot deze categorie. Het werk van de ochtend zou eenvoudig ge-noeg zijn, maar alles stond in het teken van de emotionele kater van woensdag. Helen dacht niet aan Logo onder het aankleden. Peinzen over zaken bij wijze van schaapjes tellen, bleek niet meer te werken als afleiding. Er knaagde een duister schuldgevoel aan haar botten, een schuldgevoel over dingen die ze slecht of helemaal niet had afgehan-deld; schuldgevoelens omdat ze soms de essentie miste en omdat ze niet voldoende vooruitgang boekte met dat meisje, Rose, en omdat ze de vorige avond met Dinsdale over haar had gepraat. Schuldgevoelens omdat ze witte wijn had gedronken met meneer de charmeur, en nog veel meer, terwijl ze wist dat er iets niet deugde aan deze intimiteit, hoezeer ze het ook verdedigde met te zeggen dat het woensdag was en Bailey de hele week nog niet had gebeld, en hij dus zijn verdiende loon kreeg.

Toe nou, Bailey en ik hebben geen echte, concrete verplichtingen. O ja zeker wel, al staat er niets op papier, de onuitgesproken beloftes zijn de belangrijkste die je ooit hebt gemaakt.

'Ik weet niet wat dat kind mankeert,' had Helen tegen Dinsdale gezegd over Rose, gezeten in een wijnbar die, eendrachtig, een heel eind weg van kantoor en nieuwsgierige blikken was gekozen. Misschien voelde ze zich daardoor minder op haar gemak, door deze uitgesproken beweging in de richting van het clandestiene. 'Het ene moment is ze open, het volgende zo gesloten als een oester. Het ene moment een doodgewoon, giebelend meisje, het volgende wrokkig en onvoorspelbaar.'

'*Cherchez l'homme*,' zei Dinsdale. 'Opspelende hormonen. Hoe gaat het met de nieuwe vrijer?'

'Die ligt in het ziekenhuis.'

'Niet de beste plek voor een opbloeiende liefde. Misschien heeft dat iets met haar stemming te maken.'

'Ik denk het niet. Maandag en dinsdag sprankelde ze, en vanmorgen wilde ze niet eens naar de rechtbank komen. Ik moest haar zowat dwingen. En vervolgens hield ze haar handen de hele tijd voor haar gezicht en deed ze alles met tegenzin, alsof ze zich verborg... Ik weet niet waarom.'

'Denk je,' opperde Dinsdale voorzichtig, 'dat er enige waarheid in de theorie van Redwood kan schuilen? Dat Rose degene is die zand tussen de raderen van het systeem gooit?'

'Nee. Daar durf ik letterlijk mijn leven onder te verwedden. Wat een dwaas, theatraal iets om te zeggen.'

'Ja, dat is zo. Jij kunt het vast beter beoordelen.'

Helen keek naar zijn vingers om de steel van zijn wijnglas, die hij met de achteloze elegance van de wijnkenner omvatte. De kelk van zíjn glas was nooit vies, vettig of bezoedeld met vingerafdrukken en lippenstift zoals bij haar glas, allang voordat de fles leeg was, het geval was. Ze vroeg zich af hoe hij erin slaagde om zo smetteloos te blijven, en ook waarom ze er alles aan deed om het gesprek neutraal te houden, gefixeerd op de belangrijkste wegen van de wet en wat algemene roddels, ver van alles wat met henzelf te maken had. Ze draaiden nu al enkele weken om elkaar heen, in al hun gesprekjes zat een element van plagerij. Het kwam neer op niets minder dan een langdurige flirt, zij het van een onduidelijke soort, twee mensen die naar elkaar luisterden met de intensiteit die alleen voor een potentiële minnaar bestemd is. Nu het onbeduidende karakter van hun relatie begon weg te glippen, naarmate die meer in de richting van een verhouding verschoof, en nu Helen wist dat hij op het punt stond om haar een voorstel of een bekentenis te doen, begon zij, die even enthousiast was geweest als Dinsdale voor de complimentjes die ze over en weer gaven en ontvingen, zich te bedenken.

Ze had de wijnbar in volle vaart verlaten met een smoes die even onecht klonk als hij was, en nu was ze woedend op zichzelf. Ze was een volwassen vrouw, ze had met hem moeten praten, ze had het niet zo ver mogen laten komen. Wat ze had gewild was aandacht, gaf ze bitter toe. Ze had verse ammunitie nodig gehad voor haar strijd met Bailey, ze had de onkritische, openhartige bewondering nodig die deze jongere collega haar zo genereus gaf, tezamen met zijn steun als hij om haar pathetische grapjes lachte. Ze had niet echt iets terug willen geven. Hem een beetje willen opgeilen. En wat is daar zo erg aan? Een vraag aan de spiegel. Mag ik niet met mannen praten en van hun gezelschap genieten? Natuurlijk mag je dat, antwoordde haar geweten, maar je wist dat dit anders was. Mocht ze Dinsdale echt graag, met zijn hoffelijke manieren, zijn aardappel in zijn keel en zijn glanzende zindelijkheid? Ja, afgezien van het laatste. Ja, ja. Dat zat dus wel goed. Het opgeilen was gemeend.

De mist hielp. Die hielp altijd, maar hij zou voor twaalf uur wel optrekken. Helen West hield van de koude anonimiteit van de winter. Het was net alsof de leemte die door de niet-bestaande zwangerschap was achtergelaten, was gevuld met een vreemd verlangen om anders te zijn, zich in deze wereld goed van iets te kwijten, in plaats van iedereen voortdurend op een subtiele manier in de steek te laten.

De ouders van Sylvie hadden de diverse kwesties die bij oma's begrafenis kwamen kijken, lang en uitvoerig doorgenomen. De eerste was: moest Sylvie erbij zijn? Maakte dit deel uit van de noodzakelijke opvoeding van een kind in zo'n kwetsbare leeftijd, en zou dat het makkelijker maken om de dingen uit te leggen? De meningen werden geïnventariseerd, maar stonden tegenover elkaar en het pragmatisme won. Een telefoontje vroeg in de morgen naar Margaret had niets opgeleverd; het kind had wel ergens anders gestald kunnen worden, maar het gezin was de laatste tijd zo uit zijn normale doen geweest, dat dit niet helemaal de juiste oplossing scheen en voor het bedenken van alternatieven was geen tijd. Het tweede onderwerp van discussie was of ze in het zwart moesten, maar er was geen zwarte kleding in huis en geen tijd om die te lenen. Meneer en mevrouw gingen in het blauw en grijs naar de kerk en Sylvie, belust op ruzie, in het rood.

Het was de kist die Sylvie's moeder aan het huilen maakte, ze werd zo door verdriet overmand dat ze het kind onbewust tegen zich aan drukte voor troost. Te laat wist ze weer waarom men nooit kinderen mee moet nemen; niet om hun de aanblik van de kist te besparen, maar die van een ouder die zich niet meer in de hand heeft. De moeder liet het handje los en klampte zich aan haar stevige man vast. Sylvie vergat dwars te liggen in deze vervreemdende sfeer. Ze raapte het gezangenboek op dat haar moeder had laten liggen en keek ernaar, voordat ze stil en geconcentreerd aan het omslag begon te knagen.

'Jezus zeide: Ik ben de opstanding en het leven; wie in Mij gelooft, zal leven, ook al is hij gestorven, en eenieder die leeft en in Mij gelooft, zal in een eeuwigheid niet sterven...'

Sylvie draaide zich met het boek nog in haar mond om. Ze zag het laatste lid van de congregatie binnenkomen en achterin gaan zitten. Haar kaak begon sneller te werken. Het was de man met de vingers. Sylvie zocht naar haar moeders mouw, en zag dat ze in elkaar gedoken tegen pappie aan leunde, allebei kleintjes, zonder acht op haar te slaan.

'...Wij hebben niets op de wereld medegebracht; wij kunnen er ook niets uit medenemen. De Here heeft gegeven, de Here heeft genomen, de naam des Heren zij geloofd.'

Het duurde allemaal te lang. Toen de priester zijn kleine schare voorging van de kerk naar het kerkhof, deed het daglicht zeer aan hun ogen, maar de beweging was welkom, ook al begon de dochter weer te huilen zodra de kist op de schouders was getild van de sombere beroepsslippendragers, die buiten een sigaretje hadden gerookt tijdens het enige, ongelijk ingezette gezang. De kist was zo klein, dat ze zich niet kon voorstellen dat hij werkelijk de overblijfselen van een heel leven bevatte. Ze stelde zich voor dat haar moeder in de nauwe ruimte was opgesloten als een dier dat zich schuilhield, in de kist gepropt, zoals zij zelf een keer een muis mee naar school had genomen. Buiten motregende het; het haar van de priester ging krullend overeind staan, maar dat scheen hem niet te deren. Hij genoot van dit soort traditionele begrafenissen, omdat ze hem de mogelijkheid boden zijn stem in gebed te verheffen, de enige kans in zijn huidige bestaan om de agnostici te herinneren aan de macht van God en de futiliteit van deze nederige leventjes zonder Hem. Dus hield hij hun met sonoor stemgeluid de kerkhoftradities voor, waarschuwde dat de kist in overeenstemming met zijn gebeden moest dalen en dat iedereen daarna een handje aarde moest werpen. Nu haar moeder onbereikbaar was, volgde Sylvie hem op de voet, gefascineerd door de golvende superplie en de kleurzweem van zijn stool. Stoutmoedig stapte ze naar het graf toe en tuurde naar beneden. De priester schermde haar af, dit was niet het juiste moment voor een standje.

'Al tijdens de bloei van ons leven, zit de dood ons op de hielen: van wie mogen we hulp verwachten, behalve van U, o Heer?' Hij wierp een betekenisvolle blik op het twintigtal dat nog verzameld was. Sylvie tuurde het graf in, op zoek naar wormen, haar blik werd getrokken door een streng helder koningsblauwe wol, die onnatuurlijk scheen af te steken tegen de grijsbruine, kruimelige aarde. Ze wist zonder dat ze het kon zeggen, dat de wol werd vastgehouden door een hand. In het midden van het gat dat voor de kist was gedolven, zag ze een voetafdruk en aan de andere kant, half onder de aarde, een schoen. Niemand anders keek in het graf: alle ogen waren ergens anders op gericht, zelfs degenen die onverschillig stonden tegenover de overledene, hadden niet de wens om de diepte te inspecteren waarin ze zou worden neergelaten. Sylvie's blik gleed langs de lengte en in de diepte, op zoek naar de andere schoen, en zag in plaats daarvan nog meer draden van dezelfde blauwe wol, en toen balde haar hele gedrongen lichaampje zich samen tot één snerpende gil. Sylvie wist niet precies waarom ze gilde. Ze werd weggesleurd en schopte wild om zich heen terwijl het gebed voortging en de kist, vastgehouden aan banden, met de nodige inspanning daalde. Iedereen negeerde de geluiden die er niet bij hoorden.

'...Daarom vertrouwen we haar lichaam aan de aarde toe, want stof zijt gij en tot stof zult gij wederkeren...'

'Nee!' gilde Sylvie. 'Nee! Nee! Nee!'

Met een ziel vol smart en schuldgevoelens, haar hand nog bevuild met de aarde die ze zojuist had geworpen, wendde Sylvie's moeder zich van het graf af en gaf haar dochter een klap in het gezicht. Ze haalde automatisch uit en het geluid klonk even luid als de stilte die volgde.

Het aanhoudende gekrijs stopte abrupt: het kindergezichtje zag bleek, een vieze handafdruk links van haar neus. In haar vaders armen opgetild, draaide ze niet haar andere wang toe, maar bleef nog een minuut sprakeloos en stilletjes, totdat hij haar naar de uitgang had gedragen, haar hoofd met zijn hand tegen zijn schouder ondersteunend. Toen fluisterde ze. 'Nee, papa, nee, er is iemand daar beneden, papa. Echt waar. Die kist mag er niet bovenop, papa.' Hij maakte geruststellende geluiden en streek over haar rug, uit zijn doen en blozend van schaamte over het gedrag van zijn gezin voor andermans ogen. Hij was boos op de hele wereld, behalve op zijn kind, maar dat wilde niet zeggen dat hij luisterde naar wat zij zei. Vanuit zijn ooghoek zag hij een rouwdrager bij de anderen vandaan lopen, een vagelijk bekende figuur, die een blik in hun richting wierp. Hij voelde Sylvie verstijven in zijn armen en hield haar steviger vast.

'Dat is hem,' jammerde Sylvie. 'Die daar, die zingende man met die gekke handen.'

'Rustig maar,' zei hij. 'Zullen we met z'n allen thuis een kopje thee gaan drinken?'

Donderdagavond vroeg zat Rose in de koffiehoek van Debenhams, beet op haar nagels en liet haar thee koud worden. Ze was de ingewanden van de Central Line in gerend om op tijd te zijn, en Margaret was te laat. Rose wist nog dat de oude dame haar had bijgebracht dat het heel onbeleefd was om al die stukjes van de levens van anderen te verspillen door te laat te komen. Daarna bedacht ze, met stijgende paniek, dat Margaret zonder mankeren in de praktijk bracht wat ze predikte en dat dit niets te maken had met verlaat zijn, ongelukken of bommen. Ze kwam eenvoudig niet. Daarna kon Rose helemaal niet meer normaal nadenken. Tussen de plastic varens en houten stoelen voelde ze hoofdzakelijk een verdovende pijn, gevolgd door eenzaamheid en ten slotte angst. Margaret had een hekel aan haar, had besloten dat ze geen contact wilde, was uiteindelijk toch overgelopen, gaf niet om haar en had haar vader over deze afspraak ingelicht. Bij deze gedachte kon Rose geen vin meer verroeren, niet eens haar kopje optillen. Thee in het cafetaria, had Margaret gezegd, niet zoals ik die bij mijn o zo gezellige haardvuurtje zet. Terwijl ze papa alles vertelde. O nee, dat zou ze nooit doen, ze had altijd, altijd geheimen kunnen bewaren. En ze was niet gemeen.

Papa. Voor de rechter gisteren met zijn boosaardige lichtblauwe ogen en zijn nietige, destructieve gestalte, zijn gezicht als een toverbal, maar toch zijn gezicht, haar passerend, zijn hand uitstekend om haar aan te raken, haar omgevend met de stank van zijn vuiligheid en zijn vervloekingen. Haar angsten werkelijkheid geworden, en toch had ze ook medelijden met hem gehad. Alsof ze het niet had geprobeerd, niet had geprobeerd om zijn papieren te verdonkeremanen en in de versnipperaar te doen, zoals ze de volgende keer weer zou proberen, opdat hun paden elkaar nooit zouden kruisen. Maar ze kon het niet, ze kon Helen West niet met de brokken laten zitten, ze had haar huiswerk voor papa's zaak als een braaf meisje gedaan en had zich toen, met omkerende maag, te midden van de graffiti in het openbare toilet verborgen, waar de wanden de legenden van de vorige week verhaalden. Op ooghoogte, toen ze voor zich uit zat te staren, prijkte een met viltstift aangebrachte, vervagende krabbel met de schrijnende tekst: 'Is er iemand daarbuiten?' en Rose wist dat er niemand was. Nu Margaret niet was gekomen, was ze zich daar nog meer van bewust.

Rose keek heimelijk om zich heen, bevangen door een gloednieuwe angst. Zou Margaret het hebben doorverteld aan haar oude vriend Logo? Hing hij hier nu rond, wachtte hij tot hij haar naar huis kon volgen, naar een adres dat hij al op een poststempel had gevonden? Was oma daarom niet gekomen, omdat ze de ene loyaliteit voor de andere had ingeruild? Het was een gruwelijke mogelijkheid.

Rose voelde zich veilig in gezelschap, in winkels en in grote gebouwen. Pappie had haar vaak meegenomen als hij kantoren ging schoonmaken, dat bepaalde op de een of andere manier de huidige keuze van haar bestemming. Ze pakte haar tas op met een zekere waardigheid die ze niet voelde, liet zich naar de begane grond lanceren, kocht een tandenborstel en een sjaal en wachtte met ingehouden adem of ze stom genoeg waren om haar creditkaart, waarvan de limiet ruimschoots was overschreden, te accepteren. Daarna dook ze opnieuw de Central Line in, die nog steeds vol winkelende mensen zat. Bij aankomst rende ze de trein uit, stopte bij de cafetaria op de hoek en bezocht, vlak voor sluitingstijd, de slijterij ernaast, waar ze haar laatste penny uitgaf. Daarna sprong ze veerkrachtig de treden op, langs het geruststellende hek, naar de kantooringang waar de nachtwaker wazig voor zich uit zat te kijken.

'Ik heb iets voor je gekocht,' zei ze, hem de in blauw papier gewikkelde fles overhandigend. 'O ja, ik werk tot heel laat door vanavond, dus stoor je niet aan mij, wil je?' Hij glimlachte bevreemd. Rose stampte de trap op. Het deugde niet om de goedgunstigheid van een man te kopen met een halve fles whisky, vooral niet als het zo'n afstotelijke, sluwe vent was als hij, maar ten slotte had het bij haar moeder en vader ook zo gewerkt.

De kilte begon in het gebouw neer te dalen. Dat vond Rose niet erg. Het kantoorgebouw was weliswaar buitenissig, maar het was groot en bovenal was het veilig.

Helen kwam Redwood omstreeks vijf uur op de gang tegen. Hij zag er ontheemd en verslagen uit en ze vond de ruimte om met hem te doen te hebben. Hij merkte haar pas op toen ze voor hem stond en het te laat was om zich uit de voeten te maken.

'Is er al nieuws over de kantoordief?' wilde ze weten. Ze hadden allemaal op het punt gestaan om naar het overleg te gaan, toen ze het bericht kregen: Laat maar, en vraag niet waarom. Ze zei het op haar opgewektste scherpe toon, maar evengoed kromp hij ineen.

'Ik heb geen nieuws, daarom juist,' mompelde hij. 'Het heeft geen zin om jullie te laten komen en dat te vertellen. Trouwens, ik heb het druk, ik moet –'

'Dus u laat de saboteur gewoon zijn gang gaan?'

'Wat moet ik anders? Verder heeft niemand geklaagd. Ik laat het schip niet kapseizen door een officieel onderzoek in te stellen, we zinken toch al.'

Maar je stond wel klaar om Rose te beschuldigen, om te doen voorkomen dat jij aan je plicht had voldaan, dacht Helen woedend. Iemand ontslaan om te laten zien dat je je best hebt gedaan.

'Dat volstaat niet,' zei ze slechts vastberaden. Redwood keek dreigend. Uitdagingen schrikten hem alleen in eerste instantie af; daarna wist hij weer dat hij agressief moest worden.

'Hoezo volstaat dat niet? Het zal wel moeten. Daarnaast zal de beveiliging worden opgevoerd en aan een grondig onderzoek onderworpen, er komen elektrische sloten, dat soort dingen.'

'Wanneer?' vroeg ze vasthoudend.

'Wanneer? De komende maand of zo.' Naarmate ze hem meer in het nauw bracht, werd hij agressiever. 'Hoor eens, als het je niet bevalt, ga je maar ergens anders werken. En anders zoek jíj maar uit wie of wat er met het systeem knoeit. Mijn zegen heb je. We zijn tot de slotsom gekomen dat het misschien een computervirus is –'

'Die ook papieren weghaalt? Slim virusje.'

'Het past in het plaatje. Maar zoals ik al zei, als jij er meer van wilt weten, ga je gang.'

'Goed, doe ik. Zolang u de administratieve krachten de schuld maar niet geeft. Ik breng verslag uit zodra ik het virus verscholen in een kast aantref. Goed?'

'Leuk hoor.'

Ze scheidden bijna vriendschappelijk. Dinsdales kamer met een onbehaaglijk gevoel vermijdend, ging Helen op zoek naar Rose. Vandaag waren hun gesprekjes binnen en buiten de rechtbank al te oppervlakkig geweest, plichtmatig bijna, maar Helen wist nu tenminste dat de lieve Michael die avond naar zijn ouders ging, en ze had zich voorgenomen Rose te ondervangen voor ze weg was en voor te stellen samen iets te drinken of te winkelen, of iets anders, om te voorkomen dat het recent gebroken ijs weer dichtvroor. Haar overdreven nieuwsgierigheid naar Rose was nog lang niet bevredigd; hoewel die in strijd

was met alle logica, bestond ze al geruime tijd. Helen had een onfeil-
baar instinct voor mensen die hun kwetsbaarheid onder veel luidruch-
tigheid verborgen. Ze bleef bij de kamerdeur van de administratie
staan. Te laat. De vogel was gevlogen, ongebruikelijk vroeg.

Een uitdagend briefje op het bureau. 'Ik ben winkelen.'

Dat leek haar niet zo'n slecht idee. Op Helen hadden mensenmassa's een bespottelijk kalmerende uitwerking, ze werd verwarmd door
lichten, verleid door uitstallingen en kon uren achtereen in een winkel
doorbrengen. De kakelbonte pracht van Oxford Street lokte en ze ging
er als een pelgrim naartoe.

Ze nam de roltrap naar de Central Line. Het was al laat, half zes.
Het kantoor was leeg, haar appartement was leeg, en ze verlangde naar
het bevolkte vacuüm daartussenin. De oude roltrap protesteerde onder
het gewicht van de voeten, toen ze te midden van een dunnende
stroom mensen bij Holborn afdaalde. Aan de andere kant passeerde,
ten hemel stijgend en een verwarde indruk makend, Rose. Ze hield een
tas onder haar arm geklemd en staarde recht voor zich uit. Helen riep
en zwaaide vruchteloos. Andere mensen keken wel, om hun blik vervolgens te richten op de affiche 'Zwanger en blij? Fijn', en andere
voorstellingen die de magische effecten van alcohol, pizza's, boeken en
kleren toonden – ze rolden voorbij, grijnzend om Helens gebaren als
betrof het de onverhoedse, grappige tic van een krankzinnige.

Helen had geen zin meer om te gaan winkelen.

Geoffrey Bailey besefte dat dingen als boodschappen doen in dit ge-
structureerde bestaan waarin alles een vaste plaats had, niet hoefde,
maar voelde dit niet als een echt gemis. Winkels waren hem zo vreemd
geworden, dat hij, toen hij en Ryan met dezelfde twee aantrekkelijke
vrouwen in de lokale herberg zaten die hun stamkroeg was geworden,
zich niet meteen realiseerde dat de oudste van de twee iets aanhad dat
zo duidelijk splinternieuw was, dat hij meende het vloeipapier bijna te
kunnen ruiken en de moet van het kleerhangertje nog te zien. De
vrouw, die Grace heette, had een huis in de buurt: daar waren ze al
eens geweest, dus waarom niet nog een keer? Er was genoeg drank in
huis. Er werd een poosje om de uitnodiging heen gedraaid totdat ze,
in één handeling die even vloeiend als pijnloos verliep, schenen te zijn
overgeheveld van de knusheid van de pub naar de pracht van haar
woonkamer, middels het mechanisme van Ryans geurige auto die in
feite als tijdcapsule had gefungeerd. Pas toen ze op een trijpen canapé
zaten – die Bailey zowel opviel als verafschuwde zonder precies te weten waarom, misschien omdat het ding zo diep was dat het hem volle-

dig immobiel maakte – drong het tot hem door waar dit alles om draaide. Hij verlangde vurig naar vreugde en plezier. En naar het beeld van Helen, die schuldbewust en luidruchtig thuiskwam van de donderdagse winkels om met haar neus in de papieren op een versleten chintzbank te gaan zitten, terwijl hij een boek las in haar leunstoel waarvan de springveren in zijn achterste drukten, zonder zich iets van de gewoonten van haar meubilair aan te trekken. Helen had een kat, en hij ook, alle twee zo'n door het leven getekend, onafhankelijk exemplaar, dat hier nooit onderdak zou kunnen vinden. De indrukken passeerden als kwikzilver, zonder zichtbare sporen op zijn gezicht achter te laten. Het huis waar hij zich bevond, telde drie slaapkamers op de eerste verdieping, voor ieder een, plus één voor hun geweten, mocht een van deze overwegingen van toepassing zijn. Bailey dacht aan het huiswerk dat hij eigenlijk moest maken voor de ontberingen van morgen, herinnerde zich het opportunisme van zijn betrekkelijke jeugd en concludeerde dat Grace niet zo'n slecht alternatief was, gewetensproblemen waren oplosbaar, ze geurde naar parfum en gelijkgestemde gevoelens. Al vond hij haar meubilair niet mooi, ze kwam uit dezelfde stal als hij, ze had dezelfde humor en rook naar ongecompliceerde gulheid.

Op welk moment Ryan en zijn dame naar boven verdwenen, wist Bailey niet precies, rond middernacht. 'Ik ga naar bed,' zei Grace gapend als een kat. 'Ik denk dat je je lift terug naar school kwijt bent. Je kunt maar beter blijven. De badkamer is boven aan de trap rechts. Je mag met mij meekomen, maar je kunt ook op dit ding slapen.'

'O,' zei hij schaapachtig. 'Het spijt me. Ik doe...'

'Dit soort dingen nooit?' Ze aarzelde en hij wist dat het niet geveinsd was. 'Ik ook niet. Daarom heb ik een nieuwe jurk aan en doe ik zo doortastend.'

Hij wilde ten koste van alles voorkomen dat hij haar zou vernederen en inderdaad, hij vond haar aardig. Hij hield van een vrouw die sprak met een accent, die precies zei wat ze dacht en zijn eigen taal praatte.

'Goed,' zei hij.

Er heerste stilte op de overloop van de eerste verdieping van dit nieuwe huis in een wijk vol doorzonramen die teruggetrokken levens weerspiegelden. Een van de kamers vol teddyberen getuigde van een afwezig kind. De deur naar moeders kamer stond open, ze was binnen, trok haar nieuwe kleren uit. Bailey ging de badkamer in. Hij was deprimerend nuchter, deprimerend hulpeloos en hij wilde zo lang mogelijk hier in deze ruimte blijven.

De dreun van beneden raakte hem als een klap. Zijn doorgroefde gezicht bevroor tot een landkaart, toen hij in de spiegel staarde met de onbeweeglijkheid van een geest. Er sloeg een deur dicht. Het kostte hem verscheidene seconden om van zijn plaats te komen en hij was dankbaar dat hij zijn kleren nog aanhad. Op de overloop botste Ryans vlezige torso, zijn achterwerk slechts ten dele bedekt door een pluizige handdoek, tegen zijn magere, staalachtige ribbenkast. Bot op vlees; hij wist dat Ryans vuist popelde om naar hem uit te halen als reactie op de indringer.

'Shit,' zei Ryan, 'Ik geloof dat we inbrekers hebben.'

'Trek je kleren aan,' zei Bailey. 'Verdomme.'

Alleen al met hun toneelmatige gefluister hadden ze een Oscar kunnen winnen. Grace verscheen in de deuropening, haar witte gezicht deed enigszins afbreuk aan haar opkomst op het linkervoortoneel.

'Blijf jij maar hier,' zei Bailey zachtjes. Het was jaren geleden dat hij een vrouw *déshabillé* had gezien om hem te behagen, een ongewoon mooi gezicht. Ze deed wat haar werd gezegd en sloot de deur. Ryan kwam weer te voorschijn, met een openhangend overhemd, daaroverheen een colbert en een broek die hij onder het lopen dichtritste, schoenen, geen sokken en, zo vermoedde Bailey, geen onderbroek.

'Zeg wat tegen me, chef,' zei Ryan, hees fluisterend. 'Als het maar hard is.'

'Wat zeg je?'

'Maak lawaai. Zing iets of zo.'

'Er zijn inbrekers.'

'Ja. Het kan best zijn dat er inbrekers hier in huis zijn,' siste Ryan, zijn armen vastgrijpend. 'Maar die moeten we niet vangen. Wat wilt u? Grote krantenkoppen? Zingen, vooruit. Geef ze de tijd om weg te komen.'

Bailey kuchte luidruchtig. Het kuchen leek besmettelijk te zijn. Ryan kuchte, maar alleen als inleiding op zijn roep: 'Is daar iemand?' met een stem die zo ongelooflijk onecht klonk dat Bailey er eerst de rillingen van kreeg en vervolgens zijn lachen moest inhouden. Daarna gingen ze naar beneden.

Het was een afschuwelijke kamer, dacht Bailey treurig, als de eigenaresse er niet vertoefde. Een kamer die probeerde alles tegelijk te zijn, maar daar niet in slaagde, behaaglijk, luxueus, met kamerplanten zowel voor als achter de ramen. De glazen deuren gaven toegang tot een tropische creatie. Een van de palmen was in een nijdige bui door de ruit gevallen. Twee enorme planten lagen in omarming tussen het gebroken glas.

'Godzijdank,' verzuchtte Ryan. 'Het was de wind maar. Tijd om te gaan, chef.'

'Straks,' zei Bailey. 'Straks.'

De vrouw kwam te voorschijn terwijl hij met karton en plakband het raam dichtmaakte en Ryan de glasscherven opveegde. Ze deden allemaal wat ze konden, onder het uiten van geluiden die pasten bij het einde van een feestje, lachend met een kop koffie in hun hand, alle begeerte weggeëbd, waarna Ryan en Bailey als een zwijgend, lafhartige patrouille verdwenen.

'Slaap lekker,' zei Bailey, iets wat hij automatisch tegen Helen zei als hij 's avonds laat bij haar wegging.

'Doe ik,' zei de vrouw, glimlachend zonder een spoortje bitterheid. 'Tot gauw.'

Bailey bloosde.

Slaap lekker, mijn lief, wees gehoorzaam morgen, ontwaak verfrist, het doel van iedere man. Logo zat op de koude trottoirband op zijn gemak te staren naar de lampen die nog steeds volop brandden achter de ramen van het gebouw dat hij in het oog hield. Deden ze het licht nooit uit? Jawel. Ze knipten op elke verdieping de meeste lichten uit, maar vergaten er ook wel eens een paar. Vanuit de nauwe straat waar de achteringang van het uitgestrekte gebouw dat hij observeerde op uitkwam, kon Logo de silhouetten van lomp meubilair achter de netgordijnen onderscheiden die voor de enorme ramen op de begane grond hingen. Binnen dommelde een bewaker, maar Logo wist hoe hij erin kon komen; een of twee schuiframen lonkten hem al toe, hij had alleen getwijfeld aan de zin van de onderneming. Het kantoor van het Openbaar Ministerie, waarvan het adres zo eenvoudig aan de gerechtsbode met haar dikke kont te ontfutselen was geweest en dat zelfs op een oude alibikennisgeving had geprijkt, verdedigde zich uitsluitend tegen terroristen. Daar behoorde hij niet toe. Logo was slechts een man die naar zijn dochter verlangde en haar kwam redden uit de klauwen van haar ontvoerders. En, mocht hij aan haar aanwezigheid hier hebben getwijfeld, dan waren zijn twijfels gauw weggenomen. Onder ooghoogte, in de kelder, bevonden zich symmetrische ramen, allemaal op een rij, allemaal donker, op één na, waar het licht achter de smerige netgordijnen flikkerde en iemand tegen de achtermuur een kleine voorstelling weggaf.

Het kon zijn dat ze haar walkman op had; want ze speelde volgens een bepaald ritme, maar ze wist alles van het schaduwspel. De lange, slanke vingers in die ruimte vormden een roofvogel tegen een gele muur en Logo kon hem heel duidelijk onderscheiden.

Hij kuierde naar het hek toe en keek op zijn gemak de diepte van de kelder in, hij had alle tijd, maar er dreunde met schallende radio een gigantische vrachtwagen van de posterijen voorbij, die stilhield voor de deur. Logo trok zich terug.

Vanavond, morgenavond, een andere avond; eerst uitrusten, wat maakte het uit nu hij zo vlakbij was? Hij hield ervan iets in het vooruitzicht te hebben. Het schaduwspel ging voort.

Nu zag hij een konijn, daarna een kerk met een torenspits.

Ze was nog steeds zijn kind.

12

Het kantoorgebouw was de enige plek waar Rose nog nooit bang in het donker was geweest, maar dat kon niet verhoeden dat ze de knusheid van al haar tierlantijntjes en teddyberen miste. In de ingewanden van de kelder had ze uit een aantal ruimtes kunnen kiezen, de een nog meer afgezonderd dan de ander. Het hokje dat ze te midden van al deze luxesuites koos, had de afmetingen van een diepe kast en beschikte over een smerig schuifraam dat beneden het niveau van het hekwerk lag dat de voordeur van het gebouw flankeerde. Haar kruin bevond zich ruimschoots onder straatniveau en de ruit was vies en het zicht vanaf de straat beperkt, zodat haar gevoel van veiligheid totaal was. De geelgesausde wanden waren brokkelig door talloze verflagen, de stenen vloeren waren met rode tegelverf besmeerd; het schreeuwerige effect werd afgezwakt door de ouderdom. Buiten en op de gang zoemde de centrale verwarmingsketel voor het hele, uitgestrekte paleis met harmonische bezetenheid achter een dichte deur, van tijd tot tijd afkeurend klakkend. In de onderaardse ruimte had Rose het gevoel dat ze zich in de buik van een schip bevond, met al het geruststellende lawaai en plaatsvervangende leven van de machinekamer om de geesten te verdrijven. De verlichting in het hokje bestond uit een enkel, akelig bungelend peertje, versterkt door de bureaulamp die Rose uit Helens kamer had geleend om haar bed bij te lichten. Hier bestond het matras uit stapels oud papier die ze uit het archief had gehaald en in een langwerpige vorm had neergelegd, bedekt met een oud gordijn waar ze de spinnen uit had geschud, en op dit kermisbed lag Rose en trachtte te slapen na schaduwfiguren op de muur te hebben gemaakt. Geheel gekleed, op haar schoenen na, bedekt met een winterjas en de sjaal, knipte ze de verlichting uit, die op slag plaatsmaakte voor een absolute duisternis, maar toen, vlak voor de paniek toesloeg, wenden haar ogen aan de rechthoek van licht en haar oren aan het geloei van de verwarmingsketel, en was ze in staat om haar ogen te sluiten.

Maar om vijf uur 's morgens, onbehaaglijk en koud, drong de domheid van dit alles tot haar door. Slapen in een kerker op een papieren matras met zweet dat zich onder haar oksels verzamelde en ijs rond haar voeten, dacht Rose: dus zover is het met me gekomen. Een zwerver, een klant voor het snurkhuis, die zonder goede reden elke dag verkast, altijd op zoek naar een nieuw plekje, omdat ze wordt achtervolgd door een oud mannetje. In de kelder, in het holst·van de nacht, was Rose absoluut niet bij machte om zichzelf te feliciteren met wat ze tot dusverre met haar leven had gedaan, laat staan dat ze oog had voor ook maar één van haar bijzondere prestaties. Ze had een goede opleiding, zag er goed uit, deed haar werk goed; ze was één grote verzameling littekens, en toch niet verminkt. Maar het enige wat ze zag was een grienend wicht, dat zich als een rat in de kelder verstopte, zoals ze zich ook bij mannen had verscholen. Bij die laatste analyse deed het verschrikkelijke visioen van wat Michael wel zou denken als hij haar zo zag, haar kreunen. Ze dacht aan Helen die al de hele week wachtte tot ze haar mond zou opendoen, zonder aan te dringen. Ze dacht aan haar vader in de rechtbank en kromp ineen.

Ze voelde dat het buiten waaide, rook de regen. Uit de diepte tussen het hek en de buitenmuur klonk het gelijkmatige geluid van water dat van de dakranden drupte, die zich hoog boven haar bevonden. De verwarmingsketel barstte los in een nieuwe levensfase, en bracht zijn volume daarna terug tot een somber gemompel. Rose voelde zich vies. Om zes uur beklom ze op de tast de achtertrap, snakkend naar daglicht, vond de toiletruimte op haar verdieping, waar haar collega's heen renden om zich te verstoppen. Zoals altijd kritisch, kleedde ze zich helemaal uit en deed lang over de wasbeurt met de krachtige kantoorzeep en de schurende papieren handdoeken. Boven was de stilte overweldigend, afgezien van de geluidjes van inspanning die ze zelf maakte, totdat ze voetstappen hoorde. Voetstappen en een kuch, zodat ze haar eigen gehoest onderdrukte. Een stel voeten die door de gang liepen, ongehaast maar doelbewust, zich verwijderende schoenen met stalen halvemaantjes op de hakken, die tikten op de plaatsen waar de vloerbedekking versleten was. Rose legde haar vochtige hand op de deurkruk van de toiletruimte en duwde de deur een klein stukje open, net op tijd om een slanke gestalte te zien verdwijnen door een stel oude klapdeuren aan het einde van de gang. De deuren waren zwaar: daardoor bleef hij zo lang staan dat zij de houding van zijn schouders en de kleur van zijn haar kon herkennen. Dinsdale Cotton, met een paar dossiers, een aanblik waardoor er in haar geest onmiddellijk verbanden werden gelegd. Datzelfde ogenblik wist Rose wie de kantoordief was. Ze kon zich niet bewegen, keek verlamd van woede de lege ruimte in waar de deuren nog steeds hevig klapwiekten. Natuurlijk wist Rose dat iemand de dossiers gapte en met het systeem knoeide, zodat er zaken opzettelijk werden verloren. Ze was zich er evenzeer van bewust dat haar eigen team daarvan tussen neus en lippen was beschuldigd, maar niemand zei iets, ze stonden allemaal onder verdenking, vooral zijzelf. Ze had Helen West niet nodig om haar een hint te geven bij wijze van waarschuwing, ze was niet achterlijk; ze had het Redwood al lang geleden proberen te vertellen, maar had te horen gekregen dat ze een afspraak moest maken en dat was ze niet van plan, laat ze maar doodvallen als ze niet wilden luisteren. Dus wat had ze gedaan? Het tegen Dinsdale gezegd, één keer, weken geleden. Ze vertrouwde Dinsdale, had aangenomen dat hij actie zou ondernemen, het in elk geval tegen zijn maatje Helen zou zeggen, maar ook al had ze gemerkt dat hij niets had gedaan, toch had ze hem vertrouwd.

Hoe laat was het? Half zeven, nog steeds het holst van de nacht en ze had zand achter haar oogbollen. Rose maakte haar gezicht voor de spiegel zorgvuldig op om het effect van haar verfomfaaide kleren te neutraliseren. Het zou niet de eerste keer zijn dat ze zo op haar werk kwam. Ze huiverde bij de gedachte aan de nachten die ze in de legering had doorgebracht, verbaasde zichzelf met haar gedachte: je hebt het ver geschopt, Rose, in korte tijd; verpest het nou niet, wil je? Denkend aan gunsten bedacht ze dat ze Helen West ook wel iets verschuldigd was: die kon haar vervloekte vriendje maar beter meteen de bons geven, voordat ze echt iets begonnen. Het was vreemd hoe het ene probleem voor het andere in de plaats kwam – daar had Rose het aan te danken dat ze de zaken nog op een rijtje had.

Buiten de wc kuchte ze luidkeels om anderen van haar aanwezigheid op de hoogte te stellen. Ze floot ook. De hoest was nog steeds pijnlijk echt, terwijl het gefluit toonloos klonk van de zenuwachtige gemaaktheid.

Zelfs ondanks deze complicatie was het hier nog steeds veiliger. Haar oma had altijd gewild dat ze in een dergelijk gebouw zou gaan werken.

Duurde het nog drie uur voordat Helen kwam? Rose had het gevoel dat ze niet meer zou kunnen stoppen, zodra het eerste woord eruit was.

Het was zo'n regenachtige, stormachtige dag met een violette lucht, waarop de zon zich niet zou laten zien en de winter nooit voorbij leek te gaan. Hetzelfde vreselijke weer als toen Helen Logo op het dak was tegengekomen. Ze dacht aan hem toen ze vrijdag ontwaakte, zonder enige reden, behalve dan dat de regen tegen het raam gutste en ze een rothumeur had. Geen telefoontje van Bailey. Toegegeven, ze had het antwoordapparaat eruitgetrokken, maar het bleef zijn fout. Ze vermoedde inmiddels dat hij vandaag niet terug zou komen, vroeg zich af of hij überhaupt nog wel terug zou komen, maar het kon haar niet veel schelen; ze wilde de tijd om te lummelen, na te denken en een slons te zijn. Veel minder van ons, dacht Helen, zichzelf zoals gebruikelijk krachtig uit bed zwaaiend, hebben een man om zich heen nodig dan één van hen zich ooit zou kunnen voorstellen. Drie dagen per maand zou ruimschoots volstaan.

Pas toen ze tegen de badkamermuur smakte op het moment dat ze haar tandenborstel wilde pakken, besefte ze dat de symptomen van deze depressieve malaise niet louter geestelijk waren. Haar opgezette amandelen sloten haar keel als een valpoort af; de tandpasta smaakte vurig; ze had het gevoel dat haar hals in een vlam was gehouden en desondanks zag haar gezicht onnatuurlijk bleek, met vuurrode kringen onder de ogen. Rose had haar hoest bij wijze van presentje doorgegeven. Als ze over deze puinhoop make-up zou smeren, zou ze eruitzien als een lijk dat voor zijn begrafenis is opgedirkt. Alwéér een dag vrij nemen? Wie kan het schelen? Wie zal je missen? Oké, ik geef het toe, ze zullen het niet eens in de gaten hebben, afgezien van Dinsdale, de heerlijke, gevaarlijke man met die dwaze naam. Dat was de laatste druppel. Ze ging niet naar buiten, ze kon haar werk maandag wel inhalen. Helen ging in haar woonkamer in het souterrain zitten waar de groezelige winterramen gewassen werden door de grauwe regen en zag andere werkdagvoeten stevig voorbijstappen, terwijl zij aan al haar taken en persoonlijke verplichtingen dacht, en die te talrijk oordeelde om ze zonder gillen in ogenschouw te nemen. Als reactie belde ze Rose op het nummer dat ze had overgenomen van het toestel in het huis van het meisje (ze bleef nu eenmaal een stiekemerd) om Rose te vragen haar op het werk ziek te melden (ze bleef nu eenmaal een luie lafaard). Ze kreeg slechts een meisje aan de lijn dat hallo zei, best aardig, maar Rose was vannacht niet thuis geweest en ze was er nu ook niet, en Helen merkte dat ze zei: 'Prima, het geeft niet,' terwijl er een schrikreactie door haar heen trok die heel verwant was aan een elektrische schok. En zakte toen terug in haar stoel om nog meer voeten te bekijken.

Haar kat kwam door het kattenluikje binnen vanuit de grote buitenwereld, nat en walgend, snuffelde uit pure baatzuchtige liefde aan haar voeten en verwaardigde zich niet dichterbij te komen. Goed dan, één telefoontje dat een gevangene in hechtenis is toegestaan om door te geven waar hij is, en daarna zou ze wachten, aangezien zij zich niet in de positie bevond om ook maar iets te doen, afgezien van omvallen. Haar levensverhaal. Niemand hield van haar en beter verdiende ze ook niet.

'Zo kwam de vrouw bij het naderen van den morgen, viel neer bij den ingang van het huis van den man, met haar handen op den drempel.

Thuisgekomen, greep hij een mes, nam zijn bijvrouw, verdeelde haar, lid voor lid, in twaalf stukken en zond haar rond in het gehele gebied van Israël.'

Logo was heel vertrouwd met dit soort bijbelse passages die naar bloed roken, terwijl hij alle fragmenten waarin vergeving boven gruwelijke vergelding werd gepredikt, verkoos over te slaan. Zijn huidige kalmte was voor een groot deel te danken aan zijn liefdevolle bespiegelingen over bloederige zaken en aan de loomheid van zijn ledematen, een gevolg van de afschrikwekkende inspanningen van de afgelopen dertig uur. Zware gewichten heffen, sleuren, liegen, spioneren, rouwen aan een graf, en opeens was er een soort einde in zicht, alleen wist hij niet precies wat het behelsde. De overpeinzingen werden onderbroken doordat er iemand op de deur klopte. Hij ging erachter staan en riep: 'Wie is daar?'

'Meneer Logo?' In de veronderstelling dat hij er was, vervolgde de stem, jong, doortastend en efficiënt: 'Dokter Smith, meneer Logo. Uw buurvrouw Margaret Mellors had gisteravond een afspraak met me. Ik had haar een brief gestuurd met de datum voor de heupoperatie, maar ze is niet geweest. Ze heeft u opgegeven als haar naaste familielid; weet u misschien waar ze is?'

'Ik ben mijn buurvrouws hoeder niet,' gilde Logo.

'Dat verwachtte ik ook niet. Maar weet u misschien waar ze is? Ik wil niet dat ze deze kans mist –'

'Margaret wie?'

De stem ging weg. Opeens was hij bang. De mensen zouden naar Margaret gaan zoeken, natuurlijk, ze was geliefd en had vrienden, wat in het geval van iemand die de zeventig was gepasseerd één bezoeker per dag betekende. Hij had de keuken netjes achtergelaten, de deur op slot gedraaid en de sleutel weggegooid. Nee, nee, zou hij zeggen, hij had haar al een dag of twee niet meer gezien, en dat zou in de verste verte geen leugen zijn. En waar heeft u haar voor het laatst gezien? Ze was aan het breien, meneer, de hele tijd aan het breien. O ja, hij kon zich de vraag al voorstellen, en dat maakte dat hij zijn vuist tegen zijn gezicht drukte en het luidkeels uitgiechelde.

Vandaag zou hij het weer goedmaken met het oudje, bloemen op haar graf zetten, mits hij iets bruikbaars op een ander graf kon vinden en er niemand keek. Dat was iets wat hij op weg naar zijn werk kon doen. Hij dacht dat hij vandaag maar beter kon gaan werken; hij wist precies hoe lang hij zijn afwezigheid kon rekken en op een dag als vandaag, met dit soort weer, als alle anderen spijbelden, vielen er punten te behalen. Daarna zou hij uitrusten, misschien later nog een lange wandeling maken... Om negen uur rolde Logo de oude bezemkar rommelend de straat op; met woeste blik keek hij strak voor zich uit, zijn surrogaat voor zingen, zo maakte hij de mensen bang op een andere manier. Iedere man heeft behoefte aan zijn eigen vertrouwde omgeving. Het was vreselijk als je rechten je door bloed of zonde waren ontnomen. Dat had Eenie hem aangedaan. Ze had hem tot de man gemaakt die altijd alleen liep, terwijl anderen als ze hem passeerden in wel tien verschillende talen bezwerende tekens maakten. Zij had hem overgeleverd aan de hel. Hij hield stil bij de ingang van het kerkhof. Bij het graf in de verte stonden een man en een klein meisje, een chic ogende man in een kostuum met een boeket heldergele narcissen in zijn ene en het wantje van het kind in zijn andere hand. Toen hurkte de man neer en sloeg vertrouwelijk zijn arm om het middel van het kind. Zie je wel? zong Logo in zichzelf. Kijk eens hoe ze flirt. En kijk eens naar hem! We doen het allemaal.

Narcissen, dacht Rose, alleen maar narcissen. Ze stonden opeens in een overvloed van dichte knoppen op handkarren vlak bij het kantoor, barstten uit emmers bij de ondergrondse, omzoomden de straat. Ze hadden vandaag allemaal gelachen, dat moest de belofte aan de lente zijn, met Rose als hun aanvoerster, grappend, de bazen imiterend, rondvliegend, puntig en lichtgeraakt als een doorn, luidruchtig roepend, werk verslindend als een machine, flirtend aan de telefoon en met haar ogen knipperend tegen mannen. Iedereen vond het prachtig. Als Rose in vorm was verliep de dag vlotter, en terwijl ze het troepje meiden voorging om broodjes te halen, stonden de narcissen samen met de man van het stalletje in de houding, gebiologeerd door de vier uitgelaten jonge vrouwen. Rose bleef staan en staarde terug.
'Waar kijk je naar?' wilde ze weten.
'Naar jou, schat,' antwoordde hij.
'Dat kost je dan een gratis bosje.'
Hij gaf hun elk een bloem. Rose deed alsof ze hem opat. 'Heerlijk,' zei ze. Ze proestten het allemaal uit.
Iedereen denkt dat ik normaal ben, dacht ze. En ze dacht: als ik met een bos narcissen naar het huis van Helen West ga, zou ze me dan binnenlaten? Waarom is die stommerd ziek als ik haar nodig heb? Beloof me dat ze het niet erg vindt. Kan ik haar alsjeblieft, alsjeblieft vertrouwen? Ik ga niet terug en ik moet haar hoe dan ook over die rotzak ver-

tellen. De geldautomaat verzwolg haar pinpas, als straf voor het smijten met geld. Ze knipoogde naar de meisjes en inde een cheque bij de balie, zonder dat er moord en brand werd geroepen, en ze groepten naar buiten als samenzweerders. Midden op de dag, vanwege iets wat ze in de onderwereld van de nacht had besloten, omdat ze zijn ouders niet onder ogen kon komen, niet zoals ze nu was, belde ze Michael op. Haar hart bonsde als een grote trom toen ze zijn stem hoorde, maar ze had er in het openbaar al een grapje over gemaakt, over ouders en dat soort dingen, en hoe saai het allemaal was, daarom deed ze kordaat, zei dat ze zaterdag niet kon, dat ze moest werken. Het was een doorzichtige leugen; hij was gekwetst en beledigd, maar ze volgde een koers waar ze niet van af kon wijken, zelfs niet om de scherpe kantjes te vermijden. Ze kwakte een dossier door de kamer, liet de papieren er als confetti uit dwarrelen, duwde haar stekels recht overeind, kauwde op haar vlechtje en schreeuwde nog wat. Legde meer dossiers in de goederenlift naast de deur, drukte op de rode knop en riep naar beneden: 'Twee patat en een gebakken ei, alstublieft!' Ze vreesde het einde van de werkdag, maar verlangde er ook naar, en het regende nog steeds.

Genoeg aan de bank ontfutseld voor een taxirit en drie bosjes narcissen. Donker om kwart voor zes toen ze op de bel drukte van Helens appartement, en toen er niet meteen werd gereageerd en ze op de stoep stond te rillen, sloeg de oude paniek weer toe. Totdat Helen verscheen, die er zonder make-up uitzag als een buitenaards wezen en haar hoestend als een auto met een lege accu binnenliet, maar hartelijk, o zeker. Geen kouwe drukte. Leg je jas maar op de radiator en schuif de kat van de stoel, laten we iets te drinken nemen, let maar niet op mijn uiterlijk, allemaal in één zin. Daarna was het goed. Het was echt goed. Beter dan goed, om na zoveel tijd iets van de rotzooi op iemand anders' schouders te kunnen leggen. Dat had ze nooit gekund als Helen niet had verteld dat ze die kerel had gebeten.

Rond zeven uur was er een korte onderbreking toen Bailey belde. Tegen die tijd hadden ze al heel wat besproken, één fles was leeg, een beetje droog naar de smaak van Rose, maar niet slecht, en daarna was het Helens beurt om gek te doen. Ze maakte grimassen naar Rose terwijl ze de hoorn vasthield. Nee, hij zou dit weekeinde niet thuiskomen. Alsof ik dat niet wist, fluisterde ze met haar hand over het mondstuk. Geen van beiden liet blijken dat hij zich door de ander verwaarloosd voelde. Bailey was altijd gespannen aan de telefoon, hij klonk als iemand in een telefooncel waar een rij voor stond.

'Heb je een andere scharrel?' vroeg Helen luchtig, terwijl Rose er lering uit trok. Om de waarheid te zeggen voelde Helen zich een stuk beter sinds Rose er was, weliswaar intens bezorgd, maar heel wat nuttiger en daarom beter. Rose en zij hoestten tenminste eendrachtig.

'Nee,' antwoordde hij even luchtig. 'Werk. Ze laten ons ploeteren als slaven.'

'Mag ik wat vragen?' Hij hoopte half en half dat het iets persoonlijks zou zijn, maar dat was niet het geval.

'Als iemand een ander betaalt om zijn aanklacht wegens rijden onder invloed te seponeren, bijvoorbeeld door de papieren te stelen of de politieagent om te kopen, wat zou dat waard zijn, denk je?'

Hij dacht een volle seconde na. 'O, twee- of drieduizend, als hij zijn auto echt nodig heeft. Het zou afhangen van het alcoholpercentage, wie hij is en hoe gretig degene is die hij ervoor betaalt. Helen, is er iets? Waarom vraag je dat?'

'O, het is maar een theoretisch probleempje.' Meer grimassen richting Rose.

'Helen, als je in het wilde weg vragen gaat stellen, krijg je hetzelfde als ik: een blauw oog. Wat voer je in je schild?'

'Niets. Ik zie je nog wel. Veel plezier.' De schrik in zijn stem was voldoende wraak.

Bailey bleef wat hij was, woedend. Hij was boos op haar omdat ze begripvol deed over zijn afwezigheid, terwijl hij wilde dat ze zou schreeuwen: ik heb je nodig, kom naar huis. Dat ze hem vrijliet, terwijl hij geketend moest worden. Dat ze niet tegen hem gilde, alsof de liefde en intimiteit van het afgelopen weekeinde niets hadden voorgesteld. Hij moest het horen, godsamme. Hij moest het steeds horen. Ze deed alsof geruststelling haar enige recht was. Nou, goed dan. Toen belde hij Grace.

De kamer kalmeerde Rose al evenzeer als de lome aandacht waarmee Helen luisterde, maar per slot had ze ook geen overdreven reacties gewild. Een kamer met warmrode muren, behangen met prenten, allemaal in verschillende lijsten, boeken die schots en scheef stonden. Niets was nieuw, geen meubelstuk zonder slijtageplekken, de glans van mahonie, een versleten maar kleurig en behaaglijk tapijt, een met as bedekt rooster onder de likkende vlammen in de open haard, rommel en geleerdheid, de hele tijd iets om je blik op te richten, als je de ander niet recht in de ogen wilde kijken. Wat was Helen aan het zeggen? Rose voelde haar oogleden trekken, nu ze na twee uur praten in het vuur keek.

'Er zijn mensen die om je geven, hoor,' zei Helen, terwijl ze kolen op het rooster schepte en er een knoeiboel van maakte. 'Veel meer dan je denkt, dus bel je huisgenoten even, wil je, dan hoeven zij zich niet meer ongerust te maken.'

'Oké.' Rose voelde zich voldoende thuis om bevelen aan te nemen.

'En het spreekt vanzelf dat je hier net zo lang kunt blijven als je wilt. Je zou me er een groot plezier mee doen,' voegde Helen er als listige uitsmijter aan toe. 'Er is alleen niets te eten, tenzij ik naar de winkel op de hoek ga. Ik heb nooit iets in huis. Dat komt omdat jij me hebt uitgelachen toen ik al die aardappels mee naar huis sjouwde. Sindsdien ben ik nooit meer de oude geweest.'

'Ik ga wel,' zei Rose, al haar krachten verzamelend, denkend aan het donker.

'Nee, dat hoeft niet. Ik hoest wel, maar het is niet dodelijk. Trek deze fles liever open, we hoeven er morgen niet vroeg uit. Ik ben zo terug.'

Ze had even tijd nodig om de ontboezemingen van Rose te verwerken. Ze had ze bedaard aangehoord. Rose had geen behoefte aan verontwaardiging; ze wilde geloofd worden. Misbruik, verraad, de diepe donkere wateren van stelselmatige wreedheid, allemaal beschreven, maar zonder namen, niemand belasterd, alleen de feiten, alsjeblieft niet huilen, geen uitroepen van afgrijzen. Rose had medeleven nodig, ze had liefde nodig, therapie, ze kon het niet allemaal in haar eentje, dat kon niemand. Ze wilde normaal zijn, dus deed Helen normaal, als een advocaat die naar haar luisterde en haar wilde geloven. Buiten op straat kon ze het wel uitgillen van medelijden en razernij.

De wind was geluwd, dus de bomen zwaaiden nu elegant heen en weer, in plaats van hevig, fluisterend, niet sissend, zonder hun bladeren. Het was een straat met mooie huizen waar de mensen dag en nacht vol vertrouwen doorheen liepen. En ondanks haar verleden had zich bij Helen langzaam maar zeker een veilig en vertrouwd gevoel genesteld. Toen ze haar eigen straat uit liep naar haar eigen buurtwinkels, vroeg ze zich af hoe het voor Rose was om zonder die geborgenheid te leven. Iedereen heeft behoefte aan zijn eigen vertrouwde omgeving.

Redwood had lang nagedacht over de vraag of hij deze vrijdagavond zou nablijven op kantoor, aangezien het in het huidige klimaat niet wenselijk was afwijkend gedrag te vertonen. Wat zich hier ook afspeelde, hij wist zeker dat hij het niet wilde weten, maar zijn uit onzekerheid geboren gewoonten waren nu eenmaal moeilijk af te leren en hij had het stiekeme rondsluipen even hard nodig als zijn borrel bij thuiskomst. En er was nu eenmaal iets wat hij moest doen, wat hij alleen kón doen als het kantoor leeg was, omdat het heimelijk moest gebeuren. Hij wilde alle zaakregistraties die hij in zijn bureau had liggen als oogst van dit soort expedities, vernietigen. Het enige wat hij deze week had bereikt was uitstel, herverdeling van werk en de uitvinding van weer een nieuw formulier waarmee ze uiteindelijk allemaal akkoord zouden gaan, mits hij nooit een vergadering zou uitschrijven om het te bespreken. Intussen zat hij in zijn maag met deze waardeloze last waar hij vanaf moest en die, als hij werd ontdekt, hem zou brandmerken tot gluiperd of erger.

Zijn voorstelling van boven en beneden klopte voor zover het mensen betrof, maar aan zijn ruimtelijk inzicht schortte het een en ander. Hij streefde ernaar een soort vuilverbrandingsoven te ontdekken, zoals hij in zijn tuin had, en die in zekere zin ook in de kelder van een gebouw als dit zou thuishoren. Dit pand had toch een kelder? Dossiers kwamen naar boven ergens vanuit de diepte als gevangenen die werden gelucht vanuit het scheepsruim. Het scheen Redwood toe dat het papier zich op eigen kracht naar de oude goederenlift verplaatste, zonder menselijke hulp; maar zo dacht hij ook dat iedereen deze plek even erg haatte als hij en dat niemand het oord ooit op eigen houtje zou verkennen als dat niet hoefde. Gewapend met sluwheid en nervositeit daalde hij de ene na de andere trap af, zich afvragend of hij ooit de weg terug zou vinden.

Het was donker beneden, ja, stikdonker, maar er waren ook lampen en het was er warm. Tegen de tijd dat hij de hoek omsloeg waar de luid brommende verwarmingsketel was weggestopt, had hij het gevoel dat hij op het punt stond om met een woest dier geconfronteerd te worden en was hij blij dat er geen verbrandingsoven te vinden was. Het was veel te warm in dit gebouw, besloot hij, en overal brandde het licht nog, schandalig, bovendien werd er te veel warm water verbruikt. Dat ding maakte zo'n herrie, dat kostte waarschijnlijk wel vijf pond per seconde; daar kon hij iets aan doen, vast en zeker. Zo, waar kon hij deze notitieboekjes verstoppen, nu ze niet verbrand konden worden. Als hij ze mee naar huis nam, zou zijn vrouw ze zien.

Rondstommelend stuitte hij op een klein kamertje, net naast een grote lege ruimte en bleef verrast staan. Hij zou gezworen hebben dat hij iemand iets tegen de ramen hoorde gooien. Op de vloer stond een bureaulamp, die in het enige stopcontact was gestoken en die hij uit duizenden zou hebben herkend. De lamp van Helen West, oud maar begeerlijk, wat deed die hier beneden? Redwood pakte de lamp met de bedoeling hem terug te brengen. Op zijn zoektocht naar de trap viel zijn oog op een geschikte oude, in onbruik geraakte radiator, waarachter hij de notitieboeken van Rose propte. Hier beneden kwam nooit iemand van belang, het was er niet eens schoon.

Puffend de trap op lopend, in de war gebracht door de hem vreemde regionen van de eerste verdieping en de voortdurende keus aan uitgangen, dacht hij na over de lamp. Wacht eens even, hij zou hem niet terugzetten, dat zou immers zijn geneus op vrijdagavond kunnen verklappen. Sommigen zouden het misschien een bewijsstuk noemen. Redwood wist het niet meer. Hij liet de lamp in zijn eigen kamer staan: dat leek hem beter en minder beschuldigend, hoewel hij niet wist waarom.

De nachtwaker was niet op zijn post, maar daar was niets vreemds aan en de grondige doorlichting van de beveiliging ging pas over een week van start. Redwood liet zichzelf er door de voordeur uit, zich voelend als de bewaarder van een kasteel, maar niet als de koning. Hij was er trouwens nooit zo op gebrand om zich aan- en af te melden, vooral niet op vrijdag. De belangrijk ogende aktetas, die heel weinig bevatte, tegen zich aan drukkend, beende hij de stoeptreden af. Recht op een mannetje af dat op straat over zijn polsen stond te wrijven en buigend uit het donker te voorschijn kwam.

'Neem me niet kwalijk, meneer...'

'O, pardon,' zei Redwood, opzijstappend en doorlopend, een ogenblik bang, totdat hij bedacht dat straatrovers meestal niet van middelbare leeftijd en één turf hoog waren, dat kon zelfs hij bedenken, dat stond in de dossiers; dit alles kwam bij hem op de eerste twee seconden van zijn vlucht door de straat, totdat hij besefte dat het mannetje hem volgde, rennend om hem bij te houden.

'Neem me niet kwalijk, meneer, neem me niet kwalijk...' Als het aan Redwood lag, werd deze formulering nooit meer gebezigd. De woorden schiepen zo'n acute verplichting.

'Wat?' blafte hij, zich omdraaiend, zijn aktetas in beide armen vastklemmend als een schild. 'Wat wil je? Ik heb geen geld bij me en ik moet de trein halen.' Het was allebei waar. Het gezicht, ter hoogte van de aktetas, zag er ongevaarlijk en glimlachend uit, maar vertoonde de sporen van een vuistgevecht. Hij ontspande een beetje.

'Ik wil niets, als u me niet kwalijk neemt, meneer, maar ik wachtte hier op mijn dochter. Ze werkt bij u, meneer, ze zei dat ze me hier zou treffen... Ik wilde liever niet aanbellen, ze werkt vast over.'

'Hoe heet ze?' blafte Redwood.

'Enid...' de man aarzelde, maar Redwood blafte alweer terug. Hij kende alle namen uit zijn hoofd, maar slaagde er meestal niet in om ze aan het juiste gezicht te koppelen.

'Er is daar helemaal niemand meer. Zelfs de bewaker slaapt, om acht uur, nou vraag ik je,' voegde hij eraan toe om niets ongenoemd te laten. 'En er werkt niemand die Enid heet. Verkeerde gebouw.' Hij marcheerde weg.

Logo keek hem na. Tjonge, ze logen allemaal dat ze barstten. 'Haar oma noemde haar Rose!' riep hij de weglopende figuur na. 'Rose!'

Redwood keek om naar de kleine gestalte bij het hek, maar bleef niet staan.

13

De dokter van Margaret Mellors was in de buurt en probeerde voor de tweede keer aan het einde van de zaterdagmorgen bij haar patiënte langs te gaan. Maandag was de allerlaatste dag waarop het oude mensje aanspraak kon maken op een bed en een nieuw leven, anders kwam ze weer onder aan de wachtlijst terecht. Door het keukenraam kijkend zag de dokter een schone, opgeruimde kamer, de open haard was niet leeggeschept en ernaast stond een breimand. Niets van dit alles wekte ook maar de geringste achterdocht. De steeg uitlopend naar haar auto kwam ze Sylvie en haar moeder tegen, op weg naar het huis waar zij juist was weggegaan. Haar aandacht werd getrokken door het krijsende kind dat als een weerspannige buldog werd voortgesleept, met schrap gezette schoenen, grommend en blaffend. Afgezien hiervan was het een rustige straat, peinsde de dokter, jammer dat hij zo dicht bij het voetbalstadion lag.

'Neem me niet kwalijk, kent u mevrouw Mellors?'

'Ja.' Het antwoord klonk vermoeid, maar bevestigend. Het kind staakte haar geraas en begon in haar neus te peuteren.

'Ik probeer haar te spreken te krijgen. Maar het ziet ernaar uit dat ze een paar daagjes weg is.'

'Ze gaat nooit weg,' zei de moeder met een stem die effen klonk van teleurstelling. 'Nooit.'

'Heeft u enig idee waar ze kan zijn?'

'In de buurt. Ze is altijd in de buurt. Heeft u het al bij de buren geprobeerd?'

Ze keken elkaar betekenisvol aan.

'Ze is dood,' piepte het kind. 'Dood en begraven.'

'Zo is het wel genoeg, dank je wel.' De moeder verontschuldigde zich, ze begreep dat de ander huisarts was en werd plotseling spraakzaam. 'Het spijt me, ze is heel morbide. We hebben haar meegenomen naar een begrafenis, dat was een grote vergissing.'

'Dat is niet gezegd. Hoor eens, wanneer heeft u mevrouw Mellors voor het laatst gezien?'

'Gisteren,' zei het kind. De moeder wendde zich tot haar.

'Weet je het zeker?'

'Nee.' Sylvie giechelde.

'Ik weet het niet,' zei de moeder wanhopig; wat haar wanhopig maakte wist de dokter niet precies. 'Twee dagen geleden? Drie dagen geleden?' Haar gezicht verhelderde. 'Vóór mijn moeders begrafenis, toen was ze nog prima.'

De dokter keerde na nog vier visites terug naar haar praktijk. De winter was een vreselijk seizoen voor de dood. Van daaruit belde ze de politie.

Toen Logo omstreeks twee uur thuiskwam overvielen ze hem als een huiduitslag, ze combineerden hem met hun voetbaldienst, vermoedde hij. Die brutale schoft met de hamervuisten en de slappe mond was er, nog zo'n groentje en een grote donkere. Tjongejonge, Margaret zou het prachtig hebben gevonden, ze was altijd dol op mannen geweest, op iedereen eigenlijk, welbeschouwd. Ze zou zo'n huisvol heerlijk hebben gevonden om thee voor te zetten en zelfgebakken koekjes te presenteren, misschien zou zij ze wel een van haar eeuwige vormeloze truien hebben aangeboden. En dat zei hij ook.

Agent Williams trok zenuwachtig met zijn gezicht en keek naar hem vanuit zijn ooghoeken, wachtend tot hij iets provocerends over de gelige naweeën van zijn kneuzingen zou zeggen, maar de andere twee waren even beleefd als het soort waar hij gewoonlijk mee te maken had en Logo hield zijn mond dicht. Hij deed zachtmoedig en gedwee: nee, hij wist niet waar ze was, hij was zijn buurvrouws hoeder niet (deze uitdrukking raakte afgekloven), maar hij zou het natuurlijk graag horen, als ze haar vonden. Ze was een braaf oud mensje en ze gingen vaak bij elkaar langs, maar de laatste dagen niet, nee, moest hij toegeven.

'Dus we zouden uw vingerafdrukken in de keuken aantreffen als we zouden kijken?' vroeg Williams honend. Logo keek hem met grote, onschuldige ogen aan.

'Natuurlijk,' zei hij. 'Ik breng vaak de kolen voor haar naar binnen.'

Het zou niet eenvoudig zijn om een huiszoekingsbevel te krijgen. Oude dames mochten best de hort op gaan, net als jonge dames. De jongens waren er met hun snauwerige radio's en drukdoenerij alleen om te controleren of ze niet in het bad onderuit was gegaan. Zodra ze hadden gehoord hoe gezond van lijf en leden ze was, scheen er weinig anders op te zitten dan haar deur een schouderduw te geven. Er was heel weinig schade, die vaardigheid bezaten ze. Logo hielp ze bij het herstellen van het slot en liet ze zien waar Margaret haar reservesleutel bewaarde, zoals het een dwaas als zij betaamde: aan een eindje touw in de brievenbus. Ze voelden zich dom vanwege de verspilde moeite en omdat ze niet eerst hadden gekeken. Ik dacht dat jullie op de opleiding dit soort dingen leerden, zei hij, maar jullie weten blijkbaar niets van de gewoonten van oude mensen. Om zijn subtiele beledigingen af te kopen, wuifde hij hen gedag als passerende hoogwaardigheidsbekleders, in de hoop dat iemand uit de straat zou zien op wat voor goede voet hij met hen verkeerde, want hij was immers inderdaad iemand die de wol voor zijn oude buurvrouw ophield.

Maar ze zouden terugkomen; het was duidelijk dat ze terug zouden komen. Ze zouden terugkomen, als een repeterende ziekte, zeggend: het spijt me u lastig te moeten vallen, terwijl ze deden alsof ze het echt meenden, maar tegen die tijd zou hij zich kapot janken, zich de ogen uit zijn kop janken, gek van onrust over het verlies van zijn vrouw en dochter, en dan zouden ze echt met hem te doen hebben. Hij schatte in dat hij twee verdedigingslinies had om te voorkomen dat ze zijn huis betraden: ten eerste zou de stank hun niet aanstaan (er had zich een ammoniakachtige, muffe geur ontwikkeld), net zomin als hun stank hem aanstond, en ten tweede kon hij eromheen draaien zo lang als hij wilde, omdat hij niets te verbergen had. Maar hij móést die Williams niet en wilde geen aandacht, en trouwens, hij was doodmoe. De voetbalmenigte zou hem met zijn drukte in huis gevangen houden, als hij thuisbleef. Hij kon maar het beste weggaan, alleen het weekeinde. Hij wist waarheen: zo vader, zo dochter, hij wist precies waarheen.

Het komt door mijn opvoeding dat ze zo doortrapt is, zei hij treurig tot zichzelf, in de achtertuin staand. Ik heb haar sluw gemaakt en verzot op het donker en behendig in het insluipen, bedreven met haar handen. Daar giechelde hij luid om, hij had er nog steeds pret om dat hij de agenten te slim af was geweest. Slechts één keer eerder had hij er zoveel tegenover zich gehad zonder gearresteerd te worden. *O Heer, vergeef het hun, want zij weten niet wat ze doen.*

Zonder zijn bezemkar, zo had hij ontdekt tijdens recente inspecties, had hij ten eerste geen alibi en ten tweede geen ballast. Hij merkte dat hij over de weg zwalkte en niet wist waar hij zijn handen moest laten. Vandaag was hij na drie passen al ongedurig en hij draaide zich om, ging weer naar binnen en verwisselde om onduidelijke redenen zijn intens smerige voor minder smerige kleren. Het zwarte begrafenisjasje dat hij had gedragen toen hij Margaret voor het laatst had bezocht, was een beetje vuil, niet heel erg, maar de revers waren bedekt met wit poeder, waarvan de zoete geur in de voering leek te zijn doorgedrongen. Logo klopte op zijn borst en het poeder stoof op. Die truc deed hij maar één keer. Hij stapte in een min of meer schone spijkerbroek, het overhemd hield hij aan, dat had hij de afgelopen week maar drie dagen gedragen, het kon zijn dat het prima bij het jasje stond, dat wist hij niet meer. Beide kledingstukken bevielen hem vanwege de geurvlag die ze boven over zijn hoofd uitwaaierden. De weg uit lopend op zijn gympen begroef hij zijn neus onder zijn oksel en hield die daar, lekker. Afgezien van de geur had hij een das om, en een van Margarets zelfgebreide truien hing om zijn schouders. Een en ander opgeteld, gecombineerd met de openhangende korte overjas van stevige stof, deed hem behoorlijk dik ogen en voelen, als iemand die goed at. Dat deed hem denken aan ons dagelijks brood, dus kocht hij wat bolletjes en knabbelde die vanuit de papieren zak op. Toen hij bij een andere winkel drie repen chocolade kocht, bedacht hij dat het ontbreken van een stevige pastei de oorzaak van zijn prikkelbaarheid kon zijn. Hij was niet meer naar de pub geweest sinds hij zijn kneuzingen had opgelopen en zelfs drank had zijn aantrekkingskracht verloren.

Ter plekke, na een lange wandeling, wenste hij echter dat hij wel een borrel had meegenomen. Hij liet zijn blik van onder naar boven dwalen en kwam tot de conclusie dat hij vooral het hekwerk mooi vond. Glanzend zwart, bekroond met één rij pieken, inclusief het toegangshek dat hij al eerder had ontdekt, dat onbuigzaam leek als je het aanraakte, maar draaibaar was, met een imposant hangslot aan een ketting, die zo losjes zat dat zijn dunne lijfje zijdelings door de opening kon. De gewoonlijk droge vestinggracht was glibberig van de nattigheid. In de ondiepe plassen die in drie stormachtige, regenachtige dagen waren ontstaan, baadde koerend een duif. 'Stt,' zei hij, 'hou je kop, of ik laat je een toontje lager zingen,' en toen de vogel zich moeizaam met de gratie van een trage torpedo verhief, werd Logo zoals de hele dag al, overvallen door bijna onbedwingbare lachkriebels. Hij waadde door de plassen voor het souterrain naar wat eruitzag als een imposante leveranciersingang, aan de zijkant. Een brede deur, even goed beveiligd als de kroonjuwelen, en een raam in de kelder waarop dit niet van toepassing was. Hij wist alles van kantoren, want hij had ze schoongemaakt. Binnen was het zo warm als toast.

Rose had de volgende morgen spijt dat ze zoveel had gezegd. Ze ontwaakte met een gevoel van emotionele indigestie, erger dan de ergste kater die ze ooit had gehad. Een halve liter wijn kon hiervan de oorzaak niet zijn; ze had wel eerder een halve liter drank soldaat gemaakt, en de portie van gisteravond was er ingegaan als water, maar het was niet goed om zoveel te praten en iemand anders' eten op te eten. Niet dat ze nooit eerder met andere mensen over haar leven had gepraat; dat was gewoon een truc om haar verstand niet te verliezen, had ze ontdekt. Maar het waren altijd stukjes en beetjes geweest en meestal had ze tegen vreemden gepraat, want dan was het net alsof je tegen een muur praatte; ze wensten je veel geluk en je wist dat je ze nooit meer zou zien. Ze had nog nooit zo het achterste van haar tong laten zien als nu. Helen en zij sliepen uit; Rose was midden in de nacht opgestaan en had gemerkt dat alle lampen nog brandden, wat haar op haar gemak stelde, en was weer naar bed gegaan in Helens getraliede logeerkamertje, denkend: ik zou hier wel altijd kunnen blijven, het is hier nog veiliger dan op kantoor, maar in het daglicht leek het toch minder beschut en haar eigen positie onhoudbaar. Ze had ervandoor kunnen gaan voordat Helen op was, als ze had geweten hoe ze de deur moest ontgrendelen en haar schaamtegevoel haar wil niet had lamgelegd en de verwarmingsketel niet tot leven was geborreld om het nog knusser te maken, dus bleef ze waar ze was.

Helen was opgestaan, ze hoestte als een futloze motor, zich afvragend wat Rose wel zou denken. Ze wist niet hoe het was om misbruikt te zijn, maar wel hoe het was om je gewelddadig te voelen en ze begreep opeens hoe diep Rose zich moest schamen omdat Helen haar geheim nu kende.

'Tjee,' zei ze, aan de keukentafel neerploffend in een ochtendjas die Rose alleen al door zijn ouderdom opvrolijkte. Kijk toch eens naar dat ding, dacht Rose, zelfs haar eigen ochtendjas was beter, en zij was al op en gekleed, veel te klaarwakker om getroost te worden, met die waakzame blik als een vizier op haar gezicht. 'Tjee,' herhaalde Helen, 'ik schaam me dood. Beloof je me, Rose, dat je nooit tegen iemand zegt wat ik je gisteravond heb verteld, al die onzin over dat ik Dinsdale aantrekkelijk vind en over mijn seksleven vóór, tijdens en na Bailey, en over bang zijn voor het donker? Beloof je dat? Chanteer me maar tot mijn geld op is, en dat kan al heel gauw zijn, maar vertel het niet verder.'

Het was een beetje een komische omkering met overdreven gestes; Rose keek erdoorheen maar glimlachte, haar blik werd minder waakzaam. Ze heeft een bijzonder gezicht, dacht Helen; een gezicht dat wisselt van opgejaagd en gekweld, van hard en brutaal naar zachtheid en de kwetsbaarste schoonheid die je ooit hebt aanschouwd. Ik wilde dat ik een dochter had. Maar kijkend naar wat er in het leven van deze dochter was gebeurd, dacht ze: misschien toch beter van niet. Helen koesterde vaak moederlijke gevoelens, maar die leefde ze doorgaans uit op volwassenen.

'Wil je poederkoffie of het echte werk? Ik heb alletwee en ik neem zelf meestal het laatste. We moeten een paar dingen bespreken.'

Rose mocht die doortastendheid wel. Ze werd er weer helemaal volgzaam van.

'We moeten wat kleren voor je halen. Ik meende het, dat je hier kon blijven logeren, denk niet dat het uit beleefdheid was, dus je hebt spullen nodig, hoewel je best wat van mij aan mag.'

Rose keek naar de ochtendjas alsof ze een oud haardkleedje aanschouwde.

'Nee, bedankt.'

'En daarna,' ging Helen voort, 'leek het me goed om bij je adoptief-oma langs te gaan –'

'Nee,' zei Rose in paniek. 'Misschien is hij thuis. Hij zal ons zien.'

'Nou en? Ik ben groot en gemeen. Ik bijt mensen en –'

'Je weet niet hoe vreselijk hij me haat,' zei Rose. 'Je hebt geen idee.' Ze was zich ervan bewust hoe lachwekkend het moest zijn om in het koude daglicht een dergelijke achtervolgingswaan tentoon te spreiden, waarvoor ze zo weinig bewijzen kon leveren. Het was belachelijk om te verwachten dat iemand anders begreep dat één klein mannetje zo groot en alom aanwezig kon zijn.

'Goed,' zei Helen, 'we gaan met de auto. We rijden er onopvallend langs.' Niemand rijdt ergens onopvallend langs met jouw auto, dacht Rose, en vooral niet met jouw rijstijl. 'Jij trekt je hoofd in en zegt waar ik op moet letten.'

Dat was beter. 'Denk je,' vervolgde Helen, 'dat je zijn naam kunt zeggen? Ik bedoel zijn achternaam? Die heb je nog niet verteld.'

'Darvey,' mompelde Rose.

'Het is geen Darvey. Ik weet dat Darvey niet je echte naam is. Vraag me niet hoe ik dat weet, maar ik weet het. Je luistert gewoon niet vanzelfsprekend genoeg naar Darvey. Ik durf te wedden dat je een heel rare naam hebt, net zo raar als Dinsdale. Je wilt hem gewoon geheimhouden.' Ze was bedrijvig bezig brood te roosteren in die afschuwelijke ochtendjas.

O, waarom raadde ze het niet? Ze had voldoende aanwijzingen gekregen.

'Het is de naam van mijn moeder,' zei Rose pinnig. 'Zij noemde me Rose en haar meisjesnaam was Darvey.'

'En dat brengt ons,' zei Helen, koffie inschenkend, 'bij de kern. We willen je moeder vinden. En we willen je vader uitschakelen.'

O, help me, dacht Rose. Begreep dan niemand dat haar vader nooit uitgeschakeld kon worden? En begreep Helen dan helemaal niet, zonder dat het hardop werd uitgesproken, dat de gedachte dat haar vader zou worden gestraft en gevangengenomen evenmin prettig was? En al was het gesprek gisteravond uitgebreid gegaan over haat en angst en opgejaagd worden, de onderliggende gevoelens waren niet allemaal aan bod gekomen, zoals de vreselijke bloedband, waardoor ze niet wilde dat hij werd gemarteld – ook al was ze bang voor hem – en ze niet kon verdragen dat hij onder de beurse plekken zat. Ze was bang om dat toe te geven.

'Dus,' vervolgde Helen nog steeds even kordaat, 'dat betekent, denk ik, dat we naar de politie moeten om de hele zaak nog eens onder de loep te nemen. Om erachter te komen wat er aan de hand was, waar je moeder naartoe is gegaan. En om je vader aan te geven.'

'Dat betekent dat Michael het zou moeten weten.' Rose weifelde, ze zocht naar een excuus dat Helen meteen zou overtuigen.

'Dat is niet noodzakelijk, en trouwens, als je met Michael verder wilt, dan zal hij het toch moeten weten.'

Rose pakte een sigaret van Helen. Ze hoestten eenstemmig. Het was zinloos om verstandig te doen. De nicotine maakte Rose duizelig, maar bezorgde haar tevens een helder hoofd. 'Ik denk dat ik daar nog een dag of twee mee wil wachten,' zei ze zo vastberaden als ze kon. 'Zullen we eerst die zaak met Dinsdale oplossen? Als ik help om dat op te helderen, heb ik tenminste het gevoel dat ik iets heb gedaan. Dan voel ik me beter. Sterker.'

'Uitstekend,' zei Helen en dacht: je moet dat meisje niet dwingen, laat haar de dingen op haar eigen manier doen. 'Daar heb ik ook over nagedacht, over Dinsdale. We zouden naar kantoor kunnen gaan en alle dossiers die hij het afgelopen jaar heeft behandeld bij elkaar kunnen zoeken, en die naast aanklachten wegens rijden onder invloed leggen om te kijken of we een patroon kunnen vinden.' Dat gedoe met Dinsdale was droevig, ellendig en bezorgde haar een schuldgevoel, ze wilde de kwestie meteen afhandelen. 'Ik kan alleen niet met die verdomde computer overweg.'

'Ik wel,' zei Rose.

Niets ging vlot. De auto wilde niet starten zonder dat er eerst een uur op hem was ingepraat. Nog een uur verstreek met het ophalen van twee teddyberen van Rose, een ton cosmetica en, bij nader inzien, meer kleren. Daarna veranderde Rose van gedachten, zei dat ze wel langs het huis wilde rijden dat eens haar thuis was geweest, ze voelde zich ineens moediger. In stilte overbrugden ze de drie kilometer in de ongezond klinkende auto. Rose was doodsbang dat hij ermee uit zou scheiden en ze in haar vaders territorium zouden stranden, maar dat durfde ze niet te zeggen. Ze durfde zelfs niet zichzelf de reden te bekennen waarom ze er als een houten ledenpop bij zat. Voor het geval ze oma, levend en wel, door de straat zag hompelen. Of mam zag, zoals gewoonlijk met haar boodschappentas. Ze wilde dat Helen aan het adres, dat ze wel vijf, zes keer onder ogen moest hebben gehad, zou zien wie haar vader was, zonder dat zij het hardop hoefde te zeggen. Dan zou Rose zich ook niet meer zo ontstemd hoeven voelen, omdat Helen het nog steeds niet doorhad. Maar het was zaterdagmiddag, voetbalseizoen. De weg was geblokkeerd, in de omringende straten stonden de auto's drie rijen dik geparkeerd, totdat de wedstrijd was afgelopen zou er geen beweging in zitten. Rose slaakte een zucht van verlichting. Nu konden ze naar kantoor gaan en de beslissing uitstellen, en het kantoor was veilig.

Logo zat gehurkt in de kelder, buiten adem van de warmte en gedesoriënteerd. Hij voelde het mes, dat in zijn getornde broekzak tegen zijn dijbeen lag en aan zijn riem was gehaakt, hinderlijk prikken. Margarets beste keukenmes, geschikt om kaas mee te snijden. Boven klonken voetstappen. Hij rende haastig naar een raam dat uitkeek op het hek en verdraaide zijn nek om te kijken of er iemand wegging, maar er werd geen deur dichtgeslagen. De voetstappen klonken zo gedempt dat ze bijna onhoorbaar waren en toen ze stilhielden, meende hij het verre geroezemoes van een televisie te horen. Voetballen, giste hij, die klootzak van een bewaker zou de eerstkomende uren gehypnotiseerd zijn. Hij dacht aan de grote booglantaarns voor de winterwedstrijden, bedacht hoe donker het hier beneden was met de geringe toevoer van afnemend daglicht en de reling die daarboven vochtig glansde. Logo begon de kelder te verkennen. Lege vertrekken en ruimten vol papier, sombere alkoofjes en betekenisloze gangen, een ver gezoem; het stond hem wel aan. Toen hij twintig passen had gezet zag hij een knipperende, snel ronddraaiende rookdetector en daarna bereikte hij de deur van het cv-hok. Hij verbaasde zich erover dat het hele gebouw bevolkt scheen te zijn door vreemde, zwaar ademende dieren, maar afgezien daarvan was het er stiller dan op een kerkhof. Hij ontdekte een smalle trap en daarnaast een goederenlift in de muur, waarvan het schuifluik openstond. Vooral dit apparaat vervulde hem met vreugde. Op het vloertje ervan lagen enkele tientallen dossiers; die legde hij opzij en wrong zich toen in het liftje. Gezellig, het was even groot als zijn bezemkar, een prima schuilplaats voor een kleine man, zij het een beetje benauwd. De gedachte aan Margaret zweefde door zijn hoofd en was meteen weer verdwenen. Hij ontvouwde zich en zette zijn speurtocht voort. Papier, kilometers papier, het zou mooi branden. Die gedachte stond hem wel aan, maar bij nader inzien bedacht hij dat het de verkeerde papiersoort was. Hij wist alles van afval en besefte dat dit papier niet zo vlot vlam zou vatten.

Pas nu hij binnen was, besefte hij dat hij niets te doen had en hoewel het al naar het einde van de middag liep, was de nacht nog ver weg. Hij ging op de rand van de lift zitten en bekeek de trap naar de verdiepingen erboven, luisterend naar de verwarmingsketel. Hij at luid smakkend een reep chocola op, zuchtte eens en trok zijn jas uit. Hij wilde zingen vanwege dit gevoel van veiligheid en compleetheid, aangevuld met een zweempje spanning: tjongejonge, dus Eenie kwam hier op maandag werken en bleef soms slapen, ze had het ver geschopt. Maar de chocolade maakte hem dorstig, hij had water nodig en iets om zich mee te bedekken, mocht het afkoelen, en hij moest ergens kunnen plassen. Niets van dit alles was op dit niveau voorhanden, voor zover hij kon zien, alleen papier. Het trappenhuis wenkte, de houten reling voelde warm aan. Stilletjes, maar nog steeds met de lachkriebels, besteeg hij op zijn beste gympen de trap. Hij had een spel in gedachten. De vrouw, die hij toen op het dak van het gerechtsgebouw had laten schrikken, degene die hem onlangs had laten gaan, die de moed bezat medelijden met hem te hebben, die werkte hier ook, had ze gezegd. Hij kon haar kamer zoeken, als hij wilde, en die als toilet gebruiken, haar een lesje leren: zijn achterwerk aan haar stoel afvegen. De trap ging helemaal omhoog naar de begane grond en leidde naar een gang waar het tochtte vanuit de toegangshal. Vanachter een gesloten deur tegenover hem klonk het televisiegeluid nu harder. Overmoedig geworden klopte Logo aan, klaar om weg te sprinten, hoewel hij maar zachtjes had geklopt. Hij was in de stemming om streken uit te halen, maar er volgde geen reactie. Hij maakte een paar huppelpasjes op zijn plaats, herinnerde zich weer dat hij moest plassen, zag een deur met 'Dames' erop en daar deed hij een deel van zijn behoefte; de rest bewaarde hij vrolijk voor later. Zonder nadenken trok hij de spoelbak door. Nog steeds geen reactie uit de televisiekamer. Weer verder en naar boven, na de hal te hebben doorkruist en een imposantere trap te hebben gevonden, liep hij op elke verdieping de ene na de andere gang door, totdat hij uiteindelijk was verdwaald. Dat verontrustte hem, zij het niet echt. Zoekt en gij zult vinden, hield hij zichzelf voor en daar staarde, als een boodschap uit het Nieuwe Testament, een versie van dezelfde goederenlift hem aan, als zijn thuis. Logo besefte dat hij een cirkel had beschreven. Ineens had hij zin om een ritje met het ding te maken, niet met de grote personenlift die hij ook had gezien en waar

'Defect' op stond. Hij hoefde vast alleen maar recht naar beneden te gaan, als hij wilde, om terug te zijn bij af. Hij mocht dan dapper zijn, hij wilde wel een ontsnappingsroute hebben en een warme, rustige plek om te slapen. Daarom drukte hij op de rode knop; de lift gierde naar hem toe.

Vervolgens keek Logo een ruim vertrek in met een grote fauteuil en een flink bureau, dat er heel netjes, efficiënt en ordelijk uitzag. Ja, die was vast van haar, de kamer van een bazig, duur gekleed kreng, streng en autoritair en er lag betere vloerbedekking dan buiten op de gang, maar het rook er naar mannen, en wat die juf West ook mocht zijn, ze was beslist geen man, dat wist hij zeker. Hij giechelde, kuchte de altijd aanwezige lachkriebels weg en had nog steeds zin om te zingen. Totdat hij, als de weergalm van het zachte geluid dat hij maakte toen hij de gang weer opging, meer gelach hoorde, meer gekuch, een koor dat naderbij kwam. In een ogenblik van paniek was hij niet in staat om de richting van het geluid te bepalen; het ene moment meende hij dat het achter hem vandaan kwam uit het grote vertrek, daarna van rechts, daarna van links, maar het golfde over de trap naar hem toe en hij had geen idee waar deze mensen heen zouden gaan. Wild keek hij om zich heen naar het kleinste plekje om zich te verbergen, hij vouwde zich liever op dan hier zo roerloos te blijven staan. Hij kreeg de goederenlift met zijn opengesperde bek in het oog en wierp zich erin, met zijn knieën tegen zijn kin opgetrokken. Hij duwde het metalen schuifluik met zijn handpalmen halfdicht. Zo, hij zat.

'Die bewaker moet ontslagen worden, om over anderen nog maar te zwijgen,' brieste Helen hoestend, op weg naar boven. 'Je moet vanuit een telefooncel bellen, wil hij de deur voor je opendoen, en dan nog, we hadden iedereen kunnen zijn. Geen wonder dat Dinsdale –'

'En ik,' Rose onderbrak haar scherp. 'Ik ook. Hij heeft me hier donderdagnacht laten slapen, zoals ik al zei, dus kam hem niet af. En verlink hem ook niet. Ik zal wel met hem praten, als je wilt. Hij heeft zijn baan even hard nodig als ieder ander.' Ze had een beetje genoeg van de felle tirade die al twee trappen duurde. De lift was stuk. Helen zeurde. Soms had ze begrip, andere keren wilde ze nergens van weten, en ze zag er ziek uit. Prent jezelf in dat je haar aardig vindt, dacht Rose toen ze naar de deur van de administratie puften, je mag haar echt.

Het was altijd een chaos in de kamer, minder als Rose er de scepter zwaaide, maar vrijdag was de discipline ver te zoeken geweest. Helen merkte dat ze boos was, omdat ze hier hutje-mutje zaten, terwijl anderen, zoals Redwood, een even grote kamer hadden, maar dan voor hem alleen. Rose liep naar de computer die, passend bij zijn status, achter een schot op een soort voetstuk stond. Ze drukte op toetsen en schoof er met het gemak van een piloot schijfjes in.

'Hoe weet je hoe je daarmee moet omgaan?' vroeg Helen, die zich een stumper voelde.

'Ik heb toegekeken,' zei Rose. 'Ik leer snel.'

'Sneller dan ik. Geef me iets nuttigs te doen.'

'Ga jij maar zitten breien. Je bent nog een beetje ziek.' Ze imiteerde Helens zorgzaamheid. Ze moesten er alle twee om lachen.

'Ik denk dat we het beste kunnen beginnen met de afgehandelde zaken van de vorige maand, te beginnen met die van hem, van Dinsdale, bedoel ik. Als hij met opzet documenten kwijt maakte, dan zou hij eerst die dossiers ter inzage moeten hebben gekregen, of om mee naar de rechtbank te nemen, want zo wist hij welke hij moest lozen. Hij had vaak enorm de pest in als hij op het laatste ogenblik naar een andere rechtszaal werd gestuurd. Ik denk dat jij en John die zaken per ongeluk hebben gekregen. Hij had erheen moeten gaan en de zaak op een elegante manier moeten verliezen. Oké, laten we zijn bestand bekijken.' Helen keek met verbazing naar het beeldscherm. 'Hier staat dat de eerste twaalf naar het archief zijn gegaan,' zei Rose, trots als tolk optredend. 'Dat betekent dat ze ergens in de kelder moeten liggen. We voeren ze daarheen af en archiveren ze nu en dan, ze moeten vijf jaar worden bewaard...'

'Ik zou niet weten waar ik beneden zou moeten beginnen. Zitten er ratten?'

'Natuurlijk niet,' zei Rose minachtend. 'Dan zou ik er toch zeker niet hebben geslapen? Alle ratten zitten boven. Ik ga wel naar beneden. Kijk jij maar in Redwoods kamer. Daar bewaart hij de hoofdagenda, waarin staat waar iedereen is. Maak een lijst van de rechtszalen waar Dinsdale het vaakst te vinden is. Dat zou een aanwijzing kunnen opleveren.' Rose schepte een beetje op; Helen, gedwee omdat ze de mechanismen van het kantoor niet kende, spartelde even tegen, maar het scheen het beste om Rose het initiatief te laten.

'Zal ik niet liever met je meegaan naar de kelder? Vind je het niet een beetje eng om daarheen te gaan?'

'Ik vind het hier nooit eng. Het is de enige plek die ik nooit eng vind. Spaar je de moeite.'

Haar voetstappen trippelden een beetje gehaast de trappen af. Ach, de jeugd, dacht Helen, de gang in dwalend, en een paar deuren verder Redwoods kamer in. Warm hier, potdicht, er hing een rare lucht, als van oude luchtververser. Ze zag haar lamp op het bureau staan, help jezelf Redwood, en knipte die aan, diepte een sigaret op uit haar zak en genoot ervan iets te doen wat normaal verboden was in de troonzaal, liep naar het enorme raam achter Redwoods bureau en gooide dat open. Ze keek een ogenblik naar de straat waar één armzalige lantaarn een fijne motregen bescheen die neerdaalde in een gebied waar het nooit licht was. Op weg hierheen hadden ze gekleumd en gehoest, nu had ze behoefte aan koele lucht om haar hoofd helder te maken, dus ging ze ook naar het andere raam toe, zich schuldig voelend omdat ze een insluiper was, en dacht: ik begrijp best waarom Redwood het leuk vindt om rond te neuzen, het is eigenlijk best spannend. Toen bleef ze staan. Van achteren komend, weerspiegeld in het oude, golvende glas, liep een wezen op zijn tenen als een kind dat verstoppertje speelt. Nog voordat ze zich omdraaide, rook ze hem al. Zijn geur hing in de kamer, kunstmatig zoet, bedreigend, niet meteen herkenbaar, en daar was hij, haar besluipend met een dwaze glimlach op zijn gezicht. Helen draaide zich snel om haar as voordat hij bij haar was; hij was nog vijf passen over de grijsbruine vloerbedekking van haar verwijderd. In haar stem klonk haar paniek niet door, terwijl ze de afstand tussen haarzelf en de telefoon inschatte.

'Hallo, meneer Logo,' zei ze neutraal. 'Wie heeft u binnengelaten? Misschien kunt u het maar beter zeggen, voordat ik de portier vraag de politie te bellen.'

Hij giechelde, volgde haar ogen naar de telefoon, schudde zijn hoofd. Helen snapte hem.

'Ik wil mijn dochter,' kondigde hij aan. 'Ik wil Eenie. Jij hebt haar hier. Jullie houden haar opgesloten, onbereikbaar voor mij.'

'Uw dochter? Er is hier niemand die Eenie heet. Hoe heet ze officieel?'

'Die vent zei ook al dat niemand hier zo heet, wat een smerige leugenaars zijn jullie. Júllie hebben me dit aangedaan, jouw mensen. Hoe vind je mijn handboeistriemen? Haar oma noemde haar altijd Rose. Die vond Enid niet leuk.'

Hij danste voor haar, maakte korte, zwaaiende bewegingen van zijn ene voet op zijn andere, duwde de mouwen van zijn bepoederde jasje terug, waardoor er nog meer van dezelfde ziekmakende lucht vrijkwam, om haar zijn magere polsen te tonen, geringd met de bruine striemen die ze al eerder had gezien.

'Zie je ze?' zei hij. 'Daar krijg ik sterke polsen van. Jij hebt me die striemen bezorgd. Jouw mensen.'

Hij bleef op enkele centimeters voor haar staan. Helen drukte zich tegen de ruit aan die onder haar gewicht leek te kraken. De waarheid drong verontrustend en verwarrend door. Logo, de vader van Rose, natuurlijk, natuurlijk, en in die fractie van een seconde begreep ze eindelijk de oorzaak van de doodsangst van het kind.

'Haar moeder noemde haar altijd Rosie Lee. Naar de thee,' voegde hij er onlogisch aan toe. Helen tuurde gehypnotiseerd naar zijn polsen. Zag het mes aan zijn ceintuur hangen en dacht: o God, nee. Ik kan niet moedig zijn, ik kan niet terugbijten, dit keer niet, niet weer, ik heb het allemaal verbruikt, het kleine beetje moed dat ik ooit bezat.

'Ik geloof niet dat die striemen door de handboeien komen, meneer Logo,' zei ze minachtend. 'Ik geloof dat het gewoon vuil is. Laat eens zien.'

Hij bleef staan, deed zijn mond open, afgeleid, stak zijn handen uit met de palmen omhooggekeerd. 'Kom eens in het licht staan,' beval ze. Hij deed wat hem gezegd werd. Zonder ook maar even zijn blik van haar gezicht af te wenden, schuifelde hij naar het bureau, bracht zijn handen naar het licht, glimlachte plotseling, positioneerde de bureaulamp in een rechte hoek en vormde figuren met zijn handen. Tegen de muur ontstonden schaduwen, bewegende monsters, een varken met een snuit en een staart, merkwaardig bruisend van energie. Helen draaide zich om en keek ernaar, haar hart bonsde in haar oren, haar ogen waren opengesperd, haar linkerhand tastte naar de telefoon en haar keel vormde een gil.

'Ik moet jou niet,' zei hij opeens. 'Je loopt in de weg. Waar is ze? Ik heb haar gehoord.'

'Ik heb haar naar huis gestuurd,' zei Helen. 'Er was geen werk voor haar tot maandag. Ze is weg. Als u maandag terugkomt, treft u haar hier. Dan is ze er. Ik ben hier helemaal alleen.'

Het schaduwspel stopte abrupt. 'Ik geloof je niet,' zei hij. 'En het is niet alleen maar vuil. Alleen maar vuil bestaat niet eens.' De woede laaide plotseling boosaardig in hem op. De bruine polsen bevonden zich op gelijke hoogte met haar ogen, zijn handen grepen grote bossen van haar naar achteren gebonden haren, hij schudde haar hoofd heen en weer als een lappenpop, zijn speeksel belandde op haar gezicht als om zijn woorden nog kwaadaardiger te maken. Daarna draaide hij haar om, zodat haar ene arm over haar keel lag en haar hals achteroverboog, de pols van zijn andere hand zweefde voor haar ogen. 'Vuil,' zei hij. 'Vuil, hè? Dat is zíj, vuil, maar jij, jij bent tuig.' De druk werd sterker. Helen boog zich voorover en ramde haar ellebogen in zijn buik, rukte zich los en stortte zich de gang in. Blindelings rende ze voort, keek verwilderd de verduisterde kamers in, speurend naar redding, naar een deur die op slot kon, een wapen, tijd om te telefoneren, om een raam open te doen, te gillen, maar haar benen waren van lood, haar geest was gevangen in stomme angst, ze kon niet anders dan rennen. Deze achtervolging had iets van een *déjà vu*; onder het rennen beleefde ze haar vorige doodsstrijd opnieuw, zag ze haar slaapkamer en de broer van Peter voor zich, stinkend van venijn. Ze wist dat ze deze keer niet zou bijten en holde door. Te laat besefte ze, ook al merkte ze dat zijn dreunende voetstappen achter haar waren afgezakt, dat ze rennend het volle vierkant van de verdieping had afgelegd en terug was bij af, met hem vóór of achter zich, het maakte geen verschil. Zijn geur hing om haar heen, zat in haar haren en in haar ogen. Ze stopte onzeker bij de goederenlift, waar de lucht het sterkst was. Het was donkerder geworden, iemand had het ganglicht uitgedaan. Helen draaide zich om en schreeuwde: 'Rose, Rose! Ga weg! Ga weg!' Tegen beter weten in hoopte ze dat het geluid tot haar door zou dringen. Stilte en zo donker als de hel; even haalde ze vrijer adem.

Hij sprong de lift uit, een zwarte trol, uithalend met zijn keukenmes. 'Daar!' siste hij. 'Daar! Je hebt gelogen, je hebt gelogen...' O, niet mijn gezicht, schoot het door haar heen, alsjeblieft niet mijn gezicht, laat me mooi sterven, alsjeblieft. Ze schermde haar ogen af met haar armen en schopte wild, raakte knokige knieën, hoorde hem grommen van de pijn en zijn evenwicht verliezen. Er klonk een plof toen het mes viel, ze wist niet of dat kwam doordat hij zijn gewelddadige ongeduld niet kon bedwingen, of door onhandigheid, maar opnieuw klauwden zijn handen in haar haren; ze werd tegen de stijl van de lift klemgezet, krachteloos, zijn stevig verankerde benen duwden de hare uiteen terwijl hij haar achterhoofd herhaaldelijk tegen de metalen omlijsting beukte, totdat ze onderuitgleed, en hij haar aan haar haren half overeind rukte. Plotseling liet Logo haar vallen, hij boog zich over haar heen en siste: 'Waar is ze? Waar is ze? Ik moet jou niet, niemand wil jou.' Er kwam geen reactie.

Hij liet haar haren los. Ze rolde om op de vloer. 'Tuig,' mompelde Logo en gaf een snelle schop tegen haar ribben. 'Ik heb jou niet nodig.'

Alsof hij het niet meteen had kunnen raden, als hij zijn verstand had gebruikt. Rose verstopte zich daar waar ze met schaduwfiguren kon spelen. Hij rechtte zijn rug en wachtte even om te zien of die juf West zich zou bewegen. Dat deed ze niet. Dat was dus in orde. Hij hoopte dat ze dood was.

Waarom was ze niet naar beneden gerend, in plaats van deze hopeloze cirkel te beschrijven? Helen wilde dat ze dood was, wilde nooit meer vechten tegen wat of wie dan ook. Haar ogen waren gesloten, maar ze wist dat ze op het mes was gerold, het houten heft drukte in haar middel, het decor achter haar gesloten oogleden bestond uit een heleboel exploderende purperen wolken. Blijf doodstil liggen, laat hem doen wat hij wil, het maakt niet uit, laat het hem afmaken. Ze hoorde hem giechelen, en toen voetstappen die zich verwijderden, ongehaast, doelbewust. Toen kon ze slapen, gewoon slapen, wachten tot er iemand zou komen, maandag was vroeg genoeg, niets was van belang, ze wilde alles loslaten. Maar Rose was er nog, ergens daar beneden zonder ratten was Rose. Logo was alleen op Rose uit en de bewaker was zinloos, die zou nog geen bom horen inslaan. Kom in beweging, Helen, je moet je bewegen, er is niemand anders, er is nooit iemand anders, maar het was moeilijk. Dus rolde ze om, probeerde rechtop te gaan zitten, wat min of meer lukte, maar wel pijn deed. Het licht in Redwoods kamer brandde nog en drong de duisternis binnen. Het rode lichtknopje weerkaatste erin, de enige manier om Rose te waarschuwen, om haar een wapen te geven. Toen ze het mes met trillende hand opraapte, voelde Helen zich slap worden. Er zat bloed op het mes. O, alsjeblieft, niet mijn gezicht; je gezicht is niet belangrijk, je moest je schamen, vooruit. Ze ging met grote moeite op haar knieën zitten, liet het mes in de open muil van de lift vallen, drukte op de rode knop, hoorde hem wegsnorren en zakte toen terug. Straks kom ik in beweging, straks, niet nu. Om een telefoon te zoeken. Langzaam kroop ze, met haar gezicht vlak boven de grond, in de richting van het licht uit Redwoods domein, daarna drukte ze zich half overeind en begon aan een ander schuifelproces, op haar knieën. Onder het kruipen dacht ze plotseling: moet ik vooruit, naar het licht toe, of achteruit, naar de kamer van de administratie? Ze besloot vooruit te gaan, aangelokt door het licht, denkend: ik geloof niet dat dit verstandig is. O Rose, maak dat je wegkomt alsjeblieft, ik weet wat je bedoelt, rennen, naar buiten via de uitgang waardoor hij is binnengekomen, hoe dan ook, maar ren. En toen ze, snelheid winnend, halverwege was, hoorde ze een telefoon rinkelen. Uit de richting die ze de rug had toegekeerd, uit de kamer van de administratie, de meest logische plek om heen te gaan, maar daar was het donker. Rose, die vanuit de kelder belde voordat Logo haar had bereikt? De bewaker die na afloop van zijn voetbalwedstrijd onrust bespeurde? Ze kroop terug, haar knieën schuurden over de ruwe, versleten vloerbedekking, ze bereikte de deur toen hij voor de twaalfde keer overging en slaagde erin op te staan door zich aan het eerste bureau op te trekken, en toen ze haar hand uitstak en op de grond viel, zweeg hij. Gehuld in weer een ander soort duisternis lag ze bewegingloos naar adem te snakken, biddend dat hij weer zou rinkelen.

O, laat me niet bang zijn voor het donker.

In het huis van zijn ouders legde Michael de telefoon neer, hij was een beetje nijdig. Ze had gezegd dat ze hem niet kon komen opzoeken omdat ze moest werken, maar volgens hem hoefden ambtenaren nooit in het weekeinde te werken, en als ze op haar werk was, waarom nam ze de telefoon dan niet op? Dus was ze niet op haar werk, was ze ergens anders, met iemand anders, God mocht weten wat ze uitspookte, hij wist niet wat hij moest beginnen. Zo'n meisje kon je niet veranderen, hij hoorde het de mensen zeggen, gezongen door wel duizend stemmen, zo luid als het koor van het Rode Leger of de voetbalsupporters van een eerstedivisieclub. Gauw verveeld, dat was ze, ze speelde met iemand anders, ze ging ervandoor zodra de nieuwe vriend immobiel was, zo zat het, zoiets moest het wel zijn. Ongedurig, dat was ze, en hem zouden ze een stommeling vinden, hij had het helemaal verkeerd aangepakt.

'Ze neemt niet op, mam,' zei hij fel. Een vrouw zat op een afstandje in de hoek van een gezellige woonkamer verstelwerk te doen. Ze hadden zojuist het voetballen afgezet. Ze veranderde in een parodie op haar normale, bedaarde persoonlijkheid wanneer ze naar haar elftal keek – ook al naaide ze, met grote stekende bewegingen, onverdroten door.

'En dan denk jij natuurlijk meteen het ergste. Zou er geen onschuldige verklaring voor zijn? Misschien mocht ze eerder naar huis, is er iets gebeurd of is ze even weg, zoiets. Hoe vaak is ze niet bij je in het ziekenhuis geweest? Alle mannen zijn hetzelfde. Zeker politiemannen.'

Michael leunde achterover, ongerijmd getroost maar ook geërgerd.

'Ik denk de hele tijd aan haar. Ik kan haar niet uit mijn gedachten zetten.'

Ze legde haar verstelwerk neer, keek naar zijn in de mitella gestoken arm en zuchtte.

'Nou, denk dan positief. Als je erheen wilt, geeft je vader je wel een lift. En weer terug ook, mocht dat nodig zijn.'

'Bedankt, mam.'

Ze nam haar naaiwerk weer ter hand. 'We zijn verneukt,' mompelde ze in zichzelf, 'aan alle kanten.'

Het duurde even voordat hij besefte dat ze het over het voetballen had.

14

Rose keek naar de dossiers die op de grond waren gegooid, toen de lift met een doffe dreun naast haar landde, ter hoogte van haar middel. Ha, ha, ha, Helen zat boven grapjes te maken, die vroeg zich af wat ze hier al die tijd uitvoerde. Rose glimlachte, duwde het schuifluik omhoog en stak haar hoofd naar binnen, grijnsde en mompelde: 'Gek mens.' Haar mond, nog steeds tot een glimlach vertrokken, werd opeens doordrenkt met een vertrouwde geur, gepaard aan een zwak, misselijkmakend gevoel. Het favoriete talkpoeder van iemand, van lichaam op lichaam overgebracht, ziekmakend en walgelijk, vermengd met vuil en zweet. Dat was haar eerste, snel gevormde indruk. Toen zag ze van enige afstand een keukenmes, het lemmet zwaaide in haar richting als een trillende kompasnaald, een beetje besmeurd, onmiskenbaar een vleesmes, dat intensief gebruikt was. Haar lichaam verstijfde van schrik; ze stak haar hand uit naar het mes, maar trok hem toen snel terug, stak nogmaals haar hand uit en sloot haar vingers om het heft dat de warmte van een reptiel had. Rose begreep de boodschap niet; de gedachte kwam bij haar op dat Helen een spelletje met haar speelde. Even dacht ze dat de vrouw gek was geworden en benam de wrede grap haar de adem; toen zegevierde de logica. Afgezien van het tikken van de apparaten in de kelder klonk er geen enkel geluid, toen Rose met het mes in haar hand stond en het huidige doel ervan in een stortvloed van beelden voor zich zag, die werden opgewekt door de geur van het geparfumeerde poeder en de lucht van te lang gedragen kleren. Ze zag zichzelf in bed en haar vader met zijn schaduwspel, in de kleren die hij na zijn werk had aangehouden en zichzelf, oma's talkpoeder stelend alsof het een talisman was. Haar vader in de keuken, terwijl ze naar hem stak met een ander mes, hem afwerend, per ongeluk verwondend.

Rose dacht niet dat ze dat nog een keer zou kunnen.

Ze was altijd gevlucht en dat zou ze nu weer doen. Ze zou aan niemand anders denken, ze zou wegrennen, en tijdens die onbesuisde vlucht al haar loyaliteiten en hoop vergeten, zoals ze eerder had gedaan. Ga naar huis, neem niet de moeite om te zeggen waarom, want dat heeft geen zin, pak je koffer en kom nooit meer terug, zoek een andere baan, het was dom om zo dicht in de buurt te komen; nergens was het veilig, in de hele wijde wereld niet, als het hier niet veilig was. Ze had in dit gebouw geloofd. In haar andere hand had ze een stapel notitieboekjes die ze achter een radiator had gevonden. Rose liet ze op de grond vallen, rende naar de achterkant van het gebouw met het mes nog in haar hand, zij het losjes, op zoek naar de leveranciersingang. Ze zette maar een paar passen en keerde zich toen om en keek naar de open muil van de goederenlift, die groot genoeg was om een lichaam te bevatten. Ze rende naar links, naar de trap, verdwaasd en besluiteloos, ze holde haar ingevingen achterna, als een schermer die schijnbewegingen maakt met zijn sabel. Ergens boven haar hoofd klonken zachte geluiden; de bewaker, de vijand, allebei om het even, aangezien de bewaker haar vader binnen moest hebben gelaten, het hem moest hebben verteld en gewezen: ga naar boven, daar waar zij nu heen ging. Misschien had de bewaker dat mes zelfs wel aan haar vader gegeven. Ze hield het tegen het licht. Kleurloze vegen, misschien was het gebruikt om er boterhammen mee af te snijden, zelfs haar vader had vrienden. Plotseling bleef Rose staan. Hij was niet de enige die vrienden had. Helen was boven.

Rose bukte zich en trok haar schoenen uit. In plaats van naar de grote trap die rechts van de lift liep, sprintte ze linksaf, de stenen gangen door, onderweg de lichten uitknippend. Langs de rookdetector, de luidruchtige watermeter, de tikkende cv-ketel, ze schoot de smalle ijzeren treden met twee tegelijk op, wurmde zich bovenaan door een stijve tochtdeur. Als hier ooit brand uit zou breken, zou niemand weten hoe hij buiten moest komen. Op de benedenverdieping klonk het geluid van een verre televisie, waar ze naartoe werd getrokken, maar ze deinsde weer terug, onverklaarbaar walgend van de opgewonden geluiden van de sportcommentatoren, en vloog de hoek om, de volgende smalle trap op. Ze had geen zin meer om een potje te gaan zitten huilen: tegen de tijd dat ze ademloos de tweede verdieping bereikte en een sterke aandrang voelde om te hoesten maar terugschrok voor het geluid, werd ze verteerd door een gruwelijk woede, de rat in het nauw die zich liever doodvocht dan dat hij zich overgaf. Het was een vertrouwd gevoel, ze had het nu en dan gevoeld tijdens de liefdeloze seks, waarbij ze het verlangen om van zich af te bijten, dat haar nu voortdreef, had ingeslikt – iets wat ze zich herinnerde uit de tijd toen ze naar haar vader had uitgehaald, zonder zich te bekommeren om wie of wat ze raakte, alles en iedereen hatend, alles binnen armbereik zou hebben volstaan.

Iemand had de lampen uitgedaan. Iemand rende op dezelfde woeste manier rond als zij zelf beneden had rondgerend, ze voelde de paniek. Het enige licht in de gang kwam uit Redwoods kamer. Met dichtge- klemde mond om de behoefte het uit te schreeuwen en te gillen te onderdrukken, sloop Rose op haar tenen naar de deuropening en ging naar binnen. De bureaulamp was in een dronken hoek gedraaid en bescheen de tegenoverliggende wand, het bureau was zo rommelig als een beslapen bed, op de grond dwarrelden papieren in de frisse wind die door het wijdopen raam blies. Ze werd ernaartoe getrokken, leunde hoestend naar buiten en greep zich toen, midden in een hoestkramp, opeens duizelig vast aan de raamstijlen. Voorzichtig Rose, zei ze, je zou diep vallen als je in de slotgracht voor de kelder terechtkwam, maar je schiet er niets mee op. Het was weer gaan regenen, de koudeprikjes in haar gezicht maakten haar hoofd helder. De opwelling onafgebroken om hulp te roepen in de stille zijstraat stierf in haar borst. Die impuls werd gemakkelijk onderdrukt, ze had evengoed op de noordpool kun- nen gaan staan gillen, bovendien durfde ze nog steeds niet goed te schreeuwen. Helen, waar ben je? Waar is dat maffe mens?

Er klonk een geluid, een spiegelbeeld van haar eigen, krampachtige gehoest. Rose sprong weg van de tocht, klaar om te vluchten. Helen stond in de deuropening, leunend tegen de deurstijl, iets wegglijdend; haar houding oogde op het eerste gezicht nonchalant, als van iemand die treuzelt bij de entree van een feest, popelend om een scène te ma- ken, zwoel als de pose van een mannequin, maar vrolijk aangeschoten. Het zag er zo gekunsteld uit, dat Rose opnieuw woedend werd, tegen haar schreeuwde met alle opgespaarde woede: 'Wat speel je voor spelle- tjes? Waar ben je verdomme mee bezig?' De woorden verlieten haar mond, terwijl de leunende stand van Helens slanke gestalte allengs minder natuurlijk werd, sinister zelfs, haar hoofd steunde op haar arm, maar zwabberde, haar knieën knikten, haar benen strekten zich in een plotselinge, struikelende beweging naar het bureau; ze bewoog zich als een onzekere peuter die naar de dichtstbijzijnde knie grijpt, miste, en eindigde knielend met een plof. Haar bovenlichaam hing over een stoel, haar hoofd berouwvol gebogen. In haar nek zat iets kleverigs, de mouw van haar trui hing aan een draadje, ze tilde haar hoofd op, fixeerde haar blik op Rose en probeerde zich met haar laatste krachten te concentreren.

'Heeft hij een snee in mijn gezicht gemaakt?' vroeg ze bijna op con- versatietoon. 'Ik moet het weten. Ik voel het niet.'

'Nee,' zei Rose. 'Dat heeft hij niet gedaan.' Ze propte haar vuist in haar mond.

Het bloed liep langs de vingers van Helens linkerhand, die ze met een eigenaardige elegance voor zich uitspreidde. Zich concentrerend bracht ze haar vingers naar haar gezicht en liet ze zachtjes op haar neusbrug rusten. Hoe gering de beweging ook was, hij wierp een gigantische, kortdurende schaduw, tot de hand buiten de lichtkring fladderde.

'Weet je het zeker?'

Rose wist het niet zeker. 'Ja, ik weet het zeker.'

'Fijn. Hoor eens,' zei Helen. 'Heb je het mes?'

'Ja.' Gefluisterd.

'Mooi zo. Ik krijg de telefoon niet aan de praat. In het weekeinde worden ze doorgeschakeld naar de bewaker, je krijgt alleen inkomende gesprekken. Hij zou binnenkort zijn ronde moeten doen. Dat doet hij elk uur, zegt Redwood.'

'De bewaker maakt geen rondes,' zei Rose kort. 'Hij drukt zich. En hij heeft mijn vader binnengelaten, of niet soms?'

'O,' zei Helen. 'Daar heb ik niet aan gedacht. Heb je hem gezien?'

'Wie, de bewaker?' vroeg Rose dom.

'Nee. Ik bedoel heb je Logo gezien? Je vader?'

'Wist je dan de hele tijd dat hij het was?'

Helen zuchtte, niet uit ergernis, maar alsof alles wat ze zei heel, heel veel moeite kostte. Het was nog steeds alsof ze speelde dat ze dronken was. Rose wilde dat het waar was.

Al zuchtend kwamen Helens woorden er sneller uit.

'Nee, dat wist ik niet de hele tijd, maar nu wel. Hij is naar beneden gegaan om jou te zoeken. Heb je hem gezien?'

'Nee.'

'En nu komt hij weer naar boven,' zei Helen dromerig, haar hoofd langzaam heen en weer schuddend. 'Als een bord spaghetti. Maak de lift onklaar, gauw.'

Rose was traag, getraumatiseerd, gebiologeerd door die fladderende bebloede hand, ze wachtte op meer schaduwen op de muur.

'Welke lift?'

'Nee, doe maar niet, het is te laat. Hoor maar.'

Van beneden klonk het rommelende geluid van een machine.

'Rennen,' zei Helen, haar stem klonk opeens helder. 'Donder alsjeblieft op, wil je? Hij heeft het niet op mij voorzien. Ga weg. Ga naar beneden. Ik hou hem wel een poosje bezig. Ik treiter hem wel.' Het gezicht slaagde erin te grijnzen. 'Blijf in beweging tot je een uitweg hebt gevonden, neem het mes mee, bedreig de bewaker, maar wil je alsjeblieft maken dat je wegkomt?'

De lift maakte inmiddels een gierend geluid, passeerde kreunend de eerste verdieping en kwam steeds dichterbij. 'Verdomme,' riep Helen, de slapte was volledig verdwenen. 'Doe eens een keer wat je wordt gezegd.'

'Nee.'

Maar Rose rende de gang op. Ze had het mes nog steeds in haar hand. Het rode lampje naast de lift gloeide op. Rose liet het mes vallen, greep de stalen handgrepen van de schuifluiken, pakte het mes op en schoof dat ertussen, de houten grendel klemzettend. Hebbes. De stilte was oorverdovend: de lift leek te zijn gestopt zonder de gebruikelijke bons, hij zat ergens vast, onder haar voeten. Er zat iets vochtigs op de omlijsting van de lift, op de plek waar ze luisterend tegenaan leunde. Walgend trok Rose haar hand weg, veegde die af aan haar rok, zonder te willen kijken wat het was. Plotseling opgewekt, deed ze een paar passen naar achteren. Hij zat vast, laat hem maar rotten. De poeder- en lijflucht bleef hangen. Ze riep, blafte als een hond op veilige afstand, haar stem liep over van vrolijk venijn.

'Blijf daar maar lekker zitten, pa. Je stinkt. Weet je dat? Je stinkt.'

Het gebruik van haar stem gaf een gevoel van opluchting, daarna van schuld. Ze deed een pas naar voren, minder venijnig nu. Was hij wel in orde? Ze probeerde te doen alsof het haar niets kon schelen als hij zou stikken, maar het deed haar wel iets. Toen dacht ze aan Helen, die lag te bloeden op Redwoods vloer. Dat had híj gedaan. Rose voelde de snikken, verwarring en twijfel opborrelen, ze probeerde het zuivere gevoel van razernij dat zo'n troost was geweest te hervinden, en bleef besluiteloos staan. Moest ze hierheen of daarheen, naar de wc om handdoeken te halen? Wat deed je eigenlijk met bloed, behalve er gefascineerd en hulpeloos naar staren en het instinct om weg te rennen onderdrukken? Toen, net als eerder bij Helen, werd de beslissing voor haar genomen door de telefoon. Hij weergalmde uit de kamer van de administratie. De reactie kwam automatisch. Rose stond al in de kamer en smakte haastig de hoorn tegen haar oor, huiverend, geen tijd om zich af te vragen hoe het kwam dat het gerinkel van de telefoon altijd de hoogste prioriteit had, overal en altijd, zelfs als het niets beloofde.

'Is meneer Cotton aanwezig?'

'Nee, hoor eens –'

'Hij zei dat ik hem moest bellen, op dit nummer, om deze tijd.' De stem van de man klonk gladjes, met een schorre ondertoon van nerveuze irritatie, niet iemand die je liet wachten. 'Geef hem een boodschap van me door. Zeg maar dat het niets heeft uitgehaald. Ik heb een brief gekregen waarin staat dat ik morgen opnieuw voor moet komen, het is niet gelukt. Zeg maar dat ik niet graag betaal voor iets wat ik niet heb gekregen, en vraag waarom hij niets heeft gedaan. Zeg maar...'

De stem klonk bozer, de woorden slechter gearticuleerd, de angst lag op de loer.

'Hou je kop en luister,' zei Rose, de woede begon terug te komen. 'Ik zit in dit gebouw opgesloten met een gewonde vrouw, een maniak en een telefoon waarmee ik niet naar buiten kan bellen. Help me, alstublieft, bel de politie. Nu meteen.'

'...dat hij de zaak niet nog een keer moet verknoeien,' ging de stem voort. 'Vertel hem wat ik heb gezegd –'

'Luister,' zei Rose nogmaals. 'Ik zit vast in dit gebouw met een maniak en iemand die ernstig gewond is, wilt u alstublieft de politie bellen...' Deze keer drong het tot de man door. Na een ongelovige pauze barstte hij uit in een verontwaardigde bulderlach.

'De politie bellen? Wie? Ik? Na wat ze me hebben aangedaan? Je bent zeker de leukste thuis.' De verbinding werd verbroken.

Rose bleef de hoorn vasthouden, keek er ongelovig naar, begon nummers in te toetsen, willekeurige nummers, alarmnummers, haar eigen nummer en luisterde naar het zinloze zoemen. Ze kon zich er niet toe brengen de bewaker te halen, ze wist niet waarom, maar ze zag hem als de vijand, herinnerde zich hem van een paar avonden geleden, toen hij de whisky aannam en een beetje wellustig naar haar had gekeken. Rennen, had Helen gezegd, rennen. Maar de bewaker zou haar toch wel naar buiten laten als ze hem het mes liet zien? Maar ze kon het mes niet tussen de handvatten van de lift uit halen, of wel soms, voor het geval die weer in beweging kwam en... Daarom rende ze terug naar Redwoods kamer, trok de deur dicht en schoof er een stoel tegenaan, zinloos, het bureau was zo oud en zwaar dat ze het niet van zijn plaats kon krijgen, maar elk obstakel was beter dan geen obstakel.

Helen lag op de grond, haar hoofd tegen haar gewonde arm, een oncomfortabele houding. Rose verdraaide de lamp om haar beter te kunnen zien, huiverde, en keek weg, daarna trok ze haar trui en het T-shirt dat ze eronder droeg uit en keek om zich heen. Een bloemenvaas op een dossierkast tegen de muur, godsamme, er stonden hier genoeg stoelen voor een heel leger, dacht ze ongeduldig, terwijl ze de bloemen uit de vaas rukte en water over haar T-shirt kwakte. Ze durfde die donkere gang niet nog een keer op. Het bloemenwater, waarin narcissen hadden gestaan, was niet al te schoon, maar het was koel. Rose vlijde Helens hoofd in haar schoot en vouwde de arm met de getornde mouw over haar borst. De bizarre gedachte kwam bij haar op dat het een leuke trui was, elegant, ze had hem vanmorgen al bewonderd, maar had er natuurlijk niets over gezegd. Ze depte het geronnen bloed op dat zich naar Helens wangen had verplaatst, enigszins in verlegenheid gebracht door deze ongebruikelijke fysieke intimiteit. 'Willen jullie alsjeblieft komen?' zei ze hardop. Toen keek ze naar omlaag en inspecteerde het gezicht dat op haar knieën rustte, nu banger voor het geluid van de ademhaling dan voor wat dan ook, doodsbenauwd dat die zou stoppen. Aarzelend volgde ze met haar vinger de lijn van een oud litteken.

'Dit keer heeft hij je gezicht niet te pakken gehad,' mompelde ze. 'Echt niet.'

Er volgde geen reactie. Ze zouden moeten wachten.

Het was rustig en warm, zelfs met het raam wijdopen. Rose werd bevangen door een onverklaarbare kalmte.

Dinsdale Cotton was meer dan een uur te laat. Hij had zijn afspraak in de pub gemist, omdat hij vastzat tussen het voetbalpubliek, en nu had hij het telefoontje gemist. Hij zette met een schok zijn auto op het trottoir om de hoek van het kantoor, bijna zonder rekening te houden met de belachelijk gekelderde waarde en de strakke metallieklak, geen auto die hij ooit aan een parkeerplaats voor rechters kon toevertrouwen of in het zicht van collega's wilde neerzetten, ook al kon hij hem afdoen als onderdeel van een erfenis. Dat zouden ze geloven, natuurlijk, zoals zijn collega's in de advocatuur zijn aristocratische verleden aanvankelijk ook hadden geloofd, de verzonnen particuliere kostschool (die nooit met name werd genoemd, alleen werd gesuggereerd door het uniform, de manier van praten, de stropdas, de intensief gedragen kwaliteitskleding die eruitzag alsof die eveneens deel uitmaakte van een erfenis), zijn aristocratische slanke postuur, als van een renpaard, zonder één gram vet. Zaken die allemaal de verweesde overlever, de ontvanger van door list en bedrog verkregen beurzen verloochenden. Er was niets mis met zijn verstand, maar Dinsdale kon nooit de verleiding weerstaan om een bocht af te snijden. Evenmin als zijn materialistische ambitie, die niet strookte met zijn door intuïtie ingegeven imitatie van een hertog.

De advocatuur had hem na een jaar of drie doorgehad; de vrouwen – met hun neus voor klasse – roken wat voor vlees ze in de kuip hadden. Maar de ambtenarij, blind en egalitair, was eenvoudig om de tuin te leiden geweest. En toen had hij Helen ontmoet. Precies op het punt waarop ze haar mening over hem begon te herzien, zoals vrouwen uiteindelijk altijd deden, was hij gaan denken hoe prettig het zou zijn als hij niet de hele tijd hoefde te doen alsof. Zijn afkomst zou haar volslagen koud laten. Ze had hem gemogen, ze had hem misschien zelfs kunnen vergeven met die grote blauwe ogen van haar, maar in wezen wilde ze niets met hem, en hij wilde niet aan den lijve voelen hoe erg hij dat vond, het was maar spel, maar het viel wel samen met een heleboel andere dingen die uit de hand begonnen te lopen.

Het autoportier sloeg met een bevredigende bons dicht. Naast zijn wagen stond een oud wrak, dat hij niet herkende.

Dinsdale begreep de wereld van de *nouveau riche* helemaal, voelde zich er als een vis in het water, en was doorgeschoten als een staaltje van geforceerde groei onder het dak van een broeikas, dodelijk verzwakt en vatbaar voor insectenplagen. Hij wist precies hoe hij uit zijn eigen corrumpeerbare soortgenoten moest kiezen. Dat gaf toch niet? Hij nam geen steekpenningen aan van moordenaars, alleen van degenen die hun auto wilden behouden en hij haalde hun niet eens het vel over de oren. Nog maar twee, degenen die hij al had benaderd, en misschien moest hij nog iets regelen om degene bij wie het mis was gegaan te sussen – ook een chauffeur onder invloed met een kleine zaak en een grote auto. Daarna zou hij er nog eens over nadenken.

Hij belde aan, een groot koperen geval dat nooit werd gepoetst; zoiets wilde hij ook wel naast de voordeur van zijn bescheiden huisje, met een butler om open te doen, in plaats van deze schuifelende, altijd indolente maar niettemin achterdochtige sukkel van een nachtwaker, die je het beste kon overvallen in plaats van overreden. De man nam er de tijd voor, de tweede belronde galmde na in de stilte voordat hij achter de deur stond en vroeg: 'Wie is daar?', maar tegelijkertijd de deur van het slot deed, tegensputterend als een woekeraar die zijn kluis openmaakt. De bewaker was rood aangelopen, gemelijk, omdat hij in zijn middagslaapje was gestoord. Dronken, dacht Dinsdale, voor het eerst in uren geamuseerd.

'U had moeten bellen,' zei de man.

'Ach, werkelijk?' vroeg Dinsdale, lijzig pratend, met opgetrokken wenkbrauwen, de fijne mist van regen van zijn jas kloppend. 'En waarom dan wel?'

'Gewoon. Dat hebben die anderen ook gedaan. Het lijkt hier Paddington Station wel.'

Halverwege de toegangshal naar de lift voelde Dinsdale zijn nekharen overeind komen.

'O ja? Welke anderen?'

'Een stel méésjes.' Uit wraak voor de provocatie imiteerde de bewaker Dinsdales accent. 'Ze hebben de goederenlift op en neer gestuurd alsof ze hem onklaar wilden maken. Trouwens, wacht maar niet op de andere lift, ik bedoel, die werkt niet. Meneer.' Het 'meneer' klonk geladen.

'Er verandert nooit iets in dit hol,' zei Dinsdale die zich met elegante, gezwinde pas naar de trap begaf, maar stilhield om de eerste hoek. Op de overloop zag hij een broekriem, gekruld als een slang op de vloerbedekking liggen. Er hing een lichte geur van wat urine zou kunnen zijn. Twee meisjes die op zaterdagavond op zoek waren naar een warm plekje? Dat betwijfelde hij, maar het bezorgde hem een ongemakkelijk gevoel. Hij verroerde zich niet en stak een sigaret op.

Alles was bezig uit de hand te lopen, hij zou nooit krijgen wat hij wilde, wat dat ook mocht zijn, hoewel hij vermoedde dat Helen er op een onduidelijke manier ook bij had gehoord, zij het zijdelings. Hij wist nog dat ze over bewijsmateriaal hadden gepraat. Ze had hem nooit enig bewijs gegeven dat ze meer voor hem voelde dan genegenheid. Stilte. Hij wilde zich niet verroeren. Hij zou hier even blijven zitten om te doen alsof hij iets kwam ophalen en dan naar huis gaan.

De klapdeuren boven aan de trap bewogen. Een klein beetje. Door de glazen panelen scheen licht. Vanuit zijn uitzichtpunt in het halfdonker zag Dinsdale een gezicht voorbijkomen, dat niet naar beneden keek. Niet dat van een meisje.

Helens ademhaling werd rustiger, gelijkmatiger en vredig.

'Je bent niet echt in orde, hè?' mompelde Rose hoestend. 'Wij geen van tweeën. Maar we hoeven het tenminste niet tegen pa op te nemen.'

Ze had de lamp op de vloer naast hen gezet, speelde met de spot, richtte die op de muur, zodat ze zichzelf met haar vingers schaduwsignalen kon toezenden. Achter Redwoods bureau verscheen een enorm v-teken op de gele verf, dat haar opvrolijkte. Rose glimlachte, keek neer op Helen die met haar hoofd, het laatste halfuur met haar mond trekkend en fronsend, op de trui van Rose lag. Nu ze haar trui en T-shirt had uitgetrokken om Helen te helpen, begon Rose het koud te krijgen. Dat had ze in eerste instantie niet gemerkt.

'Ik weet wel dat je griep hebt en zo,' zei Rose op redelijke toon, 'maar vind je niet dat dit lang genoeg heeft geduurd? Als je niet gauw wakker wordt, sla ik je hersens in.' Dat maakte Rose aan het lachen. Ze praatte hardop, dat was beter dan huilen en verborg het feit dat ze zich schuldig begon te voelen omdat ze al zo lang passief was, ook al had ze het gevoel dat er iets in haar hoofd werd besloten wat buiten haar om ging. Ze begon klaaglijk te zingen, de melodie en de woorden kwamen uit het niets.

'De dag, door Uwe gunst ontvangen,
is weer voorbij, de nacht genaakt;
en dankbaar klinken onze zangen
tot U, die 't licht en 't duister maakt...'

Logo was opnieuw verdwaald. Dat kwam omdat hij in de war was, hij stommelde al die trappen af en liep tegen iets scherps op, waardoor zijn broekriem knapte. Langzaam terug naar de kelder, nog langzamer liep hij die helemaal rond, de leidingen tegen het plafond bewonderend, die oogden als een aaneenschakeling van reusachtige witte worstjes, en hij knipte het licht weer aan toen hij merkte dat ze er niet was. Hij bedacht dat de vrouw die hij had gestoken misschien toch gelijk had gehad, misschien was Eenie naar huis gestuurd, maar waarom had ze haar dan geroepen? Daarna had hij een paar schoenen gevonden die er eerst niet waren geweest. Het leken hem niet de schoenen van Eenie, meer de schoenen van een punker, Eenie zou ze vroeger nooit hebben gedragen, maar ze gaven hem voldoende aanleiding om verder te zoeken. Zijn stem galmde door het stenen trappenhuis, iets zelfverzekerder nu, luid en klaaglijk en daarna huilerig. 'Kom te voorschijn, Eenie. Kom, liefje. Ik hou van je, Eenie. Ik heb altijd van je gehouden, dat was alles.'

Hij begreep niet waarom hij in huilen was uitgebarsten. Opnieuw ter hoogte van de goederenlift gekomen, leunde hij snikkend tegen de muur. Begreep ze niet dat hij alleen maar van haar wilde houden? Hij beukte tegen de muur, beukte gefrustreerd tegen de rode knop, schrok toen de lift hevig schudde en verdween, hij sprong naar achteren omdat hij dacht dat er iemand uit zou springen, net als hij zelf boven. Toen keek hij sluw naar het ding, wond zich weer op en veegde zijn neus af aan zijn mouw. Ze speelden een spelletje met hem en waar was zijn mes? Hij begon weer aan de vermoeiende mars naar boven, dit keer liep hij alle kamers op de begane grond binnen, behalve die van de bewaker, waar de televisie nog steeds aan stond, waaruit nu muziek boven het gesnurk uit klonk. Nog een trap op, hij liep iets sneller nadat hij was blijven staan om een stuk chocola te eten. Al die kamers, hij wist niet meer aan welke kant de zijstraat liep en hij keek uit vensters op bestrate binnenpleinen neer. Hij raakte een beetje in paniek, totdat hij de goederenlift op deze etage vond en zich weer kon oriënteren. Nog een trap op, weer zocht hij ernaar, en daar was hij, met schuifluiken die met behulp van zijn eigen mes waren vastgezet. Hij staarde er ongelovig naar, het drong maar langzaam tot hem door.

Dat had Eenie gedaan, of niet? Ze dacht dat hij erin zat, ze had geprobeerd hem in een kist te stoppen om hem daar te laten rotten, ze zou hem weer met een mes hebben gestoken als hij had geprobeerd te ontsnappen. De woede nam in één donderde klap weer bezit van hem, explodeerde in zijn hoofd en ging over in een laag gerommel.

Hij beende naar de kamer van de administratie, dubbend of hij het mes zou aanraken, en keerde zich om toen hij het geluid door de deur van die chique kamer hoorde komen. Zijn broek zakte af, zo zonder riem, hij had het gevoel dat hij op zijn plaats werd gehouden door zijn gezwollen maag. Toen hoorde hij dat geluid, het lieflijke, haperende stemgeluid van iemand die zich moed in zingt.

'...Het zonlicht moge nederdalen,
maar Gij, mijn Licht, begeeft mij niet.'

Hij duwde de deurkruk voorzichtig naar beneden, maar die werkte niet mee. Hij probeerde het nog een keer en duwde zachtjes tegen de deur. De stem haperde en zweeg.

Helen kwam bij en bewoog zich abrupt, rochelend. Rose hielp haar overeind, drukte haar hoofd tussen haar knieën en klopte haar op haar rug, terwijl ze intussen de deur in de gaten hield. Ze dacht geen moment dat het de bewaker was; ze wist precies wie het was, had er nooit echt aan getwijfeld dat haar vader Houdini kon nadoen. Ze was opgestaan, pakte de lamp, liep achteruit naar het raam toe, hield stil bij het bureau, zonder al te veel gedachten, slechts reagerend, en zette hem daar neer met de spot op de deur gericht, zodat het licht scheen op de nutteloze barrière die werd gevormd door de lichte stoel, en wachtte. Als ze dit onbewust had gedaan om hem te verblinden, dan ging het effect verloren doordat hij de kamer binnen daverde, een gebogen mannetje dat door zijn vaart ver de kamer in slingerde. Rose bleef staan, haar slanke schouders naakt, niets dat haar lichaam bedekte, behalve een krappe beha, een kort rokje met daaronder haar stevige dijen, geen schoenen, haar benen uiteen geplant, steunend tegen het raamkozijn, als aan de grond genageld. Het vlechtje lag lief tegen haar nek. Logo keek haar verwonderd aan.

'Ik wil alleen maar van je houden,' zei hij. 'Ik heb nooit van iemand anders gehouden, maar dat wilde jij niet begrijpen.'

Ze vertrok geen spier. Die weerspannige, arrogante blik, die zei: stinkend onderkruipsel, stop 'm weg en jezelf erbij. Haar blik gleed vlug van zijn gezicht naar zijn middel. Walging, deernis.

'Kom mee naar huis, Eenie.'

Stilte. Zijn woede was niet gezakt. Logo liep naar zijn zwijgende dochter, nam haar hoofd tussen zijn handen en kuste haar vol op de mond. Ze bleef even stil staan als daarvoor, haar lippen stevig verzegeld, al haar spieren gespannen.

'Doe je ogen open,' commandeerde hij. Rose wilde niet, kon niet. Hij gaf een ruk aan haar kanten beha, legde zijn hand om een tepel die zo hard was als een noot: ze bleef een weerspannig, nors kind. Toen barstte ze los, haar knie knalde als een moker in zijn kruis, waardoor hij met verwilderde ogen achteruit wankelde.

'Vond je dat leuk?' zei hij. 'Vond je dat leuk?' Hij kwam op haar af, zijn ogen stonden vol tranen en moordzucht, hij strekte zijn handen uit naar haar keel. Drukte zich tegen haar aan zodat zij niet kon schoppen. Haar moed was verdwenen.

'Je moeder ligt op het kerkhof,' zei hij zacht. 'Onder iemand anders, precies wat ze lekker vond. En Margaret ook. Begraven onder haar buurvrouw. Ik zal je er ook heen brengen, als je wilt. Waarom hou je niet van je vader? Ik wilde alleen maar van je houden.' Toen verstrakte zijn greep en ze kon er niet tegen vechten, dit keer niet.

Ze vormden een eigenaardig tafereel, toen Dinsdale bij de deur aankwam. Hij stapte in de lichtbaan en was een volle seconde verblind, totdat hij iemand op de vloer zag liggen die zich vastklampte aan het been van een man die grommend naast het raam stond. Helen verhief zich op handen en knieën, rukte aan de enkel en keek alsof ze op het punt stond om te bijten. Een ziekmakende glimp van een witte bil waar 's mans broek was afgezakt, een geluid alsof er iemand stikte, een overweldigende stank – een mengsel van braaksel en viooltjes – waarvan hij bijna kokhalsde, totdat hij een hand naar de rug van het tweekoppige monster zag klauwen, een hulpeloos handje. Mishandeling van een vrouw kon Dinsdale niet aanzien. Hij schatte als een rugbyspeler die de bal ziet liggen, de afstand in tussen hemzelf en de gebogen rug, stormde naar voren en gaf een schop, zo hard als hij kon. Hij schopte tegen de enkels, registreerde dat Helen opzij rolde, gaf een tweede trap toen Rose neerviel uit de verslapte greep om haar nek en Logo zich om zijn as draaide. En nog een, op het moment dat het mannetje zich omkeerde, waardoor de trap in alle hevigheid in diens onderbuik belandde en hij het uitbrulde van de pijn. Logo struikelde over zijn broekspijpen en klauwde naar het raamkozijn waar hij tegenaan viel toen Dinsdale hem nog een laatste schop verkocht, een venijnige opdoffer tegen zijn knie, hij kon het geluid van bot horen. Dit keer jankte Logo, liet het kozijn los om de pijnlijke plek te omvatten, en sloeg vervolgens zonder één geluid achterover. Even snapte Dinsdale niet waar hij gebleven kon zijn, wat hij had gedaan en waarom, totdat er na wat een pauze van enkele minuten scheen, geen seconden, vanuit de diepte door de regen een ijle, waterige gil klonk.

Michael had geprobeerd zichzelf op andere gedachten te brengen. En zijn vader ook. Je loopt een vrouw niet achterna, vooral niet als je niet weet waar ze is, je zorgt ervoor dat zij jou achternaloopt. Dat heb jij anders ook niet gedaan pa, had hij grijnzend gezegd en zich een beetje een dwaas gevoeld. Is het kantoor in deze straat? Moet ik wachten? Ja doe maar, totdat ik weet of ze hier is, als ze er niet is, trakteer ik op een biertje. Zet de auto maar rustig neer, op zaterdag is het hier uitgestorven.

Ze sloegen de zijstraat in, Michael keek omhoog. Hij wist achter welk raam Rose werkte, want toen hij haar vorige week een keer had opgehaald, nee, de week daarvoor, had ze zich uit het raam gebogen en naar hem gezwaaid, en dat was toen zo leuk en geruststellend geweest, dat hij het iedere keer wel had willen zien, en hij kon het niet nalaten om naar boven te kijken. Hij kwam hier pas drie weken en hij had het gevoel dat hij er al een miljoen keer was geweest. Maar het enige wat hij zag was een zak kleren die over het imposante hek bungelde. Die is er zeker op gewaaid, dacht hij. Totdat hij hem, toen de auto tot stilstand kwam, als een vogelverschrikker op zijn rug zag klapwieken, onafgebroken bewegend, met zwaaiende handen en een open mond die leek te glimlachen in het opgerichte gezicht.

15

Het kantoor ging verhuizen. Dat was het nieuws van de dag. Dit had niets te maken met het voorval van twee weken geleden, maar kwam doordat de verwarmingsketel het had begeven en er ergens in de kelder een brandje was uitgebroken. Niemand wist of die twee dingen verband met elkaar hielden, maar gemaskeerd door een stortvloed van gemor werd er alom naar de reden gegist. Wanneer gingen ze verhuizen? Binnenkort. In termen van het OM kon dat maanden betekenen. Ondanks de tegenspoed werkten ze opgewekt bij de povere warmte van zo'n honderd elektrische straalkachels, die veelal door henzelf waren meegenomen. Redwood belegde een vergadering, niet in zijn eigen kamer, waarin hij toegaf dat de recente beveiligingsinspectie had aangetoond dat er om de IRA buiten te houden zeventien bewakers, zes Duitse herders en een macht aan elektronica nodig waren, die geen van alle in het budget pasten, en bovendien liep het huurcontract af.

Zijn andere nieuwtje was dat het gerucht klopte: er was inderdaad om onbekende redenen een zwerver binnengedrongen en uit het raam gesprongen, en inderdaad, de indringer had zijn raam uitgekozen, en inderdaad, dat was fataal geweest, nee, hij verstrekte geen nadere bijzonderheden, alleen dat de dood niet onmiddellijk was ingetreden... O ja, voordat we eindigen, Helen West, Rose Darvey en Dinsdale Cotton waren nog steeds thuis, met een bijzonder kwaadaardige vorm van griep en in deze drukke tijden zou hij het niet prettig vinden als iemand hun voorbeeld volgde. Vooral niet op dit moment, nu ze een stroom zaken verwachtten in verband met de laatste voetbalwedstrijd in Noord-Londen, die op een rel scheen te zijn uitgelopen.

Toen ze allemaal naar hun eigen bureau waren teruggekeerd en door de kou vergeten waren vragen te stellen, begaf Redwood zich naar het raam en keek neer op het hekwerk. Het was maar goed dat Helen West ziek thuis was, best prettig eigenlijk, want haar kamer was helemaal niet slecht en zijn eigen kantoor was bekleed met tape, poeder, geronnen bloed en een verzegeling. Dinsdales stoel was bovendien vacant, maar met het oog op de schokgolven die het kantoor op zijn grondvesten zouden doen schudden wanneer hun kantoorprins werd aangeklaagd, leek het hem niet kies daarover te beginnen. Ze waren nog bewijzen aan het verzamelen om de muur om hem heen op te trekken. Het was een heldere, droge dag. Helens bureaulamp stond op haar eigen bureau. Redwood voelde minder bewondering voor het hek dan voorheen. Het ongemak wekte wrevel bij hem op, die hij aanwendde als een middel om de nachtmerrie te onderdrukken. Het was allemaal aan Helen te wijten. Ze had de gedaagde nooit zo mogen provoceren dat die in hun citadel binnendrong om wraak te nemen. En Redwoods baan in gevaar te brengen. Hoe moet het nu met mij? dacht hij bij zichzelf. Hoe moet het nu met mij? Alle hoge heren denken dat het allemaal mijn fout is en ik weet nog niet eens de helft. Ik moet bij een advocaat navragen wat de wet zegt over het opgraven van lijken. Hij vroeg zich af of er wel een jurist bestond die elke letter van de wet kende. Dat was net zoiets als iemand die alle delen van de *Encyclopaedia Britannica* uit zijn hoofd kende. Vrijdag. Hij zou nooit meer nablijven.

Op de gang, wachtend op de lift, hoorde hij de mensen in koor prettig weekend wensen.

'Wat ik niet begrijp,' zei Geoffrey Bailey, die met de kurkentrekker in zijn hand de indruk probeerde te wekken dat hij kalm was, 'is waarom je het me niet hebt gezegd. Je hebt wel iets over die ontbrekende dossiers gezegd, zoals je wel vaker iets over je werk vertelt. Je hebt me achter die computer gezet omdat je te bang was om de kelder in te gaan, je vertelt me niks over – '

'Dat is niet eerlijk. Ik had je vast wel over Rose verteld als ik het geweten had, maar ik wist het zelf niet, en ik heb niet doorgedramd over Logo omdat je ziek wordt van mijn geklets over rechtszaken, en ik ook. Want omdat ik niets over jouw zaken hoor,' voegde ze eraan toe, 'praten we over die van mij. Ik wil veel liever alles over de jouwe horen dan over de mijne praten. Wat ik niet kan uitstaan is dat jij de hele tijd denkt dat je me verveelt. Je verzwijgt de sappigste stukjes, alsof ik een advocaat ben die alleen maar wil horen wat je had moeten opvallen in plaats van wat je daadwerkelijk ís opgevallen. En trouwens, ik ben je niets verschuldigd. Dat heb je me voortreffelijk duidelijk gemaakt. Eén weekeindje oprechte toewijding gaat bij jou een hele tijd mee – '

'Je dwaalt af, Helen.'

Hij had de kurk uit de fles gekregen, waarbij hij als een stoethaspel te werk was gegaan, merkte ze op, en zette de fles met een klap op tafel. Goede rode wijn, zag ze. Het was maar goed dat ze niet veel waarde hechtte aan het gepolijste tafelblad, zo gewonnen, zo geronnen: spullen moesten gebruikt worden en tafelbladen gehavend, maar het was zonde om wijn te morsen, ook al was er nog veel meer. Hij was aan het einde van zijn cursus bij haar appartement aangekomen, met een lading tassen van de supermarkt, de meeste rinkelend van de flessen, mogelijk de overblijfselen van hun afscheidsfeestje, dacht ze boosaardig. Niet voldoende om haar angsten te verminderen, maar daartegenover stond dat alle crises van de afgelopen twee weken tegen elkaar weggestreept leken te kunnen worden, waardoor ze zich een beetje licht in haar hoofd voelde.

'Wat heb ik verkeerd gedaan?' viel Bailey uit. 'Zeg dan wat ik verkeerd heb gedaan!'

'Typisch iets voor een man om alles te verdraaien tot een persoonlijke beschuldiging. Jij hebt niets verkeerd gedaan.'

'Waarom deed je dan zo kortaf tegen me toen ik vrijdag belde, voordat dit allemaal gebeurde? Waarom heb je me niet gevraagd of ik thuiskwam om je te helpen met Rose Darvey en anderen, in plaats van me achteraf te vertellen dat je je gekwetst voelde, om er luchtig op te laten volgen: "Het geeft niet, ik red me prima..." Hoe denk je dat ik me dan voel?'

'Ik heb niet gevraagd of je kwam, omdat het heel duidelijk was dat je liever niet kwam. Ik wilde iemand die uit vrije wil kwam en anders maar niet, maar jij werd in beslag genomen door je cursus en wat Ryan en jij nog meer uitspookten – zeg alsjeblieft niets, ik wil het niet weten. Na het weekeinde daarvoor, toen je hier halfdronken, niet bepaald enthousiast aankwam –'

'En jij ons de halve zondag op jouw kantoor liet doorbrengen!'

'Wat heeft dat ermee te maken? Ik wilde dat jij, na een week, niet van me af zou kunnen blijven, dat je hevig naar me verlangde en dat was niet zo, dat is alles.'

Hij waagde het niet te zeggen dat hij misschien wel hetzelfde had gewild, zweeg en schonk de wijn met onvaste hand in. Helen wist precies hoe het zat en zijn geweten was – hoe zou hij het formuleren? – troebel, net als deze wijn.

'Hoe het ook zij,' zei hij zonder een spoortje wrok, 'je lijkt je heel goed hersteld te hebben.'

O nee, niet doen, dacht ze. Trek je niet terug in je professionele afstandelijkheid. Ik weet dat ik niet eerlijk ben geweest, ik zou je hebben gewurgd als je mij had aangedaan wat ik jou de afgelopen twee weken heb aangedaan, maar ik moest weten of ik het in mijn eentje zou redden, anders lukt het me nooit meer, en alsjeblieft, trek je niet zo terug, ik wil dat je uit je schulp kruipt en vecht.

'Weet je wat het ergste is wat me is overkomen sinds jij wegging?'

vroeg ze. 'Het allerergste? Daardoor komt het dat ik over de rest zo gelaten ben.'

'Nee, wat dan?'

'Dat ik niet zwanger was toen ik dacht dat ik het wel was. Ook al zat ik flink in de rats, dát was het ergste. Daarbij staat de rest in de schaduw. Zelfs alle lafheid, het angstige rondrennen door het kantoor, het gevoel van absolute nutteloosheid en blindheid, alles. Het maakte me trouwens niet veel uit of ik het zou overleven. Ik vond het veel belangrijker dat Rose bleef leven, omdat zij nog een heleboel kinderen kan krijgen. En jij had kennelijk niet door hoe belangrijk het was.'

Hij zette zijn glas neer.

'Ik weet best dat het belangrijk was. Maar je hebt nooit een kind gewild. En waarom heb je mij niet getroost voor wat er had kunnen zijn maar er niet was? Dat is niet eens in je opgekomen. Hoe meer ik met je meeleefde, hoe sterker jij zou hebben gedacht dat ik je onder druk zette... Ach, wat heeft het voor zin?'

'Nee, dit heeft geen zin.'

Hij zweeg weer, dronk vrij snel, een beetje defensief, stil, zelfs volgens zijn eigen normen. Hij keek op zijn horloge, maar had geen moeite hoeven doen, omdat hij altijd vrijwel exact wist hoe laat het was. Hij vulde gewoon de stilte met een gebaar. Typisch iets voor een man, dacht ze weer, als ze ooit maar enigszins zouden vermoeden hoe nauwkeurig ze werden geobserveerd, zouden ze hun toevlucht nemen tot permanente blinddoeken.

'Ik moest je eraan helpen herinneren dat je iemand voor acht uur moest opbellen,' zei hij. 'Voor het geval je het vergeten bent, het is nu kwart voor acht. Als je daarmee klaar bent, heb ik het eten al half bereid.'

'We kunnen ook uit eten gaan, om jou de moeite te besparen.'

'Nee.'

'Waarom heb je het niet gezegd?' vroeg Michael aan Rose. 'Waarom kon je niet tegen mij zeggen toen we elkaar leerden kennen, of na een week, wat je wel tegen mijn moeder hebt gezegd, en wat zij weer aan mij heeft overgebracht?'

Rose en Michaels moeder hadden elkaar op het eerste gezicht gemogen. Rose was onnatuurlijk rustig geweest, als een schepsel, een zielig vogeltje dat, alvorens te sterven, gevangen is in het schijnsel van de koplampen. Je kon haar hart horen bonzen en haar botten bijna horen breken toen ze in de vroege uren van de zondagmorgen aan de boezem van Michaels familie werd gedrukt, die voldoende verontrust was geweest om de dokter te bellen en een bed op te maken. Dagen van treuren en praten, kompressen die op wonden werden gelegd, er afgetrokken, opnieuw geplaatst, een wisselend genezingsproces. Verklaringen gevend in de woonkamer, eindeloos theedrinkend met Michael die haar hand vasthield, totdat met stukken en brokken het hele geval te voorschijn kwam met het gemak van een verlossing met de keizersnede. Nu waren ze in zijn flat. Hij vroeg zich af of het niet te snel was, hij vroeg zich af wat hij in huis had gehaald, maar het was beter zo, met hun tweetjes. Net kinderen die vadertje en moedertje speelden, dat scheen ze fijn te vinden. En zij kon er maar niet over uit dat hij er nog steeds was, en niet de baas over haar speelde of iets dergelijks, maar er gewoon was, en precies wist wanneer hij mensen weg moest jagen en wanneer hij ze binnen kon laten, zelfs zijn moeder.

Ze lagen languit op zijn bank. Er had zich aardig wat stof verzameld, maar hij hield de zaak presentabel. Helen West had haar twee teddyberen laten bezorgen, wat een attent gebaar was, maar ze wilde niet aan Helen West denken. Het eten van de afhaalchinees was een hele opluchting na het meedogenloze thuisregime, maar Mrs. Michael wilde dat ze zondag kwamen lunchen. Rose meende dat ze daar wel aan kon wennen. Ze wond haar vlechtje om haar vinger. Tijd om het af te knippen, het begon haar te irriteren.

'Ik kon het niet tegen je zeggen. Je had het niet willen weten. Ik wilde het zelf ook niet weten.'

'Hoor eens,' zei hij, 'ik wist toch dat je geen maagd meer was? Ik heb nooit anders geweten. Maar ik heb ook altijd geweten dat je in je hart nog een kind was, onschuldig. Het had niets veranderd, hoe dan ook.'

Ze dacht erover na en knikte. 'Nee. Maar het maakt wel een verschil of je met een vent meegaat omdat je bang bent voor het donker, of dat je met je vader meegaat –'

'Hou op,' zei hij, opeens autoritair. 'Hou op. Je bent niet met je vader meegegaan. Je vader liep zijn pik achterna en heeft jou verkracht, zo zit het. En niemand zal je ooit nog zoiets aandoen.'

Ze deed er het zwijgen toe.

'Dinsdale is best een goeie vent,' zei ze opeens. 'Ik hoop maar dat ze hem niet straffen.'

'Waarom vind je hem een goeie vent?'

'Ik mocht van hem niet uit het raam kijken.'

Ja, dan was het wel een goeie vent, wat hij verder ook mocht hebben uitgevreten. Michael huiverde. Rose begon te huilen. 'Stt,' zei hij. 'Stt. Het wordt beter. Ik beloof je dat het beter wordt.'

'Ik wou dat hij niet dood was. Niet zo, niet op die manier. Ik wou dat ze oma niet op dat kerkhof vonden... Ik wou...'

'Het wordt een beetje kil,' zei hij. 'Hier, kom eens tegen me aan liggen.'

Hij schoof naar haar toe, koesterde haar vogellijfje tegen zijn warme borst, zijn frisse geur, de troost dat ze hem begon te geloven en o, dit vreselijke verlangen, dat niet tegelijk had mogen komen met het verdriet om oma en haar moeder en alle anderen, maar dat wel tegelijk opkwam.

'Je laat me toch niet in de steek, hè Mickey?' fluisterde ze ten slotte met een kinderlijk stemmetje.

'Nee, alleen als je genoeg van me hebt, als je mij niet meer wilt.' Hij vroeg zich af hoe lang dat zou duren en trok haar dichter tegen zich aan.

Ze stak haar hand uit naar de lamp die naast hem op de vloer stond en liet een enorme schaduw op de wand ertegenover vallen. Daarna kroop ze weer tegen hem aan.

Biefstuk, sla, belachelijk dure nieuwe aardappelen in de verkeerde tijd van het jaar, gevolgd door kaas. Hier wist ze wel raad mee. De tweede fles was bijna leeg. Alle uitnodigingen waren afgeslagen. Helen besefte dat wat ze te zeggen had, misschien een paar repetities vergde. Bailey legde plotseling zijn mes neer en grijnsde haar breed toe.

'Je ziet eruit alsof je net bent opgegraven,' zei hij met grimmig genoegen. 'Zwaluwstaartjes op je hoofd, acht hechtingen in je arm en een kleur als een citroen. Je bent een lastige, onredelijke vrouw en toch ben ik stapelgek op je. Je bent een nachtmerrie voor me, besef je dat? Wat moet ik met je beginnen?'

Ze vroeg het zich af. Vroeg zich dat al geruime tijd af, maar nooit zo sterk als toen ze vorige week uit het kantoor in een ziekenwagen was geholpen, en per se zelf wilde lopen en wist dat ze voorgoed zou moeten vechten om haar angst voor het donker de baas te kunnen. Dinsdale was aardig, maar bleef een dief. Rose met haar kampioen, iedereen met iemand, en zij zoals altijd, alleen, het uitvechtend met de hele wereld.

'Misschien kunnen we gaan trouwen,' zei ze. Zijn mes kletterde op de grond.

'Ik ben een lastpost, dat weet ik. Maar het schoot me te binnen dat je achteruitgang alleen kunt stoppen door een sprong voorwaarts.'

'Dat is wel een hele sprong.'

'Je hebt altijd gezegd dat je het wilde.'

Hij haalde diep adem. 'Dan bedoelde ik waarschijnlijk op elk tijd-stip dat je niet uit angst en als reactie op je mishandeling spreekt.'

Ze wist niet of ze teleurgesteld moest zijn, boos, vernederd of opge-lucht. Die lieve Bailey had de smaak van de vrijheid te pakken. Ze kon er maar beter luchtig over doen. Ze stond op om de tafel af te ruimen en de sterke zwarte koffie te zetten waarvan hij hield en die hen geen van beiden ooit uit de slaap hield. Het was prettig om de gewoonten van een man te kennen, ook al wekten ze irritatie op.

'Dus dat wil zeggen dat je van het hele idee bent afgestapt? Van trouwen, bedoel ik?'

'Ja, voorlopig wel. Het betekent niet dat ik niet van je hou, alleen dat het mijn beurt is om ambivalent te zijn.'

'Dan is het goed.'

Ze stond voor het keukenraam met een dienblad vol borden die wel konden wachten en keek de donkere wintertuin in, bezeerd. Er speelde een regel uit een gezang door haar hoofd: 'Gij houdt uw trouwe, o blijf bij mij, Heer'.

Lieve God, als je bestaat, zorg dan dat ik niet bang ben voor het donker.